Minna no Nihongo

みんなの日本語

中級Ⅱ本冊

スリーエーネットワーク

© 2012 by 3A Corporation

All rights reserved. No part of this publication may be reproduced, stored in a retrieval system, or transmitted in any form or by any means, electronic, mechanical, photocopying, recording, or otherwise, without the prior written permission of the Publisher.

Published by 3A Corporation.
Trusty Kojimachi Bldg., 2F, 4, Kojimachi 3-Chome, Chiyoda-ku, Tokyo 102-0083, Japan

ISBN 978-4-88319-590-9 C0081

First published 2012
Printed in Japan

はじめに

『みんなの日本語中級Ⅱ』は『みんなの日本語』シリーズの『中級Ⅰ』に続く総合的な中級日本語教材として企画、編集されたものです。

『中級Ⅰ』は、「中級」を目指す学習者にとって、「初級」からの連続性を保ち、学習項目のわかりやすさと多言語に対応していることにより、現在、一般成人のほか、進学を目指す就学生・留学生のための教材として、日本国内外の日本語教育機関で幅広く使用されています。

近年、日本に定住する外国人はますます増える傾向にあり、それに伴ってさまざまな分野で国際交流も活発化し、その地に根差した地域活動も日常化・多様化してきています。

こうした日本国内の環境の多様化と日本語学習者層の厚さを背景に『中級Ⅰ』に続く教科書、『中級Ⅱ』を求めるご要望が各方面より小社に寄せられていました。

本書はその強い要望に応えるものとして、実践経験の豊かな日本語教師と研究者が協働し、執筆、試用、検討を重ねて編集し、ここにお届けするものです。

初級日本語は、日本語によるコミュニケーションを必要とする人が自らの意思を相手に伝えること、また相手の話した内容を理解できることが最低限の必要条件ですが、中級では、学習の結果として得られる日本語の運用能力だけでなく、日本固有の文化や慣習、また日本のこころといったものをも理解し、さらには日本語を学ぶことそれ自体から得られる喜びに気づく段階でもあります。本書は、そのような学習者の皆様に十分お役に立つことと確信しております。

最後に、本書の編纂に当たりましては各方面からのご意見・ご要望などを数多く頂き、また授業での試用などでも多大なご協力を頂きました。ここに深く感謝申し上げます。

当社は、これからも異文化の接点で必要とされる教材の開発、出版を通じて、人と人のネットワークを広げてまいりたいと考えております。

どうか、尚一層のご支援とご鞭撻をお願い申し上げます。

2012年3月
株式会社スリーエーネットワーク
代表取締役社長　小林卓爾

凡例

Ⅰ. 教科書の構成

『みんなの日本語 中級Ⅱ』は『本冊（CD付）』『翻訳・文法解説（各国語版）』よりなる。『翻訳・文法解説（各国語版）』は英語版のほか、順次刊行していく予定である。

本書は中級後期の教科書で、『みんなの日本語初級Ⅰ・Ⅱ』（初級300時間）、『みんなの日本語中級Ⅰ』（中級前期150時間）を修了した学習者が、中級から上級への時期に必要な「読む・書く」「話す・聞く」の総合的な言語能力と自律学習の能力を培うことを目的としている。

『中級Ⅱ』各課の構成は、中級後期の効果的な学習の展開を勘案し、『初級Ⅰ・Ⅱ』『中級Ⅰ』までの配列とは変わり、「読む・書く」「話す・聞く」「文法・練習」「問題」の順である。

Ⅱ. 教科書の内容

1.『本冊（CD付）』

（1）本課　各課の構成と内容は以下のように分けられる。

1）読む・書く

学習者の興味・関心に応えるテーマと学習レベルにふさわしい内容の「読み物」を用意した。

新出語句にとらわれず、「読むときのポイント」を参考に、文章全体を読み進め、大意を読み取る。各課の「新出語彙」は別売の『翻訳・文法解説』に掲載されているが、文脈の中で言葉の意味を類推したり、辞書で調べて確認したりするなど、現実の「読み」を体験する。

1. 考えてみよう

   読む前の準備として、「読み物」本文の話題やその背景に関する知識を活性化する。

2. 読もう

   冒頭に「読むときのポイント」を示す。内容を理解し、全体を把握するために必要な読み方のヒント、ストラテジーやスキルが示されている。文章の流れに注目し、大意が的確、迅速に把握できるようになることを目指す。

3. 確かめよう

「読むときのポイント」のタスクが的確に行われ、文章全体の要旨を把握できたかどうか、また語句の意味を文脈の中で捉え、理解できたかどうかを確認する。

4. 考えよう・話そう

本文に関連した課題について考え、自分の経験や感じたことを基に意見を述べたり、まとまった話をしたりする。

5. チャレンジしよう

本文の内容を発展させた課題に取り組み、文章としてまとめる。その手がかりとして、課題に応じた語句、文章形式、文字数（200〜800字程度）、文章の流れなどを示す。

2）話す・聞く

『中級Ⅱ』の「話す・聞く」は「読む・書く」と関連のある話題・機能のシラバスで構成されている。

前半13課から18課までは社交・交流会話の場面を中心に、話題、内容、相手に応じた適切な表現ができる会話力を養う。「会話」では、やりとりの実際（共感、褒め、謙遜、慰め、励まし、待遇表現上のスタイルの使い分けなど）が示されている。

後半19課から24課まではさまざまな口頭発表の場面——挨拶、インタビュー、発表（情報伝達）、ディスカッション、スピーチ、就職面接——などを設定した。話題、情報や資料の提示、聞き手に配慮した具体的な表現や話し方の指標が示されている。

1. やってみよう

目標会話への導入。設問に従い、与えられた状況でどの程度できるか自分の言葉で話してみる。

2. 聞いてみよう

CD「会話・発表」で内容、表現を聞き取る。

3. もう一度聞こう

CDを聞きながら、＿＿＿の部分に言葉を書き入れて「会話・発表」を完成する。

4. 言ってみよう

絵を見ながら発音やイントネーションに注意し、CDのとおりに言ってみる。

5．練習しよう
　　「会話・発表」に使われている機能的な表現や語句を用い、場面や設定を変えて、談話練習をする。

6．チャレンジしよう
　　与えられた状況でその課の目標となる機能を生かした話をする。

3）文法・練習
「文法・練習」は各課とも「読む・書く」「話す・聞く」に分けて構成される。

1．「読む・書く」「話す・聞く」の文法項目（文型）は、それぞれ「理解項目」と「産出項目」に分けられる。
2．「理解項目」「産出項目」ともに、各課「読む・書く」「話す・聞く」本文から抜き出した一文を見出しとして掲げる。文法項目の部分は太字で示す。
3．「理解項目」は、例文を掲げて理解を促し、文型の意味・機能が適切に理解できたかどうかを、a．b．二択の問題でチェックする。
4．「産出項目」は、例文を掲げて理解を促したのち、文型産出のための多様な練習を取り入れ、日常の言語活動につなげる。

4）問題
各課末の「問題」は、「Ⅰ．聴解」（🔊CDマークの箇所）、「Ⅱ．読解」で構成される。その課で学んだ文型や語彙・表現だけでなく、課の学習目標、話題・機能を重視して、「会話・発表」の場面・内容、また作品や記事を選んだ。「問題」は学習した事柄のフィードバックにとどまらず、問題を解く作業を通じて日本語の総合的理解力を鍛え、言語生活を豊かに育むというねらいがある。

（2）表記と振り仮名
1）漢字は原則として、「常用漢字表」と「付表」による。
　1．「熟字訓」（2字以上の漢字の組み合わせ、特別な読み方をするもの）のうち、「常用漢字表」の「付表」に示されるものは、漢字を用いた。
　　　例：友達、眼鏡、風邪、一人
　2．人名・地名などの固有名詞、または芸能・文化などの専門分野の語には、「常用漢字表」にない漢字や音訓も用いた。
　　　例：世阿弥、文藝、如月
2）「常用漢字表」および「付表」に示される漢字であっても、学習者の読みやすさに配慮して、仮名書きにしたものがある。
　　　例：ある（有る、在る）　いまさら（今更）　さまざま（様々）

3）数字は原則として算用数字を用いた。
  例：9時、10月2日、90歳
  ただし、次のような場合は漢数字を用いた。
  例：一日中、数百、千両

4）振り仮名は原則として、初級相当学習漢字には付けないこととした。
  1．熟語で中級相当学習漢字を含む場合はこの限りではない。
  2．当該ページ初出の中級相当学習漢字には振り仮名を付ける。
  3．「読む・書く」「話す・聞く」それぞれの本文内（見開き）の同一漢字には初出時にのみ振り仮名を付ける。

（3）学習項目

「読む・書く」「話す・聞く」に提出された文法項目は、それぞれ「理解項目」と「産出項目」に色分けして示した。

1）「読む・書く」
  各課の「読み物」のタイトル、目標（ストラテジー）、文法項目（77項目）―①理解項目（34項目）、②産出項目（43項目）―が掲げられている。

2）「話す・聞く」
  各課の「会話・発表」のタイトル、目標（ストラテジー）、文法項目（41項目）―①理解項目（20項目）、②産出項目（21項目）―が掲げられている。
  なお、文法項目の表記は文法用語を使用せず、以下のようにした。
  接続部分が名詞などの語句に相当する場合は「～」で示す。
    例：「～といった」（第14課）
  接続部分が「文」に相当する場合は「…」で示す。
    例：「…という」（第15課）
  ただし、接続部分が「文」であっても、末尾の形が「て形」「た形」「辞書形」「たら形」「ている形」「ば形」など、特定の形をとる場合は「～」で示した。
    例：「～たところ」（第16課）

（4）文法 プラスアルファ

1）「文法 プラスアルファ」は『中級Ⅰ』『中級Ⅱ』で学んだ「中級文法」の補足項目である。「上級日本語」あるいは「専門日本語」を目指すなど、多様なニーズを有する学習者の意欲に応えるものである。

2）文法項目は意味・機能別に大きく5つにまとめた。
1．複合助詞（2語以上からなる「助詞相当の語句」）を使って表現する
2．接続語を使って表現する
3．接尾語を使っていろいろな表現をする
4．発話するときの主観的態度、心持ちを表現する
5．ある動作や現象が時間の経過の中でどのような状態にあるかを述べる
3）文型にはそれぞれに例文を掲げている。
4）『翻訳・文法解説』には文型の意味・機能の説明および例文の翻訳を掲載している。

（5）索引
1）新出語（約2,430語）
2）会話表現（53語）
3）漢字（339字）
　＊「読み物」全12課に出現した常用漢字のうち初級相当学習漢字および『中級Ⅰ』学習漢字（315字）を除いた漢字。
4）文法項目（「文法・練習」「文法プラスアルファ」および『中級Ⅰ』の「学習文法項目」）（357文型）

（6）解答
1）解答
　①「読む・書く」「話す・聞く」「文法・練習」
　②「問題」
　（問題によっては学習者の背景によりさまざまな解答が存在する。ここでは、一つの解答例を掲げる。）
2）「話す・聞く」会話スクリプト
3）課末聴解問題スクリプト
4）CDの内容

（7）CD
　CDには、①「読む・書く」の本文「読み物」、②「話す・聞く」の「会話・発表」、③「問題」の聴解部分が収録されている。『中級Ⅰ』と同様、音声による日本語の表現の豊かさを理解し、運用能力を養うために活用する。

2.『翻訳・文法解説（各国語版）』

本冊巻頭の「はじめに」「凡例」「学習者の皆さんへ」「登場人物」、また本課より「新出語」「文法解説」「学習項目」「文法 プラスアルファ」が各国語で翻訳されている。

（1）新出語とその訳

各課とも新出語・会話表現・固有名詞が出現順に提出されている。

（2）文法解説

「本文」に出現する「文法・練習」の「理解項目」「産出項目」の意味・機能を各国語で解説してある。特に「産出項目」については、その意味、機能を明確に解説し、学習者が話したり書いたりする際にも、実際に文型を使えるようにしている。

（3）文法 プラスアルファ

「文法 プラスアルファ」は、『中級Ⅰ』『中級Ⅱ』で学んだ「中級文法」の補足項目である。文型は本課の「文法・練習」の文型の扱いに準じ、意味・機能の解説と例文は各国語に翻訳してある。

学習者の皆さんへ

皆さんが『みんなの日本語中級Ⅱ（CD付）』と別売の『みんなの日本語中級Ⅱ翻訳・文法解説（各国語版）』を用いて、効率よく学習を進められるように、その要点を説明します。

Ⅰ.『みんなの日本語中級Ⅱ本冊（CD付）』

1. 読む・書く（読み物）

皆さんの興味・関心に応えるテーマと、中級後期の学習レベルにふさわしい内容で構成しました。文章を読み取り、読み取ったことを話し合ったり、段落を意識して文章を書くことを学びます。各課のはじめにはその課の目標、読み取りのヒントが示されています。

1) 考えてみよう：読む前に本文の話題に関連することを考えたり、話し合ったりしましょう。

2) 読もう：「読むときのポイント」の指示を参考に本文を読みます。言葉の意味はまず文脈の中で考え、類推し、そのあとで『翻訳・文法解説』や「辞書」で意味を確認しましょう。

3) 確かめよう：内容をどのくらい理解できたかを確かめます。本文と質問の間を何度行ったり来たりしてもかまいません。

4) 考えよう・話そう：本文の内容に関連したことを考え、友達と話し合い、発表しましょう。

5) チャレンジしよう：本文の内容から発展したテーマについて、示された条件の範囲で文章を書きましょう。

2. 話す・聞く（会話・発表）

「会話・発表」の話題はその課の「読み物」のテーマと関連しています。各課のはじめに「会話・発表」の目標と機能が示されています。

前半13課～18課では、より良い人間関係をつくり、コミュニケーションを円滑にするための会話を学びます。後半19課～24課ではインタビュー、発表、ディスカッション、スピーチ、就職面接の場面での自己表現力を磨きます。

1) やってみよう：与えられた設定でその課を学習する前に、どのくらいできるか話してみましょう。

2) 聞いてみよう：登場人物と「聞くポイント」を確認したあと、CDで内容や表

現を聞き取りましょう。

3）もう一度聞こう：もう一度CDを聞き、＿＿＿の部分にキーワードや会話表現を書き入れましょう。

4）言ってみよう：絵を見て会話を再生します。発音やイントネーションに注意し、CDのとおりに言ってみましょう。

5）練習しよう：その課の会話表現を用いて、与えられた場面や機能にしたがって談話練習をしましょう。

6）チャレンジしよう：発展的な練習です。その課で学んだ「会話・発表」の枠組みや設定を生かして自由に話したり、発表したりしましょう。

3．文法・練習

「文法・練習」の見出し文は、各課の「読む・書く」「話す・聞く」の本文から抜き出された文で、文型は太字で示されています。各課ともに「読む・書く」「話す・聞く」の文型は「理解項目」「産出項目」の順に提出されています。

「理解項目」は、例文を読んで文型の意味・機能を知り、次に、a．b．どちらか正しい答えを選び、理解できたかどうかを確認します。

「産出項目」は、例文で意味・機能を知り、さらに話したり書いたりする「練習」をします。

4．問題（復習）

各課の「読む・書く」「話す・聞く」の目標が達成されたかどうか、文法項目や新出語の意味・用法が理解できているかを確認します。

Ⅰ．聴解

その課の話題、機能に関連する「会話・発表」（CD）を聞き、表現や内容が聞き取れたかを確認しましょう。

Ⅱ．読解

その課の話題、機能に関連する文章を読み、語句・表現や内容が読み取れたかを確認しましょう。

「問題」には、実際の新聞記事や随筆などを使用しているため、中級学習レベルを超えた語彙・表現も含まれていますが、これまで積み上げてきた言語知識とストラテジーを活用し、力を試してください。「解答」は別冊にあります。

5．文法 プラスアルファ

『中級Ⅰ』『中級Ⅱ』で学んだ文法項目を補足するものです。さらに「上級日本語」や「専門日本語」を目指す人は挑戦してみてください。

6. CD（🔊 CDマーク）

CDマークの付いている部分がCDに収録されています。

1)「読む・書く」（「読もう」）

文章の中のどの部分を強調して読んだり、また単に流すように読んだりするのか、それには、どんなリズムや高低を伴うのかなどについても注意しながら聞きましょう。

2)「話す・聞く」（「聞いてみよう」「もう一度聞こう」）

実際の場面を反映し、物音や雑音、声の遠近が入っているので状況をイメージしながら聞き取りましょう。

3) 問題

「Ⅰ．聴解」CDの会話を聞きます。音声の指示に従って答えましょう。

Ⅱ．『翻訳・文法解説（各国語版）』

本冊巻頭の「はじめに」「凡例」「学習者の皆さんへ」「登場人物」および「文法用語」「省略記号」が翻訳されています。登場人物は『みんなの日本語 初級』からおなじみの人や『中級Ⅱ』で初めて登場する人もいます。あなたの新たな友人として迎えてあげてください。

1. 新出語とその訳

新出語・会話表現・固有名詞は各課とも出現順に提出されています。

2. 文法解説

各課の「文法・練習」で取り上げた「文型」の意味・機能を解説しています。特に「産出項目」については丁寧に解説し、学習者が話したり書いたりするときに文型を実際に使えるようにします。

3. 文法 プラスアルファ

「文法 プラスアルファ」は『中級Ⅰ』と『中級Ⅱ』で学んだ文法の補足項目です。文法解説と例文は各国語に翻訳されています。

この教科書は、皆さんの学習の自律性を重んじながら、初級から中級前期までに学習したことを基にして、さらに、中級学習者に必要とされる力——読んだことを話し書いてまとめる力、話すための原稿を書く力——がつくように編集しました。

この教科書が皆さんにとって中級後期の日本語学習の大きな手助けとなり、次のステップへの足がかりになることを願っています。

目次

はじめに
凡例
学習者の皆さんへ
登場人物

第13課

| 読む・書く | ゲッキョク株式会社 …………………………………… 1 |

・随筆を読む
・時間の経過の中で変化する筆者の心情を読み取る

| 話す・聞く | 勘違いしてることってよくありますよね …………………… 5 |

・日常的な社交場面で、おしゃべり、雑談、会話を続ける
・エピソードを話す

| 文法・練習 | ………………………………………………………… 9 |

1. 〜たて
2. たとえ〜ても
3. 〜たりしない
4. 〜ほど
5. …んだって？
6. 〜ながら
7. つまり、…という/ってことだ
8. …よね。

| 問題 | …………………………………………………………………… 13 |

第14課

| 読む・書く | 海外で日本のテレビアニメが受けるわけ …………… 15 |

・解説文を読む
・理由を探しながら読む
・2つの物事の関係を読み取る

| 話す・聞く | 謎の美女と宇宙の旅に出るっていう話 ………………… 19 |

・ストーリーテリング
・話を促す
・共感する、感想を言う

| 文法・練習 | ……………………………………………………………… | 23 |

1．〜際（さい）
2．〜といった
3．〜に（も）わたって
4．〜うちに
5．〜にとって
6．〜とは
7．〜において
8．…わけだ
9．…のではないだろうか
10．…っけ？
11．〜げ

| 問題 | ……………………………………………………………………… | 27 |

第15課

| 読む・書く | 働かない「働きアリ」 | ……………………………… | 29 |

・説明文を読む
・条件（じょうけん）と結果（けっか）を表（あらわ）す文を読む

| 話す・聞く | イルワンさんの右に出る人はいないということです | ……… | 33 |

・話をつなぐ、話を途中（とちゅう）で切り上げる
・褒（ほ）める、謙遜（けんそん）する

| 文法・練習 | ……………………………………………………………… | 37 |

1．…という
2．〜たびに
3．〜に関（かん）する
4．…わけではない
5．…のではないか
6．…のだ
7．…ほどのものじゃない
8．〜だけでなく
9．〜といえば

| 問題 | ……………………………………………………………………… | 41 |

第16課

読む・書く 個人情報流出 43
・新聞記事（社会面）を読む
・記事の概要をすばやくつかむ
・事実関係を読み取る

話す・聞く 不幸中の幸いだよ 47
・苦い経験を話す
・慰める、元気づける

文法・練習 51
1．〜に応じる・〜に応じて
2．〜によって
3．〜とみられる
4．…としている
5．〜にもかかわらず
6．…とともに
7．〜たところ
8．あんまり…から
9．…ところだった
10．〜に限って

問題 55

第17課

読む・書く 暦 57
・解説文を読む
・物事に関係するエピソードを読み取る

話す・聞く もうお兄ちゃんだね 61
・相手によって呼称を使い分ける
・相手によって話すスタイルを使い分ける

文法・練習 65
1．〜からなる
2．〜としては
3．〜上

4．〜により
5．〜ことから
6．〜ざるを得ない
7．〜てはじめて
8．〜ったら
9．〜にしては
10．…からには
11．〜でしょ。

| 問題 | ………………………………………………………………… 69 |

第18課

読む・書く 鉛筆削り（あるいは幸運としての渡辺 昇①） ………… 71
・小説を読む
・登場人物の行動と心の内を追いながら、自由な解釈を楽しむ

話す・聞く あなたこそ、あの本の山はいったい何なの！ ………… 75
・文句を言ったり、言い返したりする
・謝ったり、相手を認めたりして、関係を修復する

文法・練習 ……………………………………………………………… 79
1．…に違いない
2．〜に比べて
3．…ものだ・ものではない
4．〜た
5．だって、…もの。
6．〜たところで
7．〜だって
8．〜こそ

| 問題 | ………………………………………………………………… 83 |

第19課

読む・書く ロボットコンテスト―ものづくりは人づくり― ………… 85
・筆者の言いたいことは何か、事実と評価を読み取る
・提言を的確に把握する

| 話す・聞く | ちょっと自慢話になりますが | ………… 89 |

・まとまった形で、経験や感想を語る
・集まりで、即席スピーチをする

| 文法・練習 | ………… 93 |

1. ～を対象に
2. ～ばかりでなく
3. ～にほかならない
4. ～を通して
5. ～から～にかけて
6. ～はともかく
7. ～ためには
8. 決して～ない

| 問題 | ………… 97 |

第20課

| 読む・書く | 尺八で日本文化を理解 | ………… 99 |

・新聞記事（文化面）を読む
・プロフィールを通して、その人を知る

| 話す・聞く | なぜ、日本で相撲を取ろうと思われたのですか | ………… 103 |

・インタビューをする
・インタビューの手順を考える
・インタビューを通して相手がどんな人物かを知る

| 文法・練習 | ………… 107 |

1. ～のもとで
2. そう
3. …ぞ。
4. …と同時に
5. ～しかない
6. ～の末
7. ～て以来
8. …くらい
9. ～をこめて
10. ～ば～だけ

11．〜たとたん（に）
12．〜からといって

| 問題 | …………………………………………………………………………… 111 |

第21課

読む・書く 日本の誇り、水文化を守れ ………………………………… 113
・意見を表明する文を読む
・筆者の主張をその根拠や具体例から読み取る

話す・聞く 発表：データに基づいてお話ししたいと思います ………… 117
・データを基に情報を伝えるスピーチをする
・図表を用いて説明する

文法・練習 …………………………………………………………………… 121
1．〜もせずに
2．〜といえども
3．よほど〜でも
4．いかに〜か
5．…とか。
6．〜に言わせれば
7．〜に基づいて
8．〜と言える
9．一方（で）
10．〜に限らず

| 問題 | …………………………………………………………………………… 125 |

第22課

読む・書く 私の死亡記事 ……………………………………………………… 127
・手紙文（依頼状）の内容を読み取る
・筆者の死についての考え方（死生観）を読む

話す・聞く 賛成！ ……………………………………………………………… 131
・ディスカッションで意見を交換する技術を学ぶ

文法・練習 …………………………………………………………………… 135
1．〜次第だ
2．〜をもって…とする

3．〜においては
4．〜うる
5．…のであろう
6．〜と思われる
7．〜としても
8．〜（よ）うにも〜ない
9．〜わりに
10．〜べきだ
11．〜というより

| 問題 | 139 |

第23課

| 読む・書く | コモンズの悲劇 | 141 |
・論文を読む
・筆者の主張を理解する

| 話す・聞く | スピーチ：一人の地球市民として | 145 |
・大勢の人に向かってスピーチをする
・自分の主張を聞く人に分かりやすく伝える

| 文法・練習 | 149 |
1．〜に及ぶ
2．…可能性がある
3．この〜
4．〜上で
5．〜につれて
6．〜ことに
7．〜恐れのある／がある
8．〜までもない
9．〜がきっかけで・〜をきっかけに
10．〜をはじめ

| 問題 | 153 |

第24課

読む・書く 型にはまる ……………………………………… 155
- 随筆を読む
- 筆者の主張を読み取る
- 対比しながら読む

話す・聞く 好奇心と忍耐力は誰にも負けないつもりです ……… 159
- 就職試験の面接を受ける
- 自分のことをアピールする
- 専門について詳細に述べる

文法・練習 ……………………………………………………… 163
1. ～ざる～
2. ～から～に至るまで
3. ～きる
4. ～ならぬ～
5. ～さえ～ば
6. ～として～ない
7. ～以上（は）
8. ～ないかぎり
9. ～わけにはいかない／ゆかない
10. ～あまり（に）

問題 ……………………………………………………………… 167

学習項目 ………………………………………………………… 170
文法 プラスアルファ …………………………………………… 176
索引 新出語 …………………………………………………… 192
　　　 会話表現 ………………………………………………… 228
　　　 漢字 ……………………………………………………… 230
　　　 『みんなの日本語 中級』文法項目 …………………… 244

解答

登場人物

マイク・ミラー
アメリカ、IMCの社員

中村 秋子
日本、IMCの営業課長

イルワン
トルコ、「オスマン絨毯」の所長

山田 一郎
日本、IMC（大阪）の社員

太郎
日本、小学生
山田一郎と友子の息子

山田 友子
日本、銀行員

ジョン・ワット
イギリス、さくら大学の講師

木村 いずみ
日本、アナウンサー、ワットの妻

カリナ
インドネシア、富士大学の学生

イー・ジンジュ
韓国、AKCの研究者

ジャン
フランス、さくら大学の学生

小川
日本、さくら大学の学生

山口
日本、さくら大学の学生

張
中国、さくら大学の学生

森
日本、さくら大学教授

ジョゼ・サントス
ブラジル、ブラジルエアーの社員

マリア・サントス
ブラジル、サントスの妻

池田
日本、ブラジルエアーの社員

優太
日本、池田とミランダの息子

ミランダ
メキシコ、池田の妻

＊ IMC（コンピューターのソフトウェアの会社）
＊ AKC（アジア研究センター）

第13課

読む・書く　ゲッキョク株式会社(かぶしきがいしゃ)

・随筆(ずいひつ)を読む
・時間の経過(けいか)の中で変化(へんか)する筆者(ひっしゃ)の心情(しんじょう)を読み取(と)る

話す・聞く　勘違(かんちが)いしてることってよくありますよね

・日常的(にちじょうてき)な社交場面(しゃこうばめん)で、おしゃべり、雑談(ざつだん)、会話を続(つづ)ける
・エピソードを話す

読む・書く

1. 考えてみよう

1) 漢字の読み方が分からないとき、どうやって調(しら)べていますか。
　　辞書(じしょ)と答えた人：それはどんな辞書ですか。
　　辞書以外のものと答えた人：その方法(ほうほう)を具体的(ぐたいてき)に話してください。

2) 動物園(どうぶつえん)の入園料(にゅうえんりょう)の案内(あんない)に、「大人・・・500円」「小人・・・250円」とありました。
　　「大人」は何と読みますか。「小人」はどう読みますか。

2. 読もう

読むときのポイント：

- 時を表す言葉「～の頃」「そのうち」「～年目にして」「今でも」に注目し、それらの語に続く文から筆者の気持ちや思考の変化を読み取りましょう。
- 「日本語を勉強して、何が一番難しかった？」という、文章の最初にある問いの答えを考えながら全文を読みましょう。

ゲッキョク株式会社

「日本語を勉強して、何が一番難しかった？」とときどき聞かれる。

のみこむのに苦労した日本語は、佃煮にするほどあった。例えば、「以後」と「以降」と「以来」を一体どう使い分けたらよいのか。また、難しい四字熟語を一生懸命覚えても、「適度」に、いや「適当」に、いな「適切」に使えるようになるのに、さらに一進一退、試行錯誤の月日を要した。ただ、「一番難しかった」とくると、ぼくの頭にまっすぐ浮かぶのは「月極」だ。

来日したての頃、いつもリュックに辞書を詰めて、池袋の街を歩きながら、看板を解読していた。「駐車場」という言葉には早くに出くわし、看板の立っていた場所からすぐパーキングのことと分かった。ところが、頭に付いていた「月極」———。

和英辞典で「げっきょく」と引いても出ない。ひょっとして駐車場のオーナーの苗字か、あるいは「ムーン」の「エンド」といったネーミングか。なんとなく「げっきょく」として頭に入れ、だんだん見慣れていった。

そのうち自転車に乗るようになり、看板解読の範囲が広がった。新宿へ行っても練馬を横断しても、上野、月島でも「月極」のパーキングを見かける。どうやら大企業で、東京の駐車場市場を独占している様子、一部上場か……と思い込んだまま突っ走っていた。

在日6年目にして、初めて青森へ出かけた。駅からとりあえず港のほうへ、観光物産館を目指して歩いていたら、「月決め駐車場」という看板が目に入った。その頃はもう、リュックには和英と英和ではなく、国語辞典が忍ばせてあったが、「つきぎめ」を引くと「月極め」と出た！「月ごとの約束、あるいは計算で契約すること」の定義のあとに、「『月決め』と書き換える慣用も」と。一瞬にして、一大企業が消えた。

今でも、池袋の「月極駐車場」の看板がパッと目に入ると、耳の奥のどこかでゲッキョクの声がする。でも、月に一度行く青森を歩いていると、たとえ「月極」と書いてあっても、ぼくの内なる声は読み違えたりしない。

（アーサー・ビナード『日々の非常口』朝日新聞社）

3. 確かめよう

1) 時間の経過の順に番号を書き入れてください。
   ( ) リュックには国語辞典が入れてあった。
   ( )「月極」は大企業の名前だと思っていた。
   ( ) 漢字の熟語を覚えてもうまく使うのは難しかった。
   ( )「月極」は駐車場のオーナーの名前だと思っていた。
   ( )「月極」の文字を見て「ゲッキョク」と読み違えることはない。

2) 文を完成させてください。答えは本文のとおりでなくてもかまいません。
   ① 難しい四字熟語を一生懸命覚えても、適切に使えるようになるのに、＿＿＿＿＿＿＿＿＿＿＿＿＿＿＿＿＿＿＿＿＿＿＿＿＿＿。
   ② 日本に来たばかりの頃、いつもリュックに＿＿＿＿＿＿＿を入れて、池袋の街を歩いていた。「駐車場」という言葉を早くから見かけ、看板の立っていた場所からすぐ＿＿＿＿＿＿＿のことと分かった。
   ③ 「月極」の読み方を調べるのに和英辞典で「げっきょく」と引いても＿＿＿＿＿＿。
   ④ 日本に来て6年後に、初めて青森へ出かけたときに、歩いていたら、「＿＿＿＿駐車場」という看板が＿＿＿＿＿＿＿＿。
   ⑤ 今でも、池袋の「月極駐車場」の看板を見たら、耳の奥のどこかでゲッキョクの声がするが、もう＿＿＿＿＿＿＿＿＿＿＿＿＿＿＿＿＿＿＿。

3) 質問に答えてください。
   ① 「佃煮にするほどあった」とはどういう意味ですか。
   ② 「一瞬にして、一大企業が消えた」とはどういう意味ですか。

4) 筆者にとって、「日本語を勉強して一番難しかった」のは何でしょうか。

4. 考えよう・話そう

1) あなたにとって日本語を勉強していて、いちばん難しいと思うことは何ですか。

2) 「生」という漢字には読み方がいくつあるか、辞書で調べてください。分かった読み方を全部書き留めて、それぞれどのように使われているか発表してください。

5. チャレンジしよう

1) 漢字だけで書かれた言葉（ことば）で、変（へん）な読み方だと思ったものがありますか。あったら、紹介（しょうかい）してください。なければ、本・辞書（じしょ）・インターネットで探（さが）してみましょう。

　　　例： 五月蝿い（うるさい）　　時雨（しぐれ）　　向日葵（ひまわり）
　　　　　 大分県（おおいたけん）　　倫敦（ろんどん）

2)「〜の頃（ころ）」「そのうち」「〜か月目／年目にして」「今でも」を使って、あなたの気持ちや考え方が変化（へんか）したことを400字程度（ていど）で書いてください。

　　例：日本語の勉強について、会社や学校のことについて、友人や恋人（こいびと）のことについて

```
文章（ぶんしょう）の流（なが）れ：
①いつ頃（ごろ）、どんなことがあったか
            ↓
②そのうち、どうなったか
            ↓
③〜か月目／年目に、さらにどうなったか
            ↓
④今はどうか
```

| 話す・聞く | 勘違いしてることってよくありますよね |

1. やってみよう

1) 日本のことわざを知っているか、それはどんなことわざか、話し合ってください。
   もし、知らなければ、あなたの国のことわざを何か一つ紹介してください。どういう意味で、どんなときに使われるか、説明してください。

2) これまで意味を取り違えていた言葉や表現があるかどうか、それはどんなものか、どんな意味だと思っていたか、話し合ってください。

2. 聞いてみよう

CD1-2

聞くポイントを確認してから、聞きましょう。

山田一郎　山田友子　サントス　マリア

1) 内容を聞き取りましょう。
   ① ことわざがいくつ出てきますか。
   ② 「情けは人のためならず」にはどんな意味がありますか。
   ③ サントスさんはどんな勘違いをしていましたか。

2) 表現を聞き取りましょう。
   どう言いましたか。
   ① 山田さんがお好み焼きの話から結婚式の話に話題を戻すとき
   ② 友子さんが太郎君の経験を話し始めるとき
   ③ サントスさんが自分の思い違いをしていた経験を話し始めるとき
   ④ サントスさんが自分の間違いについて自分自身でコメントするとき

🔊 3. もう一度聞こう

_____の部分に言葉を書いてください。

【山田さん宅で】

山田友子： お二人とも、お好み焼きは初めて？

サントス： はい、大阪に住んでいながら、まだ食べたことがないんです。

友　子： そうですか。こうしてわいわいおしゃべりしながら焼くと楽しいし、簡単だし、うちではよく作るんですよ。

マリア： ええ、ホームパーティーにぴったりですね。

山田一郎： でしょ。①_____、サントスさん、いずみさんの結婚式でスピーチをしたんだって？

サントス： そうなんです。日本の結婚式で日本語でスピーチするなんて、初めてで緊張しましたけど、まあ、ブラジルのことわざなんかを紹介して、どうにか……。

友　子： どんなことわざですか。

サントス： "Quem canta, seus males espanta"、直訳すれば「歌う人は災いを遠ざける」。②_____。

一　郎： 日本語だったら、「笑う門には福来る」ってとこかな。

友　子： ③_____、この前、太郎がおばあさんに道を聞かれて、その場所まで連れて行ってあげたって言うんですよ。

マリア： ふぅん、太郎君らしいですね。

友　子： でしょう。わたしも太郎を褒めて、「きっといいことあるよ。『情けは人のためならず』っていうから」って言ったら、太郎が「えっ、親切は人のためにならないってどういうこと？」ですって。ちょっとびっくりしちゃいました。

マリア： 本当はどういう意味なんですか。

友　子： 「人に親切にしたら、あとでいいことが自分に返ってくる。親切は人のためだけじゃない」っていう意味なんです。

一　郎： でも、そのことわざを太郎みたいに「親切は人のためにならないから、しないほうがいい」って思っている人が結構多いんですよ。

サントス： まあ、④_____。私は甘いものをあまり食べないので、「辛党なんです」ってよく言ってたんです。それが、先日、ある人に「サントスさんは辛党だから、お土産にお酒を買って来ました」って言われて、びっくりしましたよ。

マリア： そうそう。「辛党」は「甘党」の反対だと思ってたのよね。
サントス： そう。⑤＿＿＿＿＿＿＿＿＿＿＿＿＿＿＿＿。それからは、知ったかぶりはしないで、分からないことはきちんと聞くようにしてるんです。
一　郎： うん、「聞くは一時の恥、聞かぬは一生の恥」って言いますからね。
友　子： さあ、焼けましたよ。どうぞ。
マリア＆： はい、いただきます。
サントス

4．言ってみよう

絵を見ながら発音やイントネーションに注意し、ＣＤのとおりに言ってみましょう。

5．練習しよう

1) おしゃべりをしています。相手の話題に関連したことを思い出して、話を広げます。相手は途中で話題を変えます。

例：(●：友人)

●：ワット先生が今度テレビの番組に出るんだって。

○：へえ、どんな番組かな。

ワット先生**で思い出したんだけど**、先生が書いた『上手な整理の方法』ってイギリスでベストセラーになったの、知ってる？

●：本当？　あまり売れなかったって聞いたような気がするけど。

ところで、来週のコンパ**のことだけど**、延期になった**んだって**？

○：そうらしいね。

（１）（●：友人）

●：来週、文法の試験があるね。

（２）（●：同僚）

●：佐藤さんが横浜に転勤するそうですね。

2）相手が失敗や勘違いをして恥ずかしかったことを話します。相手に共感します。

　　例：(●：友人)
　　　●：昨日の朝、寝坊しちゃってね。あわてて出かけたら、左右違う靴を履いてたんだ。駅で気がついて、恥ずかしかった。
　　　○：**確かにあわてて間違えちゃうことってよくあるよね。**

　（1）(●：友人)
　　　●：昨日彼女が来てね、久しぶりに料理を作ったら、塩と砂糖を間違えちゃったんだ。

　（2）(●：会社の先輩)
　　　●：部長が描かれた絵を「すばらしいですね」って申し上げたら、「逆さまに見ているよ」って言われちゃったんだ。

3）ことわざの意味を聞いて、他の言葉で言い換えます（●：知り合いの日本人）

　　例：「石の上にも三年」＝冷たい石も、その上に3年座っていれば温かくなる。
　　　○：「石の上にも三年」ってどういう意味なんですか。
　　　●：冷たい石でも、その上に3年座っていれば、温かくなるっていうことですよ。
　　　○：**つまり、何でも一生懸命続けたら、できるようになるってことですか。**
　　　●：ええ、そういうことです。

　（1）「住めば都」＝どんなところでも住み慣れれば、都のようにすばらしいところになる
　（2）「猿も木から落ちる」＝木登りの上手な猿も木から落ちることがある

6. チャレンジしよう

1）友人宅に食事に招待されました。
　　食事をしながら、ことわざを話題にして話してください。

2）言葉・表現の意味や使い方、人の名前などで思い違いしていたこと、約束を勘違いしたことなどのエピソードを話題にして話してください。
　　そして、話がすぐ終わらないように、話題に関連したことを思い出して、どんどん話を続けてください。

文法・練習

読む・書く

1. 来日した**て**の頃、いつもリュックに辞書を詰めて、池袋の街を歩きながら、看板を解読していた。

   1）結婚したての頃、夫はどんな料理でも「おいしい」と言って食べてくれた。
   2）しぼりたての牛乳はおいしい。

   ⓐⓑ 入社したての社員は仕事に（a. 慣れていないので不安だ　b. 慣れているので安心だ）。

2. **たとえ**「月極」と書いてあっ**ても**、ぼくの内なる声は読み違えたりしない。

   1）たとえ今回の実験に失敗しても、またチャレンジするつもりだ。
   2）たとえ大きな地震が起きても、壊れない丈夫な家が欲しい。

   ⓐⓑ たとえ妻でも、宇宙に行きたいという僕を止めることはできない。

   　　a．妻だけ僕を止めることができる。
   　　b．誰も僕を止めることができない。

3. たとえ「月極」と書いてあっても、ぼくの内なる声は読み違え**たりしない**。

   1）あの社長は一度やると決めたら、何があってもやめたりしない。
   2）お母さん、怒らない？
   　…試験の点数なんかで怒ったりしませんよ。

   ⓐⓑ 彼女は、たとえ疲れていても、それを口に出したりしない。

   　　a．彼女はとても我慢強い人だ。
   　　b．彼女はあまり疲れない人だ。

4. のみこむのに苦労した日本語は、佃煮にする**ほど**あった。

   1）このカレーは涙が出るほど辛い。
   2）昨夜はシャワーを浴びずに寝てしまうほど疲れていた。
   3）今年は暖かかったので捨てるほどミカンがとれた。

練習1 例：この 掃除機 使っていても 誰も 気づかない 静かだ
　　　　　→　この掃除機は使っていても誰も気づかないほど静かだ。
　1）彼女 若い頃 ため息 出る 美しい →
　2）この 歌手 人気 ある 最近は 寝る 時間 ない 忙しい らしい →
　3）ごみ箱 ごみ あふれる たまっている 誰も 捨てようとしない →

練習2 例：彼に結婚を申し込まれたときは、もう死んでもいいと思うほどうれしかった。
　1）＿＿＿＿＿ときは＿＿＿＿＿＿＿＿＿＿＿ほど緊張した。
　2）＿＿＿＿＿ので＿＿＿＿＿＿＿＿＿＿＿ほど悲しかった。
　3）＿＿＿＿＿はびっくりするほど＿＿＿＿＿＿＿＿＿。

話す・聞く

5. いずみさんの結婚式でスピーチをした**んだって**？

　1）大学院の試験に合格したんだって？　おめでとう。
　2）山田さん、会社を辞めるんだって？
　　…ええ。辞めて何をするんでしょう。
　ⓐⓑ　田中さんが結婚するんだって？
　　…そうらしいですね。
　　a．田中さんが結婚すると言っていましたよ。
　　b．田中さんが結婚するって聞いたけど、本当？

6. 大阪に住んでい**ながら**、まだお好み焼きを食べたことがないんです。

　1）あの人は、医者でありながら、健康に悪そうなものばかり食べている。
　2）先生は、事件のことを知っていながら、何も言わなかった。
　3）甘いものはいけないと思いながら、目の前にあると食べてしまうんです。

練習1 例：息子は（受験生であり）ながら、勉強しないでテレビばかり見ている。

いい車を持っている　受験生である　都心にある　ロボットである

　1）兄は（　　　　　　　）ながら、月に1回ぐらいしか運転しない。
　2）アトムは（　　　　　　　）ながら、人の気持ちが分かる。
　3）この公園は（　　　　　　　）ながら、森の中のように静かだ。

練習2　例：あの二人は双子でありながら、　顔も性格も全然違う　。

1）たばこは体に悪いと分かっていながら、＿＿＿＿＿＿＿＿＿＿＿＿＿＿＿＿＿＿＿。

2）あの人は世界的なスターでありながら、＿＿＿＿＿＿＿＿＿＿＿＿＿＿＿＿＿＿＿。

練習3　これまでに「もったいないと思いながら」、したことを話してください。

例：若い頃の私は1シーズン着ただけのコートを、まだ着られると思いながら、デザインが古いというだけで捨ててしまった。今思えば、実にもったいない話である。

7. つまり、歌って暮らせばいいことがいっぱいあるってことです。

1）この大学の学生は約1万人で、うち留学生は約1000人である。つまり、1割は留学生ということだ。

2）休暇は1年に12日あります。つまり1か月に1日は休めるということです。

3）僕の父と太郎のお父さんは兄弟だ。つまり、僕と太郎はいとこ同士ってことだ。

練習1

例：A：あの人ね、約束を忘れたり、遅れたりすることが多いし、部屋も片づいていないし…。

　　B：つまり、ルーズだということですか。

1）A：あしたはちょっと…。昼間は授業があるし、夜はレポートも書かなければならないんです。

　　B：つまり、＿＿＿＿＿＿＿＿＿＿＿＿＿＿＿＿＿＿＿。

2）店　　長：最近店は暇だし、売上げも落ちてきて、悪いんだけど…。

　　アルバイト：つまり、＿＿＿＿＿＿＿＿＿＿＿＿＿＿＿＿＿＿＿。

練習2　例のように話の最後を「つまり、……ということです」でまとめてください。

例：私の両親は二人とも音楽家ですが、私は大学は工学部に入りました。しかし、やはり音楽が好きで、30歳前に音楽大学に入り直して、今は音楽関係の仕事をしています。つまり、親の影響は大きいということです。

8. 「辛党」は「甘党」の反対だと思ってたの**よね**。

1）冬の寒い朝ってなかなかベッドから出られないよね。…うん。
2）パーティーは楽しいけど、帰るときが寂しいんですよね。…そうですよね。
3）ポテトチップスって食べ始めると、なかなかやめられないんだよね。…本当に。

練習

例：A：インスタント食品って、毎日食べるとあきるんだよね。
　　B：(ⓐ．うん、そうだよね　b．うん、そうだよ)。

1）A：サントスさん、お国では日本と違ってクリスマスは家族と過ごすことが多いんですよね。
　　B：(a．そうですよ　b．そうですよね)。

2）A：タワポンさん、ちょっと待って。ごみは分けてから（a．捨てるんですよ　b．捨てるんですよね）。
　　B：そうですか。知りませんでした。

問題

🔊 I. 1.
CD1-3

表現	正しい意味	男の人が勘違いしていた意味
1）高みの見物		
2）気が置けない人		

1) ① 高い場所からきれいな景色を見ること
   ② 何もしないで高い所で休んでいること
   ③ 関係なさそうな顔をして見ていること

2) ① 他の人を助けない人
   ② 信用できない人
   ③ 気を使わず、親しく付き合える人

2. 1)（　　）2)（　　）3)（　　）4)（　　）5)（　　）

II. 文章を読んで答えてください。

　外国語というものは間違いやすい。意味を取り違えたり、発音や使い方を間違えたり、間違いの種類はいろいろある。私も日本語を使うときには数え切れない（①　　　　）の間違いをしてきた。特に来日したてで日本語に慣れないころは、今思い出しても、恥ずかしくなるような間違いをしていた。

　ところで、先日こんなことがあった。会社の会議で先輩が準備した資料の中に「シュミレーション」という言葉が載っていた。もともとこれは英語の「simulation」だから、「シミュレーション」と書くのが正しい。しかし、課長も他の出席者も（②　　　　）その間違いをまったく気にしたりしていないようで、発言するときにも全員「シュミレーション」と言っていた。

　最初、資料を目にしたとき、私は間違いを指摘したほうがいいのかどうか、迷った。だが、誰もそんなことを気にしていないようだし、間違っていると言えば、先輩が傷つくのではないか、あるいは不愉快な思いをさせてしまうのではないかと思い、気づかないふりをしてしまった。

　日本では相手の間違いを指摘すると、（③　　　　）親切心からであっても、注意された側は自分の人間性を否定されたように思う人が多いと聞いた。特に目下のものからは言

いにくいそうだ。この会社に入ったばかりの外国人としてはなおさらだ。
　だが、会議の結果、この資料の内容がパンフレットになって、外部に出されることになった。このままでは、必ずどこかから間違っているというクレームが来るだろう。
　というわけで、昨日先輩に何気なく「この部分、シミュレーションが正しいんですけど」と言ってみた。すると、「ああ、そうか。うっかりしてた。かたかな語ってほんと難しいね」とあっさり。一瞬にして問題が解決してしまった。
　私が外国人だから、先輩も素直に受け止めたのかもしれないが、まさに「案ずるより産むがやすし」だ。

1．①～③に最も適切な言葉を選んでください。
　① だけ　　ほど　　ばかり
　② どうやら　　さっぱり　　てっきり
　③ もし　　たとえ　　わざわざ

2．本文の内容と合っていれば〇、違っていれば×を書いてください。
　①（　　）筆者の先輩や上司は、書くときには「シュミレーション」、話すときは「シミュレーション」と使い分けている。
　②（　　）筆者が間違いだと言わなかったのは、日本人の反応が心配だったからである。
　③（　　）日本では相手の間違いを注意する場合、親切な気持ちが伝われば、相手が気を悪くすることはない。
　④（　　）筆者は会社のためになると思って、先輩に「シュミレーション」が間違っていることを教えた。
　⑤（　　）筆者は、もし自分が日本人だったら、先輩が気を悪くしたかもしれないと思っているようだ。

3．「案ずるより産むがやすし」の正しい意味はどれですか。（　　　）
　a．計画するよりも実行するほうが費用がかからない。
　b．実際にすることは心配することより難しい。
　c．心配しているより実際にやってしまうほうが簡単だ。

第14課

読む・書く	海外で日本のテレビアニメが受けるわけ

- 解説文（かいせつぶん）を読む
- 理由（りゆう）を探（さが）しながら読む
- ２つの物事の関係（かんけい）を読（よ）み取（と）る

話す・聞く	謎（なぞ）の美女（びじょ）と宇宙（うちゅう）の旅に出るっていう話

- ストーリーテリング
- 話を促（うなが）す
- 共感（きょうかん）する、感想（かんそう）を言う

読む・書く

1. 考えてみよう

1) 日本のアニメを見たり、日本のマンガを読んだりしたことがありますか。ある人は、そのタイトルと内容（ないよう）を紹介（しょうかい）してください。

2) 日本のアニメ（またはマンガ）は、他（ほか）の国のアニメ（またはマンガ）とどう違（ちが）いますか。なぜ、そう思いますか。

2．読もう

> 読むときのポイント：
> ・「海外で日本のテレビアニメが受けるわけ」は何か、読み取りましょう。
> ・マンガとテレビアニメの関係を考えながら読みましょう。

海外で日本のテレビアニメが受けるわけ

　現在、日本製のアニメ（アニメーション）は世界中でテレビ放映されている。日本でテレビアニメシリーズが誕生し、輸出されるようになったのは1960年代前半のことであった。初めは番組を編成する際の穴埋めとして放映されていたのだが、番組の数が増え、年月を経るうちに、子どもたちにとって生まれたときから存在しているアニメは今やなくてはならない娯楽となっている。

　では、海外でテレビアニメが受けるわけとは何だろうか。

　テレビアニメの魅力を考える際、マンガの存在を無視して語ることはできない。テレビアニメシリーズになった作品の多くはマンガを原作にしている。日本のマンガ技術は世界で一、二を争う。それを支えているのはマンガ家の層の厚さである。毎月発売されているマンガ専門の週刊誌や月刊誌が約300種類、マンガ単行本は新作だけで年に4000タイトルもある。そのどれもが、『ドラゴンボール』といった数千万部を売るヒット作品をめざしている。日本においてマンガでヒットするということは、アメリカにおける映画や音楽といったエンターテイメントの世界での成功を指し、ブラジルにおいてプロサッカー選手になるがごとくである。巨大ビジネス市場で生まれる競争原理が高い水準のマンガを生み出し、その中から選ばれた作品のみがアニメ化されていく。テレビアニメのおもしろさは保証つきというわけである。

　また、テレビアニメの過剰な感情表現法も魅力の一つとなっている。例えば、野球のピッチャーがボールを投げるといったシーン。実際には1秒にも満たない動作の間に主人公の頭に浮かんだ光景が10分間にもわたって描かれる。また、毎回放映が終わる直前に、まるで大事件が起こったかのように見せておき、次週への期待を持たせるというテクニックも日本のマンガ週刊誌ではよく使われる手法である。このようなマンガが作り上げたノウハウがアニメに影響を与え、見ている者を夢中にさせ、続きも見たいという気持ちを起こさせるのではないだろうか。

　こうしたノウハウを蓄積した結果、日本製のテレビアニメは単なるディズニーの亜流で終わらずに、世界のトップブランドになったのである。

（『別冊宝島638　日本のアニメ』宝島社より、一部を改変して掲載）

3. 確かめよう

1) 本文の内容と合っていれば〇、違っていれば×を書いてください。

① (　) 日本のテレビアニメは、海外で放送され始めたときには、テレビ番組として必ずしも必要なものではなかった。

② (　) 数が多く競争の激しいマンガ家の存在が、日本のマンガの水準を高くしている。

③ (　) 日本のマンガ家にとって自分の描いた作品がヒットすることは、アメリカのエンターテインメントの世界で有名になったり、ブラジルでプロサッカー選手になったりするのと同じくらい価値があることだ。

④ (　) すべてのマンガがアニメ化され、その中から選ばれた作品だけが海外に輸出されるから、日本のアニメはおもしろいのである。

⑤ (　) 日本のアニメは、アメリカのディズニーが始まる前から世界的に有名だった。

2) 質問に答えてください。

① 日本のマンガのレベルが高ければ、なぜ日本のテレビアニメもおもしろいのでしょうか。

② テレビアニメには大げさすぎると言っていい感情表現法があります。例えば、どんなことですか。

③ マンガを作るときに取られている方法はアニメの作り方にも影響を与えています。その中で、「続きを見たい」と思わせるためにはどんな方法が取られていますか。

4. 考えよう・話そう

1) ① 日本製のアニメが世界中で人気がある理由として、本文で取り上げられている他にどんなことが考えられますか。

② その理由を100字程度のメモにまとめてください。

③ ②で考えた理由を紹介し合ってください。

2) マンガとアニメの違いは何ですか。スタイル、おもしろさなどについて話し合ってください。

5. チャレンジしよう

世界中で人気がある娯楽(ゲーム、映画、ミュージカルなど)や人を取り上げ、その理由を400字程度で書いてください。

```
文章の流れ:
①どのように人気があるのか(状況)
        ↓
②人気がある理由・具体例
        ↓
③まとめ
```

| 話す・聞く | 謎の美女と宇宙の旅に出るっていう話 |

1. やってみよう

あなたの国でよく知られている昔話を友人に話してください。

友人は話し手が話しやすいようにあいづちを打ちながら、聞いてください。

2. 聞いてみよう

聞くポイントを確認してから、聞きましょう。

小川　　ジャン

1) 内容を聞き取りましょう。
   ① ジャンさんが『銀河鉄道999』にはまったきっかけは何ですか。
   ② 星野鉄郎は「銀河鉄道999」に乗ってどこへ何をしに行きましたか。
   ③ クレアは鉄郎の手に触れたとき何と言いましたか。
   ④ 鉄郎は永遠に生きることについてどう思うようになりましたか。

2) 表現を聞き取りましょう。

   どう言いましたか。
   ① ジャンさんがストーリーの主人公と内容を一言で紹介するとき
   ② 聞き手がストーリーの先を促すとき
   ③ 聞き手がストーリーの結末を知りたいとき

🔊 3. もう一度聞こう
CD1-5
_____の部分に言葉を書いてください。

【コーヒーショップで】

小　川： ジャンさんが日本に留学しようと思ったのは日本のアニメがきっかけだったんだって？

ジャン： うん。何気なくテレビをつけたら、『銀河鉄道999』ってのをやっててね。映像がきれいで音楽も神秘的で。その瞬間、はまっちゃったんだ。

小　川： そう。『銀河鉄道999』って、漫画もあるよね。どんな話だったっけ？

ジャン： ①_____星野鉄郎_____。彼が謎の美女メーテルと②_____
_____。

小　川： なんだ。旅行の話？

ジャン： ただの旅行じゃなくて、死なない体をもらうために、アンドロメダという星に行くんだ。そのとき乗るのが「銀河鉄道999」って宇宙列車。

小　川： へえー。宇宙船じゃなくて宇宙列車。で、死なない体って、薬か何か飲むの？

ジャン： ううん。体を機械化してもらうんだ。

小　川： ふうん。どうして鉄郎は機械化されたいの？

ジャン： あのね。この話は西暦2221年の話。星と星の間を宇宙列車が走り、人類は機械化され、永遠の命を持ってるんだ。

小　川： 永遠の命？

ジャン： だけど、機械化から取り残された生身の人間もいたんだ。彼らは差別され、機械人間の狩猟の対象にされてしまうんだ。それで鉄郎のお母さんも③_____
_____。

小　川： ええーっ、④_____。

ジャン： うん。でね。お母さんの遺言で、鉄郎はアンドロメダを目指すことになるんだけど、その途中いろんな出来事に出遭うんだ。

小　川： ⑤_____。

ジャン： 土星に向かう途中、食堂車でアルバイトをしているクレアって女の子に出会うんだけど、彼女、ガラスでできてんだ。鉄郎の温かい手に触れて、「血の通った体になりたい」って悲しげに言うんだ。食事のあと、鉄郎が幻覚に襲われて、もうだめかと思ったそのとき、クレアが身を投げ出して助けるんだ。彼女、粉々のガラス球になって宇宙に散って行っちゃうんだけどね。

小川： ⑥_____。

ジャン： ⑦____、機械化された体で永遠に生きるってことが本当に幸せなのかどうか、考え始めるんだよ。

小川： そうだよな。死なないと分かったら、一生懸命生きる気がしないよな。
⑧_____。永遠の命はもらったの？

ジャン： それがね、アンドロメダに着いてみると……。

小川： あ、ちょっと待って。最後まで言わないで。自分で読んでみるから。

4. 言ってみよう

絵を見ながら発音やイントネーションに注意し、ＣＤのとおりに言ってみましょう。

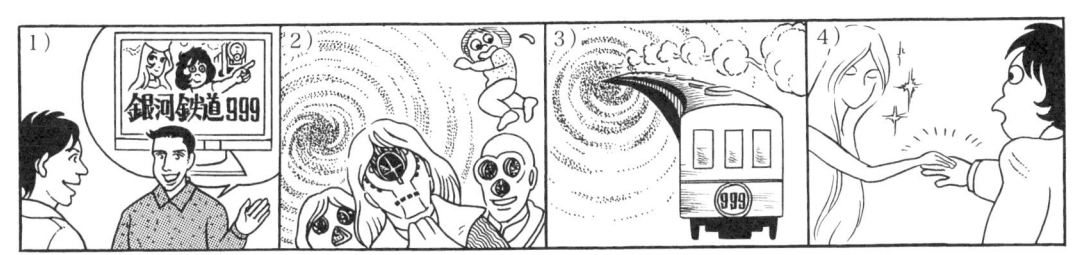

(©松本零士)

5. 練習しよう

1) 小説や映画のストーリーを話すとき、まずストーリーの主人公と内容を一言で紹介します（●：友人）

例：●：『源氏物語』ってどんな話？

○：『源氏物語』？ えーっと、**主人公は**光源氏**っていう**美形の男性。

●：へえ。美形の男性ね。

○：そう。彼が女性と次々と恋愛をする**っていう話**。

（１）●：マンガの『ワンピース（ONE PIECE）』って、どんな話？

（２）●：「(あなたが知りたい話)」って、どんな話？

2) 珍しい出来事を話します。聞き手はあいづちを打ちながら聞き、最後に結末を促します（●：友人）

例：●：鉱山の事故で、33人が地下に閉じ込められた**って話、知ってる**？

○：え？ そう。どこで？ いつ？

●：2010年、チリで。地下700メートルの深さだったんだって。

○：ええーっ、怖い。で、どうなったの？ 結局。

●：世界中の人が知恵と技術を出しあって、69日後に全員助けられたの。

○：そう。よかったね。

（1）●：戦争が終わった後も30年間一人でジャングルに住んでいた兵士の話、知ってる？

（2）●：「（あなたが知っている珍しい出来事）」って知ってる？

3）ストーリーテリングの枠組みを使って話してみます。

　　枠組み：① 主人公と内容を一言で紹介する

　　　　　　② あらすじ　・時代

　　　　　　　　　　　　・場面

　　　　　　　　　　　　・誰が、何をして、どうなった

　　　　　　③ 結末

「浦島太郎」

6. チャレンジしよう

最近見た映画、アニメ、読んだ本、マンガのストーリーを、習った枠組みを利用して話してください。

聞いている人は適当なところで感想を入れながら、あいづちを打ってください。

文法・練習

読む・書く

1. テレビアニメの魅力を考える**際**、マンガの存在を無視して語ることはできない。

　1）外出の際、必ずフロントに鍵をお預けください。
　2）PCをお使いの場合は、チェックインの際、必ずお申し出ください。
　ⓐⓑ お引っ越しなどでガスの使用を中止される際は、（a．係員がお宅に行きます
　　　b．係の者がお宅に伺います）。

2. そのどれもが、『ドラゴンボール』**といった**ヒット作品をめざしている。

　1）5月5日には「ちまき」「かしわもち」といった昔からの菓子を食べる習慣がある。
　2）この大学にはルーマニア、ポーランドといった東ヨーロッパからの留学生が多い。
　ⓐⓑ 湯川秀樹、利根川進といったノーベル賞受賞者に京都大学出身者が多い。
　　　a．湯川秀樹、利根川進などのノーベル賞受賞者には京都大学出身者が多い。
　　　b．湯川秀樹と利根川進はノーベル賞受賞者に京都大学出身者が多いと言った。

3. 1秒にも満たない動作の間に主人公の頭に浮かんだ光景が10分間**に（も）わたって**描かれる。

　1）手術は3時間にわたって行われた。
　2）砂漠は東西450キロにわたって広がっている。
　ⓐⓑ 田中先生は7年間にわたってこのテーマについて研究してきた。
　　　a．話している人は7年は長い期間だと思っている。
　　　b．話している人は7年はちょうどいい期間だと思っている。

4. 年月を経る**うちに**、今やアニメはなくてはならない娯楽となっている。

　1）この時計は、使っているうちに、自然に動かなくなってしまった。
　2）10年にわたり観察しているうちに、パンダの特徴がよく分かってきた。

　練習1　例：毎日　練習している　速く　泳げる
　　　　　→　毎日練習しているうちに、速く泳げるようになった。
　1）何度も　メール　交換している　彼女　好き　→
　2）何年も　住んでいる　日本の常識　分かる　→
　3）食べずに　息子　待っている　料理　冷めて　まずい　→

練習2　例：夢中で話しているうちに、アイスクリームが溶けてしまった。
1) ＿＿＿＿＿＿＿＿＿＿うちに、眠ってしまった。
2) ＿＿＿＿＿＿＿＿＿＿うちに、＿＿＿＿＿＿＿＿＿＿。

5. 子どもたちにとって生まれたときから存在しているアニメは、今やなくてはならない娯楽となっている。

1) 赤ちゃんにとって十分な睡眠は欠かせないものだ。
2) ビールが嫌いな私にとって、それはただの苦い飲み物だ。

練習1　例：親　子ども　成長　楽しみなもの
　　　　　→　親にとって子どもの成長は楽しみなものだ。
1) 夕方6時ごろ　居酒屋　店員　もっとも　暇　時間　→
2) ギョーザ　中国　ワンさん　おふくろ　味　→

練習2　例：留学生にとって奨学金がもらえるかどうかは重要な問題だ。
1) 子どもにとって＿＿＿＿＿＿ことは＿＿＿＿＿＿＿＿＿＿だ。
2) ＿＿＿＿＿にとって＿＿＿＿＿＿は＿＿＿＿＿＿＿＿＿＿だ。

練習3　両方の立場から、寮の建設を中止するかどうか議論してください。

> ある日本語学校が留学生のために新しい寮を建設しています。ところが、工事のせいで隣の古いお寺が揺れて、壁が落ちるなどの被害を受けていることが分かりました。すぐに工事を中止してほしいとお寺の関係者が苦情を言っています。

1) ＜日本語学校の校長・留学生の立場からの意見＞
　　＿＿＿＿＿にとって＿＿＿＿＿＿＿＿＿＿。ですから、＿＿＿＿＿＿＿と思います。
2) ＜お寺の立場からの意見＞
　　＿＿＿＿＿にとって＿＿＿＿＿＿＿＿＿＿。ですから、＿＿＿＿＿＿＿と思います。

6. 海外で日本のテレビアニメが受けるわけとは何だろうか。

1) 「負けるが勝ち」とは、相手を勝たせるほうが、結局は自分が得をすることがあるということだ。
2) 彼女にとって家族とはいったい何か。

練習1　例：外食　レストランなど　食事
　　　　　→　外食とは、レストランなどで食事をすることだ。
1) ちらし寿司　いったい　どんな　寿司　→
2) ダイレクトメール　商品　宣伝　個人　郵送　→

練習2　例：夕刊とは、夕方に発行する新聞のことだ。
1)「早起きは三文の得」とは、＿＿＿＿＿＿＿＿＿＿＿＿＿＿＿＿＿＿＿＿＿。
2) 自然エネルギーとは、＿＿＿＿＿＿＿＿＿＿＿＿＿＿＿＿＿＿＿＿＿＿＿。

7. 日本においてマンガでヒットするということは、ブラジルにおいてプロサッカー選手になるがごとくである。

1) 地域社会において今どのような問題があるかをさまざまな立場から分析した。
2) 江戸時代においてもっとも力を持っていたのは誰だろうか。

練習1　例：それぞれの部署で社員全員が意見を出し合った。
　　　　　→　それぞれの部署において社員全員が意見を出し合った。
1) 学生たちはその地域で求められているボランティア活動を行った。　→
2) インターネットは現代の生活に欠かせないものだ。　→

練習2　例：この工場において改善が必要なのは、省エネ対策である。
1) ＿＿＿＿＿＿は＿＿＿＿＿＿において行うことになりましたので、＿＿＿＿＿＿ください。
2) この調査において大切なのは、＿＿＿＿＿＿＿＿＿＿＿＿＿＿＿＿＿することです。

8. テレビアニメのおもしろさは保証つきというわけである。

1) このチーズは、価格は前と同じだが、20グラム少なくなっている。値上げをしたわけだ。
2) 小川さんは毎日のように、ヨガ、ジャズダンス、マッサージ、スポーツジムに通っている。元気なわけだ。
3) 山下さんは65歳で退職してから、散歩とテレビの生活を送っている。毎日が日曜日というわけだ。

練習1　例：江戸時代　1603年　始まる　1867年　終わる　／　260年余り　続く
　　　　　→　江戸時代は1603年に始まり、1867年に終わった。260年余り続いたわけである。
1) 彼女　NGOの仕事　ブラジル　2年　いる　／　考え方　グローバル　→
2) 最高気温　25度以上　日　夏日　言う　／　昨日　おととい　夏日　→

練習2　例：日本語の文章では漢字、ひらがな、かたかなの3種類が使われる。
　　　　　→　外国人が日本語で文章を書くのは難しいわけである。
1) A：天気予報では明日は雨ですよ。
　　B：ということは、＿＿＿＿＿＿＿＿＿＿＿＿＿＿＿＿＿＿わけですね。
2) 日本は海に囲まれています。＿＿＿＿＿＿＿＿＿＿＿＿＿＿＿わけです。

9. | マンガが作り上げたノウハウがアニメに影響を与え、見ている者を夢中にさせ、続きも見たいという気持ちを起こさせる**のではないだろうか**。|

1) 道路を広げる計画には反対意見が多い。実現は難しいのではないだろうか。
2) 日本経済の回復には少し時間がかかるのではないだろうか。
3) 情報が少なすぎて不安だ。もう少し情報がもらえたら、住民も安心できるのではないだろうか。

練習1　例：時間に遅れたことのない田中さんがまだ来ない。
　　　　　→　何かあったんじゃないだろうか。
1) 説明書を見ながらソフトウエアをインストールしているのに、うまくいかない。→
2) この国では車の輸出量が昨年よりずいぶん減った。→

練習2　今問題になっていることを言って、原因や対策などを話し合ってください。
　　　例：今年の米の生産は台風の影響でできが悪いようです。輸入するなどの対策が必要なのではないでしょうか。

話す・聞く

10. | 『銀河鉄道999』って、どんな話だった**っけ**？ |

1) 今日は何曜日だったっけ？
2) 荷物はいつ届くんだったっけ？
a/b　ブラジルの首都ってどこだったっけ？
　　　a．ブラジルの首都がどこか思い出せないんだけど、知ってたら教えてくれる？
　　　b．ブラジルの首都がどこか覚えてるけど、あなたも覚えてる？

11. | クレアは鉄郎の温かい手に触れて、「血の通った体になりたい」って悲し**げ**に言うんだ。|

1) 母親は、息子が甲子園野球大会に出ることになったと得意げに話していた。
2) 地震の影響で工場を閉じることになったと説明する社長は悔しげだった。
a/b　会社を退職する日、気のせいか父の後ろ姿は小さくて、
　　　（a．寂しげだった　b．楽しげだった）。

問題

🔊 I. 1.（　　　）
CD1-6

1)
2)
3)

2. 1)（　　　） 2)（　　　） 3)（　　　） 4)（　　　） 5)（　　　）

II. 文章を読んで答えてください。

　　アニメーション（①　　　　　）、「アニマ（活気を与える）」という言葉からきていて、ものや人に活気を与えて動かすものである。日常の生活ではあまり気がつかないが、自分の周りに確かに存在している「もの」や「仕事」や「風景」に意味を見つけ、活気を与えて動かすのに適切な表現手法と言える。
　　アニメーションなら、どこの国で作られて輸入されたか分からないような「もの」も、だれにでもできるような「仕事」でも、交差点の名前が分からないとどこか分からないような町の「風景」でも、生き生きとしたものとして描くことができる。
　　宮崎駿の言葉を借りれば、「実写でやったら通り過ぎてしまうような小さなことを、アニメーションで苦労して描けば、そのことの持っている意味がはっきりと浮かんでくる」のである。
　　たとえば、宮崎は『ルパン三世　カリオストロの城』でルパンがカップラーメンを食べるシーンを描いたり、『崖の上のポニョ』でポニョがハムを食べるシーンを描いている。どちらのシーンもどこにでもある「もの」を食べるシーンでありながら、生き生きとしている。また、『魔女の宅急便』で雨の日に宅急便を届けるシーンや、『千と千尋の神隠し』で千尋

が温泉旅館で働くシーンも、私たちが見ているようで見ていない「仕事」に活気が与えられていて、新鮮である。

　いつの時代（②　　　　　）も子どもは、大人が（　A　）と言って見ようとしないような「風景」や「もの」や人の「仕事」に興味を持つのであり、このような興味を持つことで、社会とつながっているのである。子どものためのアニメーションを作る者（③　　　　　）大切なのは、キャラクターやストーリーよりも、現実の社会の中で背景でしかない「もの」や「仕事」や「風景」を丁寧に描くことであると考えることができる（④　　　　　）。そして宮崎のアニメーションのオリジナリティーが、キャラクターやストーリーではなく、大人たちが（　A　）と思っている「もの」「仕事」「風景」を描いていることにあり、そこに「時間的な深さ」を与えている点にあると私は考える。

（酒井 信『最後の国民作家 宮崎駿』文藝春秋・文春新書より、一部を改変して掲載）

1）①～④に最も適切な言葉を選んでください。
　① として　　とか　　とは
　② において　　によって　　にわたって
　③ によって　　にとって　　とは
　④ つもりだ　　のではないだろうか　　からだ

2）本文の内容と合っていれば〇、違っていれば×を書いてください。
　①（　　）宮崎は実写よりアニメーションのほうが、そのことの持っている意味が生き生きと描かれると言っている。
　②（　　）『魔女の宅急便』で雨の日に宅急便を届けるシーンは、私たち大人が無意識に見ている日常の「仕事」を生き生きと描くことで活気が与えられている。
　③（　　）宮崎の作品のおもしろさはキャラクターやストーリーを生き生きと描いていることにある。
　④（　　）子どもは、大人が興味を持たない「風景」や「もの」や「仕事」に興味を持つので、アニメ作家はそれらを丁寧に描くことが大切である。

3）（　A　）にどの言葉が入りますか。
　　a．おもしろい　　b．つまらない　　c．大切だ

第15課

読む・書く	働かない「働きアリ」

・説明文を読む
・条件と結果を表す文を読む

話す・聞く	イルワンさんの右に出る人はいないということです

・話をつなぐ、話を途中で切り上げる
・褒める、謙遜する

読む・書く

1. 考えてみよう

1) 世の中には何の役にも立たないものがあると思いますか。

　「ある」と答えた人：それはどんなものですか。例を挙げてください。

　「ない」と答えた人：例に挙げられたものが役に立つと思う人は、どのように役に立つか反対の意見を述べてください。

2) 世の中には何の役にも立たない人がいると思いますか。

　「いる」と答えた人：それはどんな人ですか。

　「いない」と答えた人：それはなぜですか。

🔊 2. 読もう
CD1-7

> **読むときのポイント：**
> - 働きアリを観察するとどんなことが分かるか、条件・結果を表す言い方「···と、···」に注目して読み取りましょう。
> - 文と文をつなぐ言葉の「そこで」「すると」「つまり」に＿＿＿を引き、「結論としてどのようなことが言えるか」を考えましょう。

働かない「働きアリ」

　働きアリに関する有名な研究がある。一生懸命働いているように見えるアリの行列をよく観察すると、働いているアリを横目にただ動き回っているだけのアリたちがいるという。彼らは、一見忙しそうに動いているのだが、実は行列に沿って行き来しているだけでエサを担いでいるわけではないらしい。動いているだけ、"働いているふり"をしているだけというアリが全体の2割はいるという。働いているアリについてもよく観察してみると、たいへんよく働くアリと、普通の働きのアリがいる。全体の割合を観察するとよく働くアリが2割、普通に働くアリが6割、全く働かないアリが2割という構成になるようだ。

　そこで、よく働くアリだけを一か所に集めて、新たなアリの組織をつくってみる。すると、なぜかまた働かないアリが出てくる。よく働くアリだけの集団を何度つくっても、時間が経つと自然に2：6：2の比率でアリは仕事を分担するようになる。逆に働かないアリだけの集団をつくると、さすがに作業能率は落ちるのだが、それでも働かないアリの集団の中からよく働くアリが2割ほど登場するようだ。

　ご存じの方も多いと思うが、この観察研究はビジネスの世界でも注目されている。大企業で"できる"人材だけを集めてスタートした特命プロジェクトが大失敗したり、プロスポーツの世界でスタープレイヤーを集めたチームがまったく優勝にからめなかったりするたびに、この法則はかなり当たっているのではないかという気がしてくる。

　映画でもドラマでも脇役が存在しない脚本には魅力がない。『水戸黄門』には助さん格さんだけではなく"うっかり八兵衛"が必要である。『ハリー・ポッター』シリーズには、ロンやハーマイオニーだけでなく"ネビル・ロングボトム"が出てこないと気持ちは落ち着かない。

　つまり、組織には偉大なる脇役たちがいないと、脈拍が上がりっぱなし、アドレナリンが出っぱなしになってしまい、組織は徐々に疲弊していくのではないか、というのが私の観察なのである。

(鈴木貴博の"ビジネス散歩"第40回「アリと組織と脇役の研究」より)

3. 確かめよう

1) 本文の内容と合っていれば○、違っていれば×を書いてください。

① （　　）働かない「働きアリ」は約60％いる。

② （　　）よく働くアリと全く働かないアリが20％ずついる。

③ （　　）働かないアリだけの集団をつくると、その中からよく働くアリが20％ほど出てくる。

④ （　　）人間の組織には普通に働くアリや働かないアリのような存在は要らないと筆者は思っている。

2) 文を完成させてください。

① 働かない「働きアリ」は、忙しそうに動いているように見えるが、実は動いているだけで、＿＿＿＿＿＿＿＿＿＿＿＿＿＿＿＿＿＿＿＿＿＿＿＿＿＿＿＿＿＿。

② アリの組織を観察すると、＿＿＿＿＿＿＿が20％、普通に働くアリが60％、ぜんぜん働かないアリが＿＿＿＿＿％という比率になる。

③ よく働くアリだけを一か所に集めて、別にアリの組織をつくってみると＿＿＿＿＿＿＿＿＿＿＿＿＿＿＿＿＿＿＿＿＿＿＿＿＿＿＿＿＿＿＿＿。

④ 映画でもドラマでも脇役がいないものには＿＿＿＿＿＿＿がない。つまり、組織には＿＿＿＿＿＿＿がいなければ、＿＿＿＿＿＿＿はだんだんだめになっていくのではないかと思う。

3) 表を完成させてください。

アリ	よく働くアリ	働いているふりをしているアリ
水戸黄門	①	うっかり八兵衛
ハリー・ポッター	ロン、ハーマイオニー	②

4. 考えよう・話そう

1) よく働くアリだけの集団をつくってみても、必ずしも理想的な組織にはならないという現象は、ビジネスとスポーツの世界ではどのようなところで見られますか。そして、なぜうまくいかないのかについても具体的に例を挙げて話し合ってください。

2) 筆者は「たいへんよく働くアリ」だけではだめで「偉大なる脇役たち」が必要だと言っています。「偉大なる脇役たち」とは、普通に働くアリとまったく働かないアリのどちらでしょうか。また、あなた自身はどんな存在だと思いますか。

5. チャレンジしよう

1) アリの社会と人間社会を比べてみて、あなたが思うことを400字程度で書いてください。

```
文章の流れ：
①あなたの意見や考え
       ↓
②そのように考える理由
       ↓
③まとめ
```

2) 『水戸黄門』と『ハリー・ポッター』についてインターネットで調べ、本文の終わりに載せる参考資料を作ってください。

話す・聞く　イルワンさんの右に出る人はいないということです

1. やってみよう

3人でグループをつくり、「お見合い」をやってみてください。「3人」とは独身の男性と女性、そして紹介者です。

1) 紹介者はまず男性を女性に、女性を男性に紹介してください。
2) 紹介者は男性の会社を紹介し、その会社を褒めてください。男性は謙遜してください。
3) 紹介者は男性のプライベートな面を紹介し、褒めてください。男性は謙遜しながらも、自慢してください。女性は興味を示してください。

2. 聞いてみよう

聞くポイントを確認してから、聞きましょう。

中村課長　　ミラー　　イルワン

1) 内容を聞き取りましょう。

①　イルワンさんの会社はどんな会社ですか。
②　イルワンさんは会社ではどんな存在ですか。
③　イルワンさんはプライベートの時間はどんなことをしていますか。

2) 表現を聞き取りましょう。

どう言いましたか。

①　イルワンさんが、会社が老舗だと褒められて、謙遜するとき
②　課長が、イルワンさんがとても優れた営業マンであると言うとき
③　イルワンさんが、優れた営業マンだと言われて、謙遜するとき
④　課長が、イルワンさんの太鼓の腕が地元の人よりもすごいと言うとき
⑤　イルワンさんが、自慢を始めるとき

🔊 3. もう一度聞こう
CD1-8

＿＿＿の部分に言葉を書いてください。

【取引先とのパーティーで】

中村課長： ミラーさん、ちょっと。

　　　　　イルワンさん、うちの課のミラーです。

　　　　　ミラーさん、こちら、「オスマン絨毯」東京出張所のイルワン所長です。

ミラー　： はじめまして。ミラーと申します。①＿＿＿＿＿＿＿＿＿＿＿＿＿＿＿。

イルワン： はじめまして。「オスマン絨毯」のイルワンです。よろしくお願いいたします。

ミラー　： 「オスマン絨毯」、歴史を感じさせる社名ですね。

中　村　： そう。その名の通り、トルコでは老舗の織物会社なんですよ。

イルワン： いえ、②＿＿＿＿＿＿＿＿＿＿＿＿＿＿＿＿＿＿。今は伝統的なものだけじゃなく、モダンなデザインの織物製品も製造しております。

中　村　： イルワンさんは今回、日本の市場開拓のために来られたんですが、イスタンブール本社きっての営業マンでいらっしゃるんですよ。何しろ絨毯に関する知識ではイルワンさんの③＿＿＿＿＿＿＿＿＿＿＿ということですから。

イルワン： いやいや、④＿＿＿＿＿＿＿＿＿＿＿＿＿。来日して3か月になりますが、なかなか思うような成果はあげられていません。

ミラー　： 木を植えて、その木が実を結ぶまでには、ある程度時間がかかりますよね。

イルワン： そうだったらいいんですが。

中　村　： そうそう、イルワンさんは太鼓がご趣味でね、なんでも新潟の大学に留学されてたころ、太鼓に魅せられて、地元の太鼓教室で腕を磨かれたそうですよ。

ミラー　： 太鼓ですか。太鼓といえば、佐渡の「鬼太鼓」が有名ですよね。

イルワン： ええ。佐渡には世界中から太鼓好きが集まってくるんですよ。

ミラー　： そうですか。

中　村　： 特に「佐渡おけさ」がお得意で、地元の人、顔負けなんですって。

イルワン： ⑤＿＿＿＿＿＿＿＿。ただ、⑥＿＿＿＿＿＿＿＿＿＿＿＿、子どものときからリズム感だけはあるって言われてきました。

ミラー　： そうですか。一度お聞きしてみたいですねえ。

イルワン： よろしかったら、この日曜日、昔の仲間と発表会に出るんですが、いらっしゃいませんか。ご招待いたしますよ。

ミラー　： え？　よろしいんですか。

課長、⑦_____聞かせていただきましょうよ。

中　　村：本当にお伺いしてもよろしいんでしょうか。

イルワン：もちろんですよ。あ、⑧_____。あちらの方にご挨拶を。

中　　村：どうぞ、どうぞ。また、のちほど。

4. 言ってみよう

絵を見ながら発音やイントネーションに注意し、ＣＤのとおりに言ってみましょう。

5. 練習しよう

1）ボランティアグループに初めて参加し、メンバーに紹介されます。その時、褒められて謙遜します。でも、ちょっと自慢します（●：ボランティアグループのリーダー）

例：〇の踊りはすばらしい。マイケル・ジャクソン顔負けである。

● ：こちら、〇さんです。〇さんは踊りが得意で、特にブレイクダンスはすばらしいんですよ。この地域では〇さんの右に出る人はいないと思います。

〇：いえ。**そんな大したものじゃありません。**

● ：マイケル・ジャクソンも顔負けですよ。

〇：**いえ、それほどでも。ただ、自分で言うのもなんですが、**子どものころ、踊りの才能があるって学校の先生に言われました。

（1）〇の将棋の腕はすばらしい。プロ顔負けである。

（2）〇の作る料理はおいしい。レストランのシェフ顔負けである。

2）遠慮しないで相手の好意を受けます（●：課長）

例：●：雨が降り始めましたね。駅まで乗って行きませんか。通り道ですから、どうぞ。

〇：ありがとうございます。では、**お言葉に甘えて**、乗せていただきます。

（1）●：今日は調子が悪そうですね。早退したらどうですか。

（2）●：雨が降ってきましたね。傘、ありますか。古いけど、よかったら、これ使ってください。

6. チャレンジしよう

1）大学のホームカミングデイに代々の卒業生が集まります。実行委員になって、パーティーを進行させてください。

2）あなたの誕生パーティーを開きます。出席者の中には上司／先輩、同僚／友人、部下／後輩がいます。知り合いではない人たちを紹介してください。

文法・練習

読む・書く

1. アリをよく観察すると、働いているアリを横目にただ動き回っているだけのアリたちがいる**という**。

1）日本で最も古い大学が京都にあるという。
2）LED電球は省エネ性能や寿命の長さで優れている。普通の電球の8分の1から5分の1の電気代で済み、寿命は40倍あるという。

　昔は砂糖は薬として用いられたこともあるという。

　　a．昔は砂糖は薬として用いられたこともあるそうだ。

　　b．昔は砂糖は薬として用いられたこともあると考えられる。

2. スタープレイヤーを集めたチームがまったく優勝にからめなかったりする**たびに**、この法則はかなり当たっているのではないかという気がしてくる。

1）隣のうちのお嬢さんは会うたびにきれいになっている。
2）欧米では転職するたびに給料が上がるというが、日本では必ずしもそうではない。

　このアパートは電車が通るたびに揺れる。

　　a．このアパートは電車が通るといつも揺れる。

　　b．このアパートは電車が通るとたびたび揺れる。

3. 働きアリ**に関する**有名な研究がある。

1）東京で環境問題に関する会議が開かれた。
2）今回の講演会に関してご意見のある方はこの紙に書いて出口の箱にお入れください。
3）このレポートでは、日本経済の現状に関して説明する。

練習1　例：本社　経営　問題　検討した
　　　　→　本社の経営に関する問題を検討した。

1）合格・不合格　電話　お問い合わせ　すべて　お断りしています　→
2）会議　各国　地球温暖化　問題点　整理した　→
3）田中さん　現代日本文学　家族関係　表現　調べている　→

練習2　例：私の研究論文に関する資料はこの大学の図書館にしかありません。

1）＿＿＿＿＿＿の題名は「＿＿＿＿＿＿に関する＿＿＿＿＿＿の研究」です。

2）＿＿＿＿＿＿に関して調べた結果、＿＿＿＿＿＿ということが分かった。

4. 彼らは、一見忙しそうに動いているのだが、えさを担いでいる**わけではない**らしい。

1）この店は人気があるが、必ずしも毎日大勢の客が入るわけではない。

2）宿題はたくさんあるが、今日中に全部しなければならないわけではない。

3）彼はベジタリアンだが、卵まで食べないわけではないらしい。

練習1　例：この病気に関する研究は少ないが、(ⓐ.全く　b.少ししか)ないわけではない。

1）田中さんは（a.非常に　b.常に）会社の中にいるわけではない。外出することもある。

2）大会社なので、社員が（a.全員　b.ぜんぜん）社の方針に賛成しているわけではない。

3）予約は受け付けるが、希望の日に（a.全く　b.必ずしも）予約が取れるわけではない。

練習2　例：祝日は必ず休日というわけではありません。来週、月曜日は「海の日」で祝日ですが、会社は休みではありません。

1）山本さんに会ったことがないわけではないが、たぶん＿＿＿＿＿＿ても＿＿＿＿＿＿と思う。

2）＿＿＿＿＿＿わけではないが、＿＿＿＿＿＿わけでもない。どちらとも言えない。

5. 組織には偉大なる脇役たちがいないと、組織は徐々に疲弊していく**のではないか**。

1）留学している息子から何の連絡もない。何かあったのではないか。

2）新聞によると、今度の選挙に鈴木氏が出るのではないかとのことだ。

3）さまざまな意見が出て会議が混乱しているので、調整が必要なのではないかと思う。

練習　例：娘に電話をしても出ないので、何か事故でもあったのではないかと心配している。

1）この国は物価が高いので、＿＿＿＿＿＿のではないかと思った。

2）＿＿＿＿＿＿ので、犯人は＿＿＿＿＿＿のではないかと考えています。

3）＿＿＿＿＿＿すると、それが気になって＿＿＿＿＿＿できないのではないかと思います。

6. 組織には偉大なる脇役たちがいないと、組織は徐々に疲弊していくのではないか、というのが私の観察**なのである**。

1）来週は田中さんが当番だったんですけど、私が来ます。代わりにさ来週は田中さんが来ます。
　…分かりました。山本さんと田中さんが交代するんですね。

2）父は私が3歳のときに亡くなりました。母が一人で私を育ててくれたのです。

3）15人の受験生のうち13人が不合格だった。つまり、2人しか合格しなかったのである。

4）鈴木さんはピアニストで、奥さんは歌手だ。2人の子どももそれぞれ楽器を習っている。一言でいえば、鈴木家は音楽一家なのだ。

練習1　例：このことはお父さんに言うなよ。あ、お母さんにもな。誰にも言っちゃだめだぞ。
　　　　　　…分かった。僕たち2人だけの秘密なんだね。

1）どうして引っ越しするんですか。
　…今のアパートは駅から歩いて30分もかかるんです。近くにスーパーもコンビニもないし、銀行も郵便局も遠いし…。
　なるほど。＿＿＿＿＿＿＿＿＿＿＿＿＿んですね。

2）太一郎君、帰国生徒なんだって。
　…そう。＿＿＿＿＿＿＿＿＿＿＿＿＿んだね。

3）山本さんは＿＿＿＿＿＿＿＿＿。それに、＿＿＿＿＿＿＿＿＿。
　つまり、器用な人なのだ。

4）父は映画やコンサートに行くのが好きで、スポーツは全くやらない。一方、母は暇があるとすぐスポーツジムに行って汗をかいている。つまり、＿＿＿＿＿＿＿のだ。

5）このレストランは、注文してから料理が出てくるまで20分もかかる。店員のマナーもあまり良くない。一言でいえば、＿＿＿＿＿＿＿のだ。

話す・聞く

7. 老舗といえる**ほどのものじゃありません**。

1) 確かに優勝はしましたが、国民栄誉賞をいただくほどのもの（こと）じゃありません。
2) 狭い庭なんですよ。庭といえるほどのものじゃありません。

風邪で熱があったが、会社を休むほどのものではなかった。

　a．熱は会社を休まなければならないほど高かった。
　b．熱は会社を休まなければならないほど高くなかった。

8. 伝統的なもの**だけじゃなく**、モダンなデザインの製品も製造しています。

1) この店はパンを売るだけじゃなく、パンの作り方教室も開いている。
2) ボランティア活動は相手のためだけでなく、自分のためにもなることが分かった。

彼は同僚からだけでなく、上司からも信頼されている。

　a．彼は上司から信頼されているが、同僚からは信頼されていない。
　b．彼は上司からも、同僚からも信頼されている。

9. 太鼓**といえば**、佐渡の「鬼太鼓」が有名ですよね。

1) 温泉といえば、まず城崎温泉を思い浮かべますね。
2) 教育というと、学校の仕事だと思うかもしれないが、そうではない。
3) 日本といったら、若い人はアニメ、中年以上の人は車と言うだろう。

練習1　例：子ども　少子化　どう　思う

　　→　子どもといえば、少子化についてどう思いますか。

1) 徳島　阿波踊り　ブラジル　サンバ　負けない　魅力的な　踊り　→
2) 動物園　普通　人間が　動物　見て楽しむ　場所／実は　人間が　動物　観察されている　のではないだろうか　→

練習2　Aさんは話題を提供してください。Bさんはそれを受けて次の話題に展開させてください。

例：A：昨日のニュース、見ましたか。落とし物の500万円を中学生が警察に届けたらしいですね。

　　B：そうですね。落とし物といえば、この間、高速道路を馬が走り回ったそうですよ。車からの落とし物だそうですが、馬でも「落とし物」なんですか。

問題

I.
1. (　　)　＜会う前の3人の関係は？＞

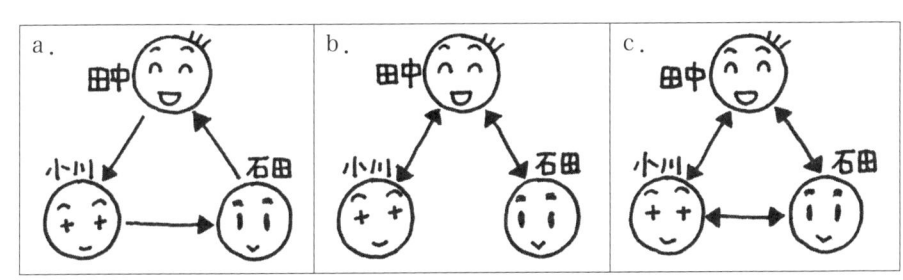

　　a.　　　　　　　b.　　　　　　　c.

2. 1)(　　) 2)(　　) 3)(　　) 4)(　　)

3. 1)(　　) 2)(　　) 3)(　　)

II. 1. 文章を読んで答えてください。

> 　最近、「共生」という言葉をよく耳にする。新聞や雑誌でもときどき見かける。「共」と「生」の漢字を見ればだいたいの意味は想像できるが、どうもそれだけの意味ではないようだ。（①　　　　　）、「共生」を辞書で調べてみると「同じ所で共に生活すること」とある。（②　　　　　）、違う種類の生物がお互いに利益を分かち合いながら生きることを意味する。ヤドカリとイソギンチャクも共生していると言うらしい。（③　　　　　）、最近、「共生」という用語は社会科学の分野でもよく使われるようになった。そこには次のような意味が込められている。
> 　「さまざまな言語や文化・習慣を持った人々が、その違いを乗り越えてお互いに理解し合い、助け合いながら生きること」

1) ①～③に最も適切な言葉を選び、上の文章を完成させてください。

　　　すると　　一方　　そこで　　それでは　　つまり

2) 動物や植物が「共生する」ということ（A）と人間が「共生する」ということ（B）はどのように違うか。それぞれの意味を書いてください。

　　(A) _____

　　(B) _____

2．文章を読んで答えてください。

「怠け者」（①　　　　　）、真面目に働かない人のことをまず思い浮かべるのではないだろうか。しかし、「ナマケモノ」という名の動物がいる。このナマケモノは、一日の生活のほとんどを木の枝にぶら下がって過ごす。物を食べるときも、移動するときもその動作は驚く（②　　　　　）遅い。つまり、いつも怠けているように見えるので、この名前がつけられた（③　　　　　）。ところが、実際には怠けている（④　　　　　）。無駄なエネルギーを使わないように、できるだけゆっくり身体を動かしているのだ。ナマケモノは、森の中で自分の生き方にちょうど合った生活をしている、実は賢い動物なのだ。

1）①〜④に最も適切な言葉を選んでください。

　　① といえば　　といった　　というのは　　という
　　② まで　　ほど　　より　　だけ
　　③ のではない　　からだ　　のだ　　つもりだ
　　④ はずがない　　だけではない　　ことではない　　わけではない

2）「ナマケモノ」という名前がつけられた理由は何ですか。

　　_____
　　_____

3）「ナマケモノ」は実際には賢い動物だと考えられる理由は何ですか。

　　_____
　　_____

第16課

読む・書く 　**個人情報流出**
- 新聞記事（社会面）を読む
- 記事の概要をすばやくつかむ
- 事実関係を読み取る

話す・聞く 　**不幸中の幸いだよ**
- 苦い体験を話す
- 慰める、元気づける

読む・書く

1. 考えてみよう

1) あなたは毎日、新聞を読みますか。

　　読む人：何の記事をよく読みますか。

　　読まない人：なぜですか。

2) 何かの会員カードを持っていますか。

　　他に、どんなカードを持っていますか。

　　カードを持っていると便利なことの他に、どんな危険なことがあると思いますか。

3) 会員カードなどにはその会員の個人情報が入っています。その個人情報がときどき外部に漏れてしまったり盗まれることがあります。その原因にはどんなことが考えられますか。

2. 読もう

CD1-10

読むときのポイント：

- まず、何が起きたのかを読み取りましょう。次に、起きた出来事（事件）の詳しい内容を読み取りましょう。
- 時の経過とともに、何が起きたか、誰が何をしたか、それでどうなったか、考えてみましょう。

2万5千人の個人情報が流出

MNK社のカード会員

通信販売会社のMNK社は8日、同社発行のMNカードに加入する会員2万5034人分のカード番号・暗証番号など個人情報が流出した、と発表した。このほかにも約8000人分の個人情報が流出した可能性もあり、警察などと協力して被害の実態と原因を調べている。

同社によると、流出したのは氏名、カード番号、暗証番号のほか預金口座番号、住所、電話番号、性別、職業、生年月日の9項目に及ぶ。3月上旬に会員から「身に覚えのない会社から未払い金の請求書が送られてきた」と相談の電話があり、調査したことでデータ流出が判明した。現在までの約1か月間で同様の苦情や相談が50件以上寄せられ、そ

のうち3人は既に請求に応じて支払いを済ませている。

同社は「情報管理を厳しくしていたにもかかわらず、今回の事態が起きたことは遺憾。コンピューターシステムのトラブルによるものか、内部ないし外部からの情報引き出しによってか、データ流失が起きたものとみられる」としている。

被害者の一人は「インターネットの有料サイトから請求書をダイレクトメールで受け取った。普段よくインターネットを使って支払いもしているので、おかしいと思いながらも、請求

金額1万2千円を近くの銀行から指定された口座に振り込んだ」という。しかし、だまされたのではないかと不審に思ってその後、振込口座名と番号を調べたところ、既に口座は閉じられていたと言っている。

また、とりあえず被害を受けた会員におわびの書面を送るとともに、会員カードの更新などの対策を早急に講ずるとしている。

を求めて、情報流出と被害の関連を調べている。

ところ、データ流失が起きたものとみられる」としている。システム面での調査を進めながら、警察にも協力

3. 確かめよう

1) 質問に答えてください。
   ① どんな個人情報が流出したのですか。
   ② 個人情報が流出した原因は分かりましたか。
   ③ 個人情報が流出したことによってどんなことが起こりましたか。
   ④ どんな対策を急いで取ることにしましたか。

2) 本文を見ないで_____に答えを書き入れてください。分からないときは本文を見ながらでもかまいません。
   ① 通信販売会社のMNK社は個人情報が流出した原因を_____と協力して、懸命に調べている。
   ② 何らかの原因で、または、何者かの犯行で、_____されていたデータが漏れたものとみられる。
   ③ 3月上旬にMNK社の会員からかかってきた相談の電話とは「_____」というものだった。
   ④ 被害者の一人は、_____の有料サイトからの請求書をダイレクトメールで受け取った。普段よくインターネットを使って支払いもしているので、おかしいなと思いながらも1万2000円を_____から振り込んだ。しかし、「もしかするとだまされたのでは」と思って、振込先の口座名と番号を調べてみたら、_____。

4. 考えよう・話そう

1) あなたはカードに関して何かトラブルを経験したことがありますか。家族、友人、知人でそんな人がいますか。うまく解決しましたか。詳しく話してください。

2) 1週間ぐらい前から今日までの日本語の新聞記事を読み、その中であなたが興味や関心をもった記事について話してください。
   ① メモを作ってください。
      新聞名、日付、何面、何の記事、選んだ理由
   ② みんなに内容を紹介してください。
   ③ 内容について意見を交換し、話し合ってください。

5. チャレンジしよう

タウンニュース、学校新聞にニュースの原稿(げんこう)を書いてください。実際(じっさい)に起きたことについて書いてもいいし、想像(そうぞう)して書いてもかまいません。

1）次(つぎ)の要素(ようそ)を入れて原稿を書いてください。

> ① いつ
> ② どこで
> ③ 誰(だれ)が
> ④ 何をして
> ⑤ どうなった

2）ニュースに見出(みだ)しを付(つ)けてください。

| 話す・聞く | **不幸中の幸いだよ** |

1. やってみよう

昨日、自分の不注意で階段で足を滑らし、捻挫してしまいました。あした、サッカーの試合がありますが、出られなくなってしまいました。

1) 友人に階段で足を滑らしたときの状況を説明してください。
2) 後悔し、とても落ち込んでいる気持ちを伝えてください。
3) 落ち込んでいる友人を慰め、元気づけてください。

2. 聞いてみよう

CD1-11

聞くポイントを確認してから、聞きましょう。

カリナ　　青木

1) 内容を聞き取りましょう。
   ① 青木さんがバイクで転倒したのはどうしてですか。
   ② 青木さんのバイクはどうなりましたか。
   ③ 青木さんが落ち込んでいるいちばんの理由は何ですか。

2) 表現を聞き取りましょう。

   どう言いましたか。
   ① 青木さんがけがの状態を説明するとき
   ② カリナさんがけがをした青木さんを慰めるとき
   ③ カリナさんがバイクの修理代のことで青木さんを慰めるとき
   ④ 青木さんが後悔の気持ちや落ち込んでいることを言い表すとき
   ⑤ カリナさんが青木さんを励ますとき

3. もう一度聞こう

_____の部分に言葉を書いてください。

【富士大学の教室で】

カリナ： おはよう。

青　木： おはよう……。

カリナ： どうしたの？　元気ないじゃない。

青　木： うん、ちょっと……。昨日、バイクでね……。

カリナ： えっ、まさか…事故？

青　木： まあ、事故っていうか……。ハンドル切り損ねて、ひっくり返っちゃったんだ。

カリナ： ああ、びっくりした。あんまり落ち込んでるから、人身事故でも起こしたのかと思った。

青　木： 危うく起こすところだったよ。交差点で左折しようとしたら、横から急に自転車が飛び出してきてね。あわててハンドル切ったら、スリップして、ひっくり返っちゃったんだ。

カリナ： そうだったの。それでけがは？

青　木： うん。ひざを打ったんだけど、それは①＿＿＿＿＿＿んだ。
問題はバイク。前のライトのカバーが割れちゃって。買ったばかりなのに……。
②＿＿＿＿＿＿だよ。

カリナ： 何言ってるの。③＿＿＿＿＿＿＿＿＿＿＿＿＿＿。
もし人をはねたりしてたら、大変だったじゃない。

青　木： まあ、それはそうだけど……。
バイク屋へ持って行ったら、修理に２万円ぐらいかかるって。今月はバイトもしてないし。お金のないときに限って、お金が必要になるんだよなあ。
④＿＿＿＿＿＿。

カリナ： うーん、２万円ぐらいで⑤＿＿＿＿＿＿じゃない。「何でも⑥＿＿＿＿＿＿」だよ。

青　木： でもなあ……。あーあ。バスで⑦＿＿＿＿＿＿＿＿＿。

カリナ： ⑧＿＿＿＿＿＿。
今日、お昼ご飯、いっしょに食べようよ。私がおごるから。

青　木： うん。ありがとう。

4. 言ってみよう

絵を見ながら発音やイントネーションに注意し、CDのとおりに言ってみましょう。

5. 練習しよう

1) 失敗や苦い経験を話し、落ち込んでいる気持ちを伝えます（●：友人）

　　例：銀行の前に止めておいた自転車を盗られた。鍵はかけていなかった。

　　　●：どうしたの？　元気ないじゃない。

　　　○：うん……。自転車を盗られちゃったんだ。昨日、銀行へお金をおろしに行ったんだけど、すぐ済むからと思って鍵をかけないで銀行の前に止めておいたんだ。出てきたらなかったんだ。

　　　●：そうだったの。

　　　○：**あーあ**。鍵をかけとけ**ばよかった**。自転車がなきゃ、学校もバイトも行けないよ。ほんと、**泣きたい気分だよ**。

（1）市民マラソン大会に出るため、練習していたが、参加申し込みの締切日を間違えて申し込みが間に合わず、参加できなくなった。

　　　●：どうしたの？　何かあったの？

（2）カップラーメンを作ろうとお湯を入れるとき、よそ見をしていて手にお湯をかけてしまった。右手をやけどして使えないので不便だ。

　　　●：どうしたの、その手？

2) 不幸な出来事の中から一つ幸運だったことを挙げて、慰めます。

　　例：旅行中、友人が空港でかばんを盗られた。中に財布が入っていたが、パスポートは入っていなかった（●：友人）

　　　●：ちょっと目を離しただけなのに。あーあ、財布だけでもポケットに入れとけばよかった。

　　　○：**くよくよしないで**。パスポートを盗られなかった**だけでもよかったじゃない**。**不幸中の幸いだよ**。

（1）同僚が、パソコンの操作を誤って、入力したデータを全部消してしまった。プリントアウトしたものはある（●：同僚）

●：俺ってほんとにバカ。午前中の仕事が全部無駄になっちゃったよ。あーあ。また最初からやり直しだ。泣きたい気分だよ。

（2）妻が台所で油の入った鍋をひっくり返して、床に敷いていたマットがべとべとになった。ガスの火はついていなかった（●：妻）

●：このマット、新しいのよ。結構高かったし。洗ってもだめだろうな。あーあ。

3）悪い状況も見方を変えればよく見えることを示して、慰めます。

例：会社の先輩がスキーで足を骨折して入院。会社で新しいプロジェクトが始まったばかり（●：先輩）

●：あーあ、2週間も入院、プロジェクトのメンバーからも外されたし……。

○：ちょっと長い休みをもらった**と思えばいいじゃないですか。ものは考えようですよ。**

（1）友人が彼女に振られた（●：友人）

●：2年も付き合っていたんだよ。日曜日にはデート、誕生日にはプレゼント。うまくいってると思ってたのになあ……。

（2）勤めている会社が倒産した（●：友人）

●：まいったなあ。どうしよう。

6．チャレンジしよう

1）昨日、アルバイト先で、自分の不注意で重ねてあった皿を10枚割ってしまいました。店長にひどく叱られて、落ち込んでいます。アルバイトを辞めようかと思っています。友人に昨日の出来事を話してください。友人は慰め、元気づけてください。

2）今までにした苦い経験、失敗を友人に話しましょう。そのときの状況、気持ちを話してください。友人は慰めてください。

文法・練習

読む・書く

1. 会員のうち3人は既に請求**に応じて**支払いを済ませている。

    1) 市は市民の要望に応じて、図書館を夜9時まで開くことにした。
    2) その企業は取引先の注文に応じて、製品の開発を進めてきた。

    ⓐ/ⓑ 大学は学生の要求に応じて大学の試験制度を改めることを約束した。

    　　a．大学は学生から要求があったので、試験制度を改めることにした。

    　　b．大学は試験制度を改めることを決め、学生に従うように要求した。

2. 外部からの情報引き出し**によって**か、データ流失が起きたものとみられる。

    1) 急激な円高によって経営が苦しくなり、倒産する企業もある。
    2) ＡＴＭのトラブルによる被害は、この銀行の利用者にとどまらない。

    ⓐ/ⓑ 少子高齢化によって、地域社会はますます活力がなくなっている。

    　　a．地域社会の活力がなくなっている原因は少子高齢化である。

    　　b．少子高齢化の原因は地域社会の活力がなくなっているからである。

3. 外部からの情報引き出しによってか、データ流失が起きたもの**とみられる**。

    1) 自動車業界は東南アジアでの自動車の需要はまだまだ伸びるとみている。
    2) 期待の新人はメジャーリーグに挑戦するとみられている。

    ⓐ/ⓑ 犯人は車で逃げたとみられる。

    　　a．犯人は車で逃げたと考えられる。

    　　b．犯人は車で逃げるのを見られた。

4. ＭＮＫ社は、データ流失は外部からの情報引き出しによって起きたもの**としている**。

    1) 政府は景気が回復するまでは消費税を上げないとしている。
    2) 学校側は少子化に備えてカリキュラムを見直すとしている。

    ⓐ/ⓑ 政府は、秋の国際会議は予定通り行うとしている。

    　　a．政府は、秋の国際会議は予定通り行うことを決めた。

    　　b．政府は、秋の国際会議は予定通り行おうとしているが、まだ決定していない。

5. 情報管理を厳しくしていた**にもかかわらず**、今回の事態が起きたことは遺憾である。

1) 本日は年末のお忙しい時期にもかかわらず、こんなに多くの方にお集まりいただきありがとうございます。
2) 地震のあとに津波が来ることが予測されていたにもかかわらず、すぐに避難しなかったことが被害を大きくした。
3) この学校には十分な予算があるにもかかわらず、設備の改善にはあまり使われていない。

練習1　例：一生懸命　勉強　試験　合格
　　　　→　一生懸命勉強したにもかかわらず、試験に合格できなかった。
1) 雨　試合　予定通り　行う　→
2) 突然　訪問　先生　私　歓迎する　→

練習2　例：熱があるにもかかわらず、彼は決勝戦に出場した。
1) ＿＿＿＿＿＿＿＿＿＿＿＿にもかかわらず、なかなか上達しない。
2) 小川さんは、高齢にもかかわらず、＿＿＿＿＿＿＿＿＿＿＿＿。

練習3　当然そうなるはずの、またはそうなるはずだったのに、そうなっていない場合を話してください。
例：　天気予報では今年は雨が多いと発表されたにもかかわらず、6月に入っても雨が降る気配が全くありません。長期予報は難しいようです。

6. MNK社は被害を受けた会員におわびの書面を送る**とともに**、会員カードの更新などの対策を早急に講ずるとしている。

1) 警察は、犯人を追うとともに、近所の住人に注意を呼びかけている。
2) 彼は大学で研究生活を続けるとともに、小説を書くことをあきらめていない。
3) 社名を変更するとともに、新たなホームページを立ち上げた。

練習　例：政府　高速道路　無料化する　消費税　引き下げる
　　　　→　政府は高速道路を無料化するとともに、消費税も引き下げた。
1) 彼　結婚する　3人　子　父親　なる　→
2) 彼女　ワールドカップ　優勝する　オリンピック　出場権　手にする　→

7. **不審に思って振込口座名を調べたところ、既に口座は閉じられていた。**

1) 教授に大学新聞への原稿をお願いしたところ、すぐに引き受けてくださった。
2) 財布を落としたので、警察に行ったところ、ちょうど拾った人が届けに来ていた。
3) 身分証明書が必要かどうか確かめたところ、不要だということだった。

練習1　例：駅　事務所　問い合わせる　忘れ物　幸い　見つかる
　　　　→　駅の事務所に問い合わせたところ、忘れ物は幸い見つかった。

1) 道　尋ねようと思う　交番　入る　ロボットの警官　いる　びっくりする　→
2) 飛行機　ネット　予約しようとする　満席　キャンセル待ち　→

練習2　例：日本人の最近の名前を調べたところ、男の子の名前なのか女の子のなのか、分からないものが多いのに驚いた。

1) 大きな音がしたので、外に出てみたところ、＿＿＿＿＿＿＿＿＿＿＿＿＿＿＿＿＿＿。
2) 締切りの日にレポートを提出したところ、＿＿＿＿＿＿＿＿＿＿＿＿＿＿＿＿＿＿。

話す・聞く

8. **あんまり落ち込んでいるから、人身事故でも起こしたのかと思った。**

1) 電気料金があんまり高いもんだから、調べてもらったら、やっぱり電力会社の間違いだった。
2) 電話をかけてきた相手の言葉遣いがあんまり失礼だったから、思わず切ってしまった。

　　どうしてこんなに遅れたの？　あんまり遅いから、心配したよ。
　　a. 田中先生の試験はあんまり難しくないから、大丈夫だよ。
　　b. ゆうべは寝る前にあんまりお腹がすいたから、ラーメン食べちゃった。

9. **危うく事故を起こすところだった。**

1) たばこの火がカーテンに燃え移っていた。気づくのが遅れたら、火事になるところだった。
2) 明日は漢字のテストだよ。
　　…あっ、そうだったね。忘れるところだった。ありがとう。
3) こんなところに薬を置いたのは誰？　もう少しで赤ちゃんが口に入れるところだったよ。

練習1 例：友達が電話をくれなければ、約束を忘れるところだった。
1) 妻が車で送ってくれなければ、＿＿＿＿＿＿＿＿＿＿＿＿＿＿＿＿。
2) 信号が故障したのが郊外でよかった。町のまん中だったら、＿＿＿＿＿＿＿＿＿＿＿＿＿。
3) けがをしたのが左手でよかった。右手だったら、＿＿＿＿＿＿＿＿＿＿＿＿＿＿＿＿。

練習2 もう少しで大変なことになるところだったという経験を話してください。

例：ある日、電車を降りようとしたとき、3歳の娘が電車とホームの間にすとんと落ちてしまいました。つないでいた手を必死にひっぱり上げたら、無事に引き上げることができました。もう少しで大事故になるところでした。娘は何が起こったのかも分からずきょとんとしていました。電車は何ごともなかったかのようにホームを出て行きました。たった30秒間の出来事でした。

10. お金のないときに限って、お金が必要になるんだよなあ。

1) デートの約束をしている日に限って、残業を頼まれる。
2) 子どもって親が忙しいときに限って熱を出したりするんですよね。
3) うちの子に限ってそんなことをするはずがない。

練習1 例：私　昔から「ここで失敗してはいけない」というとき　失敗する
　　　　→　私は昔から「ここで失敗してはいけない」というときに限って、失敗するんです。
1) まじめ　人　占い　とか　宗教　とか　はまりやすい　→
2) 健康　人　無理をする　大きい　病気　なりやすい　→

練習2 例：「お金なんか」と言っている人に限って、お金をもうける話が好きです。
1) 運動会や試験の日に限って、＿＿＿＿＿＿＿＿＿＿＿＿＿＿＿＿＿＿＿＿。
2) 冷蔵庫に何も入っていないときに限って、＿＿＿＿＿＿＿＿＿＿＿＿＿＿。

練習3 そのときだけはそうならないでほしいと思っていたのに、そうなってしまう／しまった場合を話してください。

例：これまでの人生を振り返ると、晴れてほしいと思う時に限って、雨が降ったような気がします。成人式、卒業式もそうでしたし、新婚旅行もずっと雨でした。

問題

I. 1.
　　1) ＿＿＿＿＿＿＿＿＿＿＿＿＿＿＿＿＿＿＿＿＿＿
　　2) ① ＿＿＿＿＿＿＿＿＿＿＿＿＿＿＿＿＿＿＿＿
　　　　② ＿＿＿＿＿＿＿＿＿＿＿＿＿＿＿＿＿＿＿＿
　　　　③ ＿＿＿＿＿＿＿＿＿＿＿＿＿＿＿＿＿＿＿＿
　　　　④ ＿＿＿＿＿＿＿＿＿＿＿＿＿＿＿＿＿＿＿＿

　　3) ①（　　）②（　　）③（　　）④（　　）⑤（　　）

2.

- 情報流出 -

（①　　　　　　）のウェブサイトが9月（②　　　）日に不正アクセスを受け、同社サイトの登録者のうち27,000人分の（③　　　　　　）と数百人分のクレジットカード情報が流出し、カードが不正使用されていることが分かった。カードの被害額は一人当たり（④　　　　　　）とみられている。

II. 新聞記事を読んで答えてください。

イギリス人落語家パスワード盗まれ金銭要求メール 「信頼失った」と被害届

　大阪市に在住のイギリス人女性落語家・ダイアン吉日さんが、フリーメールのパスワードを盗まれ、知人ら約1,000人に金銭を要求するなどのメールを送られていたことが分かった。盗まれた原因は不明で、現在もメールの送信は続いているという。
　ダイアンさんは1990年に来日、英語と関西弁による創作落語を行っている。ダイアンさんは「来日20年。自分が築いてきた信頼を失ってしまった」と話している。
　「大丈夫？　まだスペインなの？」。6月、友人から電話が入った。状況が理解できず尋ねた（①　　　　　　）、ダイアンさんのフリーメールのアドレスでその日の昼頃、「マドリードで強盗に襲われた。お金がなくて出国できない」と書かれたメールが友人宛に届いた（②　　　　　）。
　同じようなメールは、ネット上のアドレス帳に登録していた全員に送信された（③　　　　　）、犯人は、その後もダイアンさんになりすましメールを送り続けている。

「ホテル宛に送金してほしい」といった要求（④　　　　　　　）「20万円送ってあげようとしたが、うまくいかなかった」と電話をくれた友人もいた。

　ダイアンさんは警察に被害届けを提出。パスワードはネット上で売買され、大量送信されたことが判明したという。

(読売新聞 2011年8月16日付夕刊より抜粋、改変)

1）①〜④に最も適切な言葉を選んでください。
　　① ところ　　とたん　　あげく　　ばあい
　　② と思う　　と感じる　　という　　と考える
　　③ と聞かれ　　とみられ　　とされ　　と書かれ
　　④ にとって　　によって　　に応じて　　に関して

2）質問に答えてください。
　　① ダイアンさんはどんな事件にあいましたか。
　　_____
　　② ダイアンさんはどうやって事件にあったと気づいたのですか。
　　_____
　　③ 犯人は警察に捕まりましたか。
　　_____
　　④ 警察の調べで分かったことはどういうことですか。
　　_____

第17課

読む・書く	暦（こよみ）

・解説文（かいせつぶん）を読む
・物事に関係（かんけい）するエピソードを読み取（と）る

話す・聞く	もうお兄（にい）ちゃんだね

・相手（あいて）によって呼称（こしょう）を使い分ける
・相手によって話すスタイルを使い分ける

読む・書く

1．考えてみよう

1）あなたが育（そだ）った国や地域（ちいき）で普通（ふつう）に使われているカレンダーについて話してください。

① そのカレンダーでは、今日は何（なん）年何月何日ですか。

② そのカレンダーでは、1年は何日で、何か月ですか。

③ あなたの国または地域では1週間のうち、休日は何曜日ですか。

④ そのカレンダーは昔（むかし）から使われていますか。現在（げんざい）のカレンダーと昔のカレンダーが違（ちが）っていたら、いつ、なぜ、現在のカレンダーが使われるようになったのですか。

2）次（つぎ）の暦を知っていますか。現在、どの暦が世界でよく使われていると思いますか。

太陽暦（たいようれき）　太陰暦（たいいんれき）　太陰太陽暦（たいいんたいようれき）

2. 読もう

読むときのポイント：

- 1行目の「暦にまつわる話」とは具体的にどんな話か、「では、(…)なぜ、…のであろうか」という表現に注目しながら、読み取りましょう。
- 日本の暦にまつわる話について、具体的にはどのような問題があって、どうしたのかを考えながら、もう一度読みましょう。

暦

　暦は生活に欠かせないものであるが、暦にまつわる話には知られていないものが数多くある。10月は英語で「October」という。本来「Oct」は数字の8を意味する言葉である。タコ「Octopus」、八角形「Octagon」など8に関係のある語には「Oct」がついているものが多い。では、なぜ、10月が「October」なのであろうか。古代ローマで使われていた暦は1年が304日、10か月からなり、それは現在の3月から始まっていた。そのため、10月は3月から数えて8番目の月であり、「October」と呼ばれていたのである。その後この暦の不備を補い新たに2か月を加えた暦ができたのだが、月の呼び方はそのままにしたため呼び名がずれてしまったのである。

　日本では7世紀の終わりに中国から伝わった太陰太陽暦が、明治5年（1872年）に改暦が行われるまで800年以上も用いられていた。この太陰太陽暦は、現在使われている新暦（太陽暦）に対して旧暦と言われているもので、旧暦では「一月、二月、三月…」とは別に、「睦月、如月、弥生…」という呼び名も使われていた。それぞれに意味があり、例えば「八月」は木の葉が落ちる月ということで「葉落ち月」、それが転じて「葉月」、「九月」は夜が長く月が美しいことから「長月」と名づけられていた。旧暦での新しい年の始まりは立春前後に置かれ、それは新暦の2月初旬にあたる。こうしたことから日本でも旧暦の睦月、如月と現在の1月、2月の間には季節のずれが生じたのである。

　では、長年慣れ親しんできた太陰太陽暦はなぜ明治時代に入ってすぐに太陽暦に切り替えられたのであろうか。その大きな理由としては、次のようなことが挙げられる。まず、政治体制も変わり人心を一新しようとしたこと。そして太陰太陽暦が閏年の調整という問題を抱えていたこと。また政府の会計年度などの制度が西洋の先進国にならったものに変わり、1年の長さを一定にする必要があったこと。さらに諸外国との外交上、同じ暦を使用するほうが便利だったこと、などである。

しかし、人々の生活に深く関わっている暦であるにもかかわらず、政府は十分な準備期間もおかず、明治5年12月に突然改暦を実施した。当然のことながら、この唐突な出来事に人々はかなり戸惑ったようである。
　実は改暦を行った真のねらいは上に述べた4つの理由の他にあったのである。当時、政府の支出の中で大きな部分を占めていたのが人件費であったという。それは予算不足にもかかわらず、新制度の導入でたくさんの役人を補充せざるを得なかったためである。財政難の新政権は、改暦を行い、明治5年を12月2日で終わらせ、翌日を明治6年とするという大きな決断をした。こうすることにより、12月の給料を1か月分払わずに済ませ、さらに翌年の閏年がなくなることで計2か月分の給料の支払いを回避しようともくろんだのである。

3. 確かめよう

1）質問に答えてください。
　① 英語の「Oct」はもともと8を示す意味があるのに、10月をOctoberというのはどうしてですか。
　② Octoberの他にも言葉と実際がずれた例が書かれています。それは何ですか。

2）日本の新暦と旧暦について書かれていることを整理してください。

	旧暦	新暦
別の呼び名	（①　　　　）暦	太陽暦
いつから使われたか	7世紀終わりから	（②　　　　）から
どこから入ってきたか	（③　　　　）から	西洋から
月の呼び名	一月、二月、三月、… 睦月、如月、弥生、…	（④　　　　、…）
名前の意味	それぞれに意味がある 例1：葉月―（木の葉が落ちる月） 例2：（⑤　　）―夜が長く月が美しい	その月が一年の何番目に当たるかを示す
新しい年の始まり	（⑥　　　　）	1月1日

3）明治政府が旧暦から新暦に変更した理由は何ですか。＿＿＿に答えを書き入れてください。

大きな理由：
① 人々の＿＿＿＿＿＿＿＿＿＿を、新しくしたかった。
② 1年の長さを＿＿＿＿＿＿と合わせたかった。
③ ＿＿＿＿＿のために便利だった。
④ ＿＿＿＿＿＿＿＿＿＿を解決したかった。

急いで実施した理由：
明治政府は⑤＿＿＿＿に困っていたので、⑥＿＿＿＿を減らしたかった。旧暦の12月の初めに新暦に変えることによって、旧暦の⑦＿＿＿＿分の給料と、次の年が旧暦では閏年になるのでその1か月分の給料、計⑧＿＿＿＿分を払わずに済ませようとした。

4．考えよう・話そう

1）次のことを調べ、メモを作成し、報告してください。
① 旧暦で、1月から12月までそれぞれ何と呼ばれていましたか。
② なぜそのように名づけられたのでしょうか。
③ 旧暦の呼び方で、現在の日常生活でも使用されているものがありますか。

2）あなたの国にも暦に関するエピソードがありますか。

5．チャレンジしよう

有名な会社や商品の名前に関するエピソードを400字程度で書いてください。

文章の流れ：
①会社や商品の名前を示す
　　　↓
②その名前が持つ意味を説明する
　　　↓
③その名前に決まった理由や状況を説明する
　　　↓
④まとめ

| 話す・聞く | **もうお兄ちゃんだね** |

1. やってみよう

1) 友人のうちで、友人と歓談しているところへ6歳の息子さんがお茶を運んで来ました。話しかけて、お手伝いしていることを褒めてください。

2) 日本人のうちを訪問しました。次のような場面でどう言いますか。
   ① 挨拶する（しばらく会っていない）
   ② お土産を渡す
   ③ いすを勧められる

2. 聞いてみよう
CD1-15

聞くポイントを確認してから、聞きましょう。

1) 内容を聞き取りましょう。
   ① 優太君はサントスさんに何を見せましたか。
   ② 「節分」はどんな行事ですか。
   ③ サントスさんはどうして「節分」のことを知っていたのですか。
   ④ 優太君は今から何をしますか。

   サントス　池田　ミランダ

   優太

2) 表現を聞き取りましょう。

(1) どう言いましたか。
   ① サントスさんがミランダさんに挨拶するとき
   ② サントスさんがお土産を渡すとき
   ③ 優太君と話すときに、サントスさんが自分のことを指して言うとき

(2) どんな話し方をしていますか。
   ① サントスさんとミランダさん
   ② サントスさんと池田さん
   ③ サントスさんと優太君

🔊 3. もう一度聞こう

_____の部分に言葉を書いてください。

【池田家のリビングルーム】

サントス： こんにちは。①_____。

ミランダ： よくいらっしゃいました。お久しぶりですね。

サントス： あの、これ、②_____、皆さんでどうぞ。

ミランダ： ありがとうございます。じゃ、遠慮なくいただきます。
あ、どうぞおかけください。

サントス： はい。失礼します。今日は③_____、お邪魔してすみません。

ミランダ： いいえ。④_____が、どうぞごゆっくりなさってください。

サントス： ありがとうございます。

池　田： あ、優太、こっちにおいで。
⑤_____のサントスさんだよ。ご挨拶しなさい。

優　太： こんにちは。

サントス： こんにちは。優太君、いくつ？

優　太： 6歳。

サントス： そう。もう⑥_____だね。6歳にしては大きいね。

池　田： 大きいほうかな。この春から1年生なんだけど。早いもんだよ、子どもが成長するのは。

サントス： 優太君、そのお面、節分の鬼だね？

優　太： うん、幼稚園で作ったんだ。

サントス： 優太君が描いたの？　上手だねえ。

ミランダ： サントスさんは節分、ご存じなんですか。わたしは優太が幼稚園に行くようになってはじめて……。

サントス： 確か、「鬼は外」って言いながら豆をまいて、病気や悪いことを追い払うんですよね。

池　田： サントスさん、今どきの日本の若者なんかより、よっぽど詳しいんじゃない？

サントス： まあ、日本に住んでるからには、日本の四季折々の行事を知らないといけないと思って、勉強してるんです。娘も日本の小学校に通ってますし、ね。

優　太： ⑦____、あした豆まきするんだ。お父さんが鬼になるんだよ。

サントス： へえ、⑧_____。お父さんは怖いんだ。

優　　太：　ううん。お父さんは優しいよ。お母さんのほうが怖い。

ミランダ：　優太ったら。

　　　　　　さあ、サッカーの練習に行くんでしょ。

サントス：　優太君、サッカーしてるの？

　　　　　　⑨＿＿＿＿も子どものとき、ユースに入ってたんだよ。こう見えても、「5人抜きのジョゼ」って呼ばれてたんだ。ペレほどじゃないけどね。

優　　太：　すごい！　おじさん、今度いっしょにサッカー、やろうよ！

サントス：　よし、やろうか。

優　　太：　うん！

4．言ってみよう

絵を見ながら発音やイントネーションに注意し、ＣＤのとおりに言ってみましょう。

5．練習しよう

1）話す相手や状況によって、話すスタイルを変えます。

　　　　例：美術館でアルバイトをしている。展示品に触らないよう、大人に注意する。

　　　　　　次に子どもに注意する（●：大人／子ども）

　　　　　　○：展示品に**触らないようにお願いします**。

　　　　　　●：あ、すみません。

　　　　　　○：あ、僕、飾ってあるものに**触らないでね**。

　　　　　　●：はーい。

（1）朝、散歩中に近所の親子に出会う。母親に挨拶する。次に子どもに声をかける（●：近所のお母さん／子ども）

　　　　　　○：おはようございます。お出かけですか。

　　　　　　●：ええ、今日はこの子の運動会なんです。

(2) 水族館でアルバイトをしている。親子連れの父親に注意する。次に子どもに注意する（●：父親／子ども）

　　○：大変混雑しておりますので、お子様の手を離さないようにお願いします。
　　●：はい。

2）子どもと話すとき、自分のことを子どもから見た呼び方で言います。

　例：自分（母親）はあとで行く（●：娘　7歳）
　　●：お母さん、一緒に行かないの？
　　○：**お母さん**はあとで行くから、先に行ってね。

（1）自分（母親）もカレーライスを食べたい（●：息子　4歳）
　　●：お父さんがカレーライス作ってくれたんだよ。おいしいよ。

（2）自分（30代男性）が子どものときは「ポケモン」はなかった（●：男の子　5歳）
　　●：これ、ポケモン。知ってる？

3）子どもと話すとき、あいづちで子どもが言ったことを繰り返すことがあります。
（●：子ども）

　例：●：昨日、ケーキ作ったんだよ。
　　　○：へえ、ケーキ作った**の**。／へえ、ケーキ作った**んだ**。おいしかった？

（1）●：運動会のリレーで1番になったんだよ。
（2）●：夏休みに家族みんなでハワイへ行くの。

6. チャレンジしよう

1）友人のうちへ行きます。お互いに挨拶したあと、友人と5歳の娘さんの3人でおしゃべりをしてください（役割を決めてください）。あさってはひな祭りで、部屋にはひな人形が飾ってあります。

2）身近に子どもがいる人は、その子とおしゃべりをしてみてください。

文法・練習

読む・書く

1. 古代ローマで使われていた暦は1年が304日、10か月**からなっている**。

1) 日本は47の都道府県からなっている。
2) 10人の科学者からなる研究グループによって、調査が行われた。

ⓐⓑ この大きな本は50枚の写真と（ a．50のエピソード　b．有名な著者）からなっている。

2. 太陽暦に切り替えられた大きな理由**としては**、次のようなことが挙げられる。

1) 北海道のお土産としては、クッキーやチョコレートなどが有名である。
2) マンガのテーマとしては、「恋愛」や「冒険」などが好まれる。

ⓐⓑ この地方の特産品としては玉ねぎとじゃがいもがある。

　　a．この地方では玉ねぎとじゃがいもが特に盛んに作られている。
　　b．この地方の玉ねぎとじゃがいもはどの地方のものよりおいしい。

3. 諸外国との外交**上**、同じ暦を使用するほうが便利だった。

1) 雨の日に傘をさして自転車に乗るのは交通安全上、非常に危険である。
2) 1960年代の初めは日本製のアニメは番組編成上の穴埋めとして放送されていた。

ⓐⓑ この本は子どもの教育上、問題がある。

　　a．この本は子どもの教育のことをよく考えてある。
　　b．この本は子どもの教育という点から良くない。

4. 改暦を行うこと**により**、12月の給料を1か月分払わずに済ませた。

1) この会社は、工場を海外に移したことにより、コストを下げるのに成功した。
2) 宅配便によって、全国どこへでも遅くとも２日以内には荷物が届くようになった。

ⓐⓑ ＮＨＫは出口調査によって選挙結果を予測する。
　　a．戦争によって多くの命が失われた。
　　b．多くの生活習慣病は、生活習慣の改善によって治すことができる。

5. 「九月」は夜が長く月が美しいことから「長月」と名づけられていた。

1） 夫にスーパーの袋を捨てないように注意したことから、けんかになった。
2） 発掘調査で指輪やネックレスが発見されたことから、この墓は身分の高い人のものだと考えられる。
3） この駅では、発車ベルがうるさいという苦情が出たことから、ベルの代わりに音楽を使うようになった。

練習1 例：2年前に子どもがおぼれたことから、この川で泳ぐことは禁止になった。

1） 複数の足跡が残されていたことから、犯人は_____と考えられる。
2） 道がぬれていることから、昨日の晩_____ことが分かった。
3） _____ことから、この家には誰も住んでいないと考えられる。

練習2 次の地名・人名がどうして付けられたか、考えて話してください。

例：はづき →八月に生まれたことから「はづき」と名づけられたと思います。

1） 東京 →
2） 松下さん →

6. 予算不足にもかかわらず、新制度の導入でたくさんの役人を補充せざるを得なかった。

1） 熱が39度もある。今日は大事な会議があるが、休まざるを得ない。
2） 頂上まであと少しのところで吹雪に遭い、引き返さざるを得なかった。
3） 参加者が予想よりはるかに少なかった。残念だが、今日のイベントは失敗だと言わざるを得ない。

練習1 例：納得できないが、会社の方針なので、従わざるを得ない。

1） 明日から旅行に出かけるつもりだったが、仕事が入ってしまった。
残念だが、_____。
2） この建物は歴史があるのだが、古くなって危険なので_____。
3） 経営が苦しくなったため、_____。

練習2 そうせざるを得ない理由を考えてください。

例：商品の値段を上げる
→ 生産コストが上がったので、商品の値段を上げざるを得ない。

1） 留学をあきらめる →
2） 新入生の歓迎会を中止する →

話す・聞く

7. 優太が幼稚園に行くようになって**はじめて**節分のことを知りました。

1) 子どもを持ってはじめて親のありがたさが分かった。
2) 就職してはじめてお金を稼ぐことの大変さを知りました。

ⓐⓑ 病気になってはじめて健康の大切さが分かった。

  a．病気になるまで、健康の大切さが分からなかった。

  b．はじめて病気になった。そのとき健康の大切さが分かった。

8. 優太：お父さんは優しいよ。お母さんのほうが怖い。
  母 ：優太**ったら**。

1) お母さんったら、どうして子どもの名前を間違えて呼ぶのよ。たった3人なのに。
2) うちで飼ってるチロったら、私のことを母親だと思ってるんですよ。

ⓐⓑ 林さんったら、海外出張なのにパスポートを忘れて、飛行機に乗れなかったのよ。

  a．林さんはあきれた人だ。

  b．林さんはおもしろい人だ。

9. 優太君は6歳**にしては**大きいね。

1) 彼女のピアノの腕は素人にしては相当なものだ。
2) このレポートは一晩で書いたにしてはよくできている。
3) スペイン語は半年ほど独学しただけです。
  …そうですか。それにしてはお上手ですね。

練習1 例：太郎君は10歳にしてはしっかりしている。

1) 彼の発表は1か月も準備したにしては＿＿＿＿＿＿＿＿＿＿＿＿＿＿＿。
2) このマンションは＿＿＿＿＿＿＿＿＿＿＿＿にしては＿＿＿＿＿＿＿＿＿＿＿＿。
3) あの人は日本に5年以上住んでいるにしては＿＿＿＿＿＿＿＿＿＿＿＿＿＿＿＿。

練習2 ある基準に照らして、人を褒めてください。

例：キムさんは新入社員にしては電話の応対がうまいと思います。敬語も正しく使えるし、話し方も分かりやすいです。

10. 日本に住んでるからには、日本の四季折々の行事を知らないといけないと思う。

1）大学院に入ったからには、どんなに大変でも学位を取って国へ帰りたい。
2）私は負けず嫌いだ。ゲームでも何でも、やるからには勝たなければならないと思う。
3）日本での就職を目指すからには、敬語はしっかり勉強しておいたほうがいい。

練習1
例：高いお金を払って旅行に行くからには・　　・しっかり勉強しなくては。
1）日本語のＣＤを買ったからには　　　　・　　・何とか解決しなければならない。
2）仕事を引き受けたからには、　　　　　・　　・最後までやる責任がある。
3）トラブルが起きたからには、　　　　　・　　・有名な所は全部見たい。

練習2　例：高いバイオリンを買ってもらったからには、コンテストに出て優勝しなくちゃ。
1）北海道まで来たからには、＿＿＿＿＿＿＿＿＿＿＿＿＿＿＿＿＿＿＿＿たい。
2）＿＿＿＿＿＿＿＿＿＿＿＿＿からには、成功するまであきらめるべきじゃない。
3）日本に留学したからには、＿＿＿＿＿＿＿＿＿＿＿＿＿＿＿＿＿＿＿＿＿。

11. さあ、サッカーの練習に行くんでしょ。

1）10時だ。子どもはもう寝る時間だろう。歯をみがいて、ベッドに入りなさい。
2）優太、そんなところに立ってたら邪魔になるでしょ。こっちへいらっしゃい。
3）飲みに行こうって誘ったのは君だろ。今日になってキャンセルなんて、ひどいよ。

練習　注意してあげてください。
例：ぬれた服を着ている子ども　→　風邪をひくだろう／でしょ。早く着替えなさい。
1）道路で遊んでいる子ども　→
2）テストの前の日なのに、ゲームをしている子ども　→
3）授業中にメールをしている生徒　→

問題

I．1．1）（　　　）　2）（　　　）　3）（　　　）

2．1）_____
　　2）_____
　　3）_____
　　4）_____

II．1．文章を読んで答えてください。

> 　1週間は「日月火水木金土」と7つの曜日（①　　　　　　）が、この曜日のルーツは古代国家バビロニア王国にある。バビロニアには優れた天文学者がいて、太陰太陽暦を生み出し、また1日の時間を24に分けるという24時間法も生み出した。早くから星の観測を始めていたバビロニアの天文学者たちは、普通の星々とは全く違う動きをする星（②　　　　　　）、水星、金星、火星、木星、土星および月と太陽の7つの特別な星があることに気づき、この7つの星が時間を支配していると信じていた。彼らは7つの星を地球から遠い順に並べ、その順番に従って特定の星が1時間毎にその時間を支配しており、一日の始まりの時間を支配している星がその日一日を支配する星であると考えたのだ。
>
> 　7つの星を遠い順に並べると、土星、木星、火星、太陽、金星、水星、月というふうになる。これを1時間毎の時間に割り振っていくと、第1日目の1時間目は土星、2時間目は木星、3時間目は火星、そして7時間目には月になるが、そうしたら次は土星に戻る。すると、24時間目に来るのは火星。火星の次は太陽だから、第2日目の1時間目は太陽になる。
>
> 1日目1時間目：土星　2時間目：木星……23時間目：(③)　24時間目：火星
> 2日目1時間目：太陽　2時間目：(④)……23時間目：金星　24時間目：水星
> 3日目1時間目：月　　2時間目：土星　・・・・・・・・・・・
>
> となる。そしてそれぞれの1時間目を支配する星、つまりその日一日を支配する星を順に並べると土、日（太陽）、月、……。私たちが現在使っている曜日は、こうして生まれた。

1）①、②に最も適切な言葉を選んでください。

　①　によっている　　からなっている　　としている

　②　にとって　　として　　とともに

2) ③、④に星の名前を書いてください。
　　　(③　　　　)　(④　　　　)

3) 4日目の最初の1時間を支配する星は何ですか。(　　　　)

4) 本文の内容と合っていれば○、違っていれば×を書いてください。
　　① (　　) バビロニアでは暦は使われていなかった。
　　② (　　) バビロニアでは1週間の始まりは土曜日だった。
　　③ (　　) 曜日の順番は、バビロニア人が地球から見た7つの特別な星の並び順と同じである。

2. 文章を読んで答えてください。

　　5月5日は「こどもの日」、旧暦の「端午の節句」です。
　　現在の「こどもの日」は子どもの健康と成長を願う日ですが、もともとは男の子のいる家庭で武者人形を飾り、鯉のぼりを立ててお祝いをしました。この鯉のぼりは中国の伝説から来ています。昔々中国の山に「竜門」という流れの激しい滝がありました。ある時、一匹の鯉が激しく落ちる滝に逆らいながら、それでも懸命に滝を登ったまさにその時、鯉の体は光り輝く竜へと変身し、天に昇っていきました。この(　　　　)、人生の中で困難に出合っても、この鯉のようにたくましく立ち向かい、最後は成功することを願って鯉のぼりが生まれたと言われます。

1) (　　) に最も適切な言葉を選んでください。
　　ことに応じて　　ことから　　ことに関して

2) 「こどもの日」は本来どんな行事でしたか。
　　_____

3) 本文の内容と合っていれば○、違っていれば×を書いてください。
　　① (　　) 中国の伝説によると、鯉が竜のように滝を登った。
　　② (　　) 中国の伝説によると、滝を登った鯉が竜になった。
　　③ (　　) 流れの激しい滝は人生で出合う苦しいことや大変なことを意味している。

第18課

読む・書く	鉛筆削り(あるいは幸運としての渡辺 昇①)
	・小説を読む
	・登場人物の行動と心の内を追いながら、自由な解釈を楽しむ

話す・聞く	あなたこそ、あの本の山はいったい何なの!
	・文句を言ったり、言い返したりする
	・謝ったり、相手を認めたりして、関係を修復する

読む・書く

1. 考えてみよう

1) あなたは何かを集めていますか。

　　それはどんなものですか。

　　それを集めようと思ったきっかけは何ですか。

2) 他の人が見たら変だと思うようなものを集めている

　　人を知っていますか。それはどんなものですか。

2. 読もう

> 読むときのポイント：
> - これは小説の文章です。まず、誰が何を、なぜそうしたのかを読み取りましょう。
> - 次に、この文章の何が、またはどこがおもしろいか考えてみましょう。

鉛筆削り（あるいは幸運としての渡辺昇①）

　もし渡辺昇という人間がいなかったら、僕はおそらくいまだにあの薄汚い鉛筆削りを使いつづけていたに違いない。渡辺昇のおかげで僕はぴかぴかの新品の鉛筆削りを手に入れることができたのだ。こんな幸運はそうざらにあることではない。

　渡辺昇は台所に入ってくると、すぐにテーブルの上にある僕のその古い鉛筆削りに目をとめた。僕はその日気分転換のために台所のテーブルで仕事をしていたのだ。だから鉛筆削りはしょうゆさしと食塩の瓶のあいだに置かれていた。

　渡辺昇は流し台の排水パイプを修理しながら――彼は水道関係の修理屋なのだ――ときどきテーブルの上をちらちらと横目で見ていた。でもそのとき彼が鉛筆削りのマニアックなコレクターだなんて知る由もないから、彼がいったい何に興味を持ってテーブルの上に鋭い視線を走らせているのか、僕には見当もつかなかった。テーブルの上にはいろんなものが雑然とちらばっていたのだ。

　「ねえ、ご主人、その鉛筆削りいいですねえ」とパイプの修理が終わったあとで、渡辺昇は言った。

　「これ？」と僕はびっくりして、テーブルの上の鉛筆削りを手にとった。それは僕が中学校時代から二十年以上ずっと使っているごくあたりまえの手動式の機械で、他のものに比べて変わったところなんて何ひとつない。金属部分はかなり錆びついているし、てっぺんには鉄腕アトム・シールなんかも貼ってある。要するに古くて汚いのだ。

　「それねえ、1963年型マックスPSDっていいましてね、けっこう珍しいものなんです」と渡辺昇は言った。「刃のかみあわせ方が他のタイプのものとちょっと違うんです。だから削りかすの形も微妙に違ってましてねえ」

　「へえ」と僕は言った。

　そのようにして僕は新品の最新式の鉛筆削りを手に入れ、渡辺昇は1963年型マックスPSD（アトム・シールつき）を手に入れた。渡辺昇はバッグの中にいつも交換用の新品の鉛筆削りを入れて持ち歩いているのだ。くりかえすようだけれど、こんな幸運は人生の中でそう何度もあるものではない。

（村上春樹『村上朝日堂 超短編小説 夜のくもざる』新潮社より）

3. 確かめよう

1）質問に答えてください。
① 「僕」と渡辺昇は、何と何を交換しましたか。
② 「僕」と渡辺昇はどんな関係ですか。
③ 「こんな幸運はそうざらにあることではない」とありますが、それは具体的にどんな幸運のことですか。

2）「僕」について書かれているものにはAを、渡辺昇について書かれているものにはBを書いてください。

> ① 薄汚い鉛筆削りを使っている。（　）
> ② ぴかぴかの最新式の鉛筆削りを手に入れた。（　）
> ③ テーブルの上にある古い鉛筆削りに目をとめた。（　）
> ④ 鉛筆削りのコレクターである。（　）
> ⑤ 「その鉛筆削りいいですねえ」と言った。（　）
> ⑥ テーブルの上の鉛筆削りを手に取った。（　）
> ⑦ バッグの中にいつも交換用の鉛筆削りを入れて持ち歩いている。（　）
> ⑧ 1963年型マックスPSDを手に入れた。（　）

3）正しい答えを選んでください。
① 「目をとめた」（4行目）のは、どうしてですか。
　　a．意外な場所に置いてあったから
　　b．彼にとっては価値を感じるものだったから
　　c．20年以上使われている古いものだったから
② 「ちらちらと横目で見ていた」（8行目）
　　a．なんとなく見ていた
　　b．じっと見ていた
　　c．遠慮しながらときどき見ていた

4. 考えよう・話そう

1) この小説は、古い鉛筆削りと新しい鉛筆削りを交換してお互いに満足したという話です。鉛筆削りだけでなく、人によって価値観が違うという経験をしたことがありますか。そのような経験から人の満足感とか、幸福感について話し合ってください。

2) 人によって、あるいは時代や文化によって価値観が異なるという具体例を、①～③についてそれぞれ挙げてください。
   ① 物
   ② 人
   ③ 行為、行動

5. チャレンジしよう

この小説の中の「僕」と渡辺昇の会話をシナリオにしてください。シナリオには、話し方（例：意外そうな声で）や動き（例：鉛筆削りを手に取って、いろいろな角度から見る）なども想像して書いてください。

渡辺昇：ねえ、ご主人、その鉛筆削りいいですねえ。
　　　　（いい物を持っていていいなあ、といううらやましい気持ちで鉛筆削りをじっと見つめながら言う。）

僕　　：

話す・聞く　あなたこそ、あの本の山はいったい何なの！

1. やってみよう

1) あなたの友人はいつも忘れ物をして、あなたにいろいろな物を借ります。今日もそんな友人にあなたはいらいらして、文句を言います。気に入らない点をたくさん言ってください。

2) 友人が泣きそうな顔をしています。言い過ぎたことに気がつきました。相手と仲直りしてください。

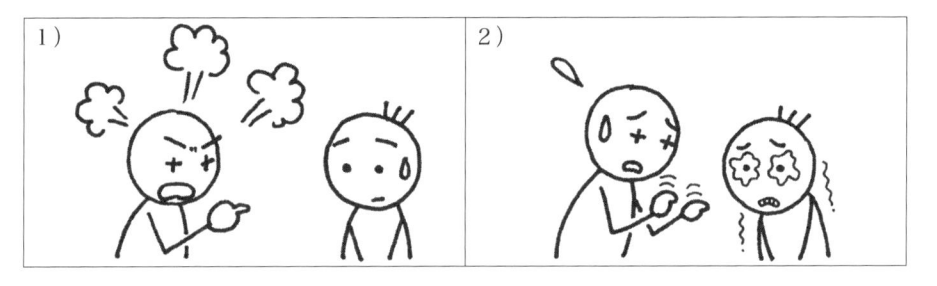

2. 聞いてみよう

聞くポイントを確認してから、聞きましょう。

ワット　　　いずみ

1) 内容を聞き取りましょう。
   ① 最初に不満を言ったのはどちらですか。どんなことを言いましたか。
   ② 相手はそれに関してどんな言い訳をしましたか。
   ③ 物をとっておくことについて2人はどう考えていますか。
   ④ いずみさんは何についてワットさんを非難しましたか。
   ⑤ 最後に2人は仲直りしましたか。

2) 表現を聞き取りましょう。
   どう言いましたか。
   ① ワットさんがはじめにいずみさんに皮肉を言うとき
   ② ワットさんがいずみさんに文句を言うとき
   ③ いずみさんがワットさんに言い返すとき
   ④ ワットさんが謝るとき
   ⑤ いずみさんが謝るとき

3. もう一度聞こう

＿＿＿の部分に言葉を書いてください。

【ワット家のダイニングキッチンで】

いずみ： あれっ、この前メキシコで買ってきたワイングラス、どこにしまったかな。確かこの辺に入れたはずだけど。

ワット： また捜し物？①＿＿＿＿＿＿＿＿＿＿＿＿＿＿。

いずみ： あ、あった、あった。

ワット： ねえ、いずみ。②＿＿＿＿＿＿＿＿＿＿＿＿＿＿？ こんなにたくさん要らないだろう。あっ、このコーヒーカップなんか、欠けてるじゃないか。捨てたら？

いずみ： ああ、それ？ それは結婚してはじめて買ったものなのよ。これを見るたびに、あのころのこと思い出すの…。捨てられないわ……。

ワット： しまい込んだまんま一度も使ってないものもいっぱいあるじゃない。

いずみ： ③＿＿＿、このお皿もお茶碗も新婚時代の思い出がいっぱいなんだ④＿＿＿。

ワット： その気持ち、分からないわけじゃないけど…。もうちょっと整理すれば？
⑤＿＿＿＿＿＿＿＿＿＿＿＿、ここにあるスーパーの袋の山、⑥＿＿＿＿。

いずみ： あら、袋だって必要なのよ。

ワット： うーん。あれも大切、これも必要だからってとっといて、結局捨てちゃうってことになるんじゃないの？ だったら、思い切って捨てたほうがいいよ。

いずみ： そんな、もったいない。置いとけば、何かのときに役に立つかもしれないし。⑦＿＿＿＿、あの本の山は⑧＿＿＿＿＿＿！ ⑨＿＿＿＿＿＿＿＿＿＿？

ワット： それとこれとは話が違うだろ！ そもそも、ふだん使わないものをしまっといたところで、場所をとるだけだよ。⑩＿＿＿＿＿＿＿＿＿＿＿＿＿＿よ。

いずみ： ⑪＿＿＿＿＿＿＿＿＿＿＿＿＿＿＿＿！！
…………

ワット： ⑫＿＿＿＿＿＿＿＿＿＿＿＿＿＿＿。いずみが物を大事にするってことはよく分かってるよ。

いずみ： ううん、⑬＿＿＿＿＿＿。あなたの言うとおり、上手に捨てるってことも確かに必要かもね。

ワット： そうだね。…今度の日曜に、いっしょに整理してみよう。

いずみ： うん、そうね。
さあ、食事にしましょう。ワインの栓、抜いてくれる？

4. 言ってみよう

絵を見ながら発音やイントネーションに注意し、CDのとおりに言ってみましょう。

5. 練習しよう

●と○はお互いに相手のすることが気に入らないので、不満や文句を言ってけんかしますが、最後には謝って、仲直りします。

例：●はよく約束の時間に遅れて来る。今日も30分遅刻した。
しかし、○もよく急な仕事で約束をキャンセルする（●○：恋人同士）

〈場面1〉

●：ごめんね。遅れちゃって。

○：**しょっちゅう遅れるね**。ケータイで連絡ぐらいできる**んじゃない？**

●：連絡しようと思ったんだけど、ケータイ、忘れちゃって…。

○：え、また？　この前は電池が切れてたって言ったよね。
だいたい君はいつも遅刻して平気**なんだ**。おまけに連絡する気もないんだ。

●：**そんなに言わなくたっていいじゃない**。私だって、急いで仕事を片づけて飛んできたのに。あなたこそ、急用ができたからって、何回約束をキャンセルしたか分からない。**お互いさまなんじゃない？**

〈場面2〉

○：**ごめん。……ちょっと言い過ぎたみたいだね**。君と会えるのをすごく楽しみにしていたんだ。この前は僕の都合で会えなかったんだし…。

●：うん、**私こそ**、**遅れて**、**ごめん**。ケータイを忘れちゃうなんて、バカだよね。

○：ところで、今日は何、食べようか。

●：そうね。何がいいかな。

(1) デート中だが、●はケータイを見てばかりいる。○も電話を受けて話を中断することが多い（●○：恋人同士）

○：いつまでケータイ触ってるつもり？　しょっちゅうケータイのぞいてるって失礼だよ。

（2）シェアハウスに住んでいるが、●はいつも自分の持ち物を居間に散らかしっぱなしにして片づけないので、居間が乱雑だ。〇は本や雑誌をたくさん持っていて、廊下にも並べている。通るのに邪魔だ（●〇：友人同士）

〇：ちょっと、このかばん、いつも置きっぱなしだけど、片づけてくれない。

6. チャレンジしよう

夫婦げんかをします。最後に仲直りしてください。

妻：夫は今までいた部屋を出るとき、いつもテレビや電気をつけっぱなしにしておきます。今日も夫は居間のテレビをつけっぱなしで他の部屋へ行こうとしました。文句を言ってください。文句を言いながら、夫が歯を磨くときは水を出しっぱなし、着替えるときは服を脱ぎっぱなしにすることも思い出してください。

夫：妻が買い物好きで必要ないものまで安いからといって買ってくるのが気に入りません。文句を言ってください。辺りを見ると、買ってきたまま、全然使っていないものがたくさんあります。

文法・練習

読む・書く

1. 僕はおそらくあの薄汚い鉛筆削りを使いつづけていた**に違いない**。

1）渡辺さんは時間が守れない人だ。今日もきっと遅れてくるに違いない。
2）山本監督の映画ならきっとおもしろいに違いない。
3）あの公園の桜はもう散っているに違いない。

練習1 例：冷蔵庫に入れておいたケーキがない。誰かが食べたに違いない。

1）入口に置いておいた傘がない。誰かが＿＿＿＿＿＿＿＿＿＿に違いない。
2）あのパン屋はいつも大勢の人が並んでいる。よほど＿＿＿＿＿＿＿に違いない。
3）あの大学の学生ならきっと＿＿＿＿＿＿＿に違いない。

練習2 例：こんなところに携帯電話の忘れ物がある。
　　　　　　持ち主は今ごろ必死になって探しているに違いない。

1）おとといけんかをしてから、山田さんは口をきいてくれない。
　　まだ＿＿＿＿＿＿＿＿＿＿＿＿＿＿に違いない。
2）彼は走るのも跳ぶのもすごい。＿＿＿＿＿＿＿＿＿＿に違いない。

練習3 右のような状況を見て、犯人について推測してみてください。

例：犯人は魚が好きに違いない。

2. 僕の鉛筆削りは手動式の機械で、他のもの**に比べて**変わったところなんてない。

1）今年は去年に比べて春の来るのが遅かった。
2）電子辞書で調べたことは紙の辞書に比べると記憶に残りにくい気がする。
3）郊外は都心に比べて緑が多い。

練習1　例：そばは　うどん　に比べて　健康にいい　と言われている。
1) 週末は平日に比べると＿＿＿＿＿＿＿＿＿＿＿＿。
2) 私の国は＿＿＿＿＿＿に比べて＿＿＿＿＿＿＿＿＿＿＿＿＿＿＿。
3) スーパーはデパートに比べると、＿＿＿＿＿＿＿＿＿＿＿＿＿＿＿＿。

練習2　あるもののいい点を、他のものと比べながら、紹介してください。
例：奈良と京都について話します。奈良も京都も昔、日本の都があった町で、お寺や神社など文化遺産がたくさんあります。どちらも世界的に有名ですが、私は奈良のほうが好きです。奈良は京都に比べて静かで、観光客がやや少ないので、ゆっくり見学できます。それに、自然も豊かでハイキングにもいいところがあります。みなさん、機会があればぜひ行ってみてください。

3. こんな幸運は人生の中でそう何度もある**ものではない**。

1) 人は変わるものだ。
2) お金って、なかなか貯まらないもんですね。
3) 日本語で日常的に使われる漢字は2000字以上ある。1年や2年で覚えられるものではない。
4) 甘いものは一度にたくさん食べられるもんじゃない。

練習1　例1：親　子ども　幸せ　願う　→　親は子どもの幸せを願うものだ。
　　　　例2：人　悪口　言う　→　人の悪口を言うものではない。
1) 孫　子ども　かわいい　→
2) 経済成長　永遠に　続く　→
3) 病気になる　健康　大切さ　分かる　→
4) 都合　聞かずに　人のうち　訪問する　→

練習2　例：人の運命は分からないものだ。
1) 女友達の結婚式に＿＿＿＿＿＿＿＿＿＿＿＿ものではない。白は花嫁の色だから。
2) 「夢は必ずかなう」なんて言うけど、＿＿＿＿＿＿＿＿＿＿＿もんじゃないよね。
3) 「人のうわさも75日」と言って、人は＿＿＿＿＿＿＿＿＿＿＿ものだ。

練習3　AさんとBさんは友人です。Aさんは不平不満を言ってください。Bさんは適切なアドバイスをしてあげてください。
例：A：背が低いからバスケットボールの代表選手になれなかった。

B：身長のせいにするもんじゃないよ。君と同じぐらいの背で、プロで活躍している選手もいるじゃない。今回代表に選ばれなかったのは残念だけど、これからも頑張ってよ。チャンスっていつかは来るもんだよ。

話す・聞く

4. ワイングラス、どこにしまったかな。あ、あっ**た**、あった。

1) チロ！チロ！　どこにいるんだ。おー、いた、いた。こんなとこにいたのか。
2) ほら、見てごらん。あそこに小さな島が見えるだろう。
　…ええ？　どこ？　見えないよ。あ、見えた。あれ？

　『経済学の基礎』って本、置いてないかな、古い本だけど……。あ、あった。
　　a．（古本屋で）あ、探していた本があった。
　　b．昨日古本屋へ行ったら、探していた本があった。

5. **だって**、このお皿、新婚時代の思い出がいっぱいなんだ**もの**。

1) どうしてケータイばかり見ているの？
　…だって、することがないんだもの。
2) どうしてうそをついたの？
　…だって、誰も僕の言うことを聞いてくれないんだもん。

　母：どうして居間で勉強するの。自分の部屋があるでしょう。
　子：だって、私の部屋、寒いんだもん。
　　a．どうしてかって、私の部屋、寒いから。
　　b．でも、私の部屋、寒いはずよ。

6. ふだん使わないものをしまっとい**たところで**、場所をとるだけだよ。

1) いくら状況を説明したところで、警察は信じないだろう。
2) きれいに片づけたところで、子どもがすぐ散らかすんだから意味がないよ。

　大きい家を建てたところで、最後は夫婦2人になって、広すぎて維持が大変なだけだよ。
　　a．この人は家を建てることに賛成であるが、大きい家を建てることには反対である。
　　b．この人は大きい家を建てることだけでなく、家を建てることに反対である。

7. ここにあるスーパーの袋の山、何だよ。
…あら、袋だって必要なのよ。

1) 日本語は漢字が難しいかもしれないけど、韓国語だって発音が難しい。
2) 鈴木さんはスポーツが得意だから、サッカーだって野球だって何でもできます。
3) 父は毎朝早く仕事に出掛けます。今日だって朝6時に家を出ました。

練習1　例：年末は　日曜日　仕事　出掛けなければならない
　　　　　→　年末は、日曜日だって仕事に出掛けなければならない。

1) 大人　ときどき　仕事　休みたい　なる　→
2) 日本　コンビニ　ケータイ料金だけでなく　税金　払う　できる　→
3) 太郎君　スポーツ　得意　勉強　頑張っている　→

練習2　例：田中：鈴木さん、その眼鏡、かっこいいね。
　　　　　　鈴木：田中さんだって、そのネクタイ、おしゃれじゃないですか。

1) 携帯電話で、＿＿＿＿＿＿＿だって調べることができるんですよ。
2) ニューヨークやロンドンみたいに、東京にだって、＿＿＿＿＿＿＿＿。

8. あなたこそ、あの本の山はいったい何なの！

1) どうぞよろしくお願いします。…こちらこそどうぞよろしく。
2) ずいぶん長いことお祈りしてたね。
　　…今年こそ、いい人に出会えますようにってお願いしてたの。
3) どんな言語もコミュニケーションに使えてこそ意味があるのであって、試験に合格しても実際に使えなければ意味がありません。

練習　例：この歌　今　泣いているあなた　聞く　ほしい
　　　　　→　この歌は今泣いているあなたにこそ聞いてほしいのです。

1) この人　ノーベル賞　もらう　ふさわしい　人　→
2) 技術において　世界一　ならないと　日本　将来　暗い　→
3) あなたのこと　愛しているから　うるさい　言う　→

問題

🔊 I．1．(　　　) と (　　　)
CD1-19
　　2．1) (　　) 2) (　　) 3) (　　) 4) (　　)

II　1．文章を読んで答えてください。

「もしもし、5721の1251でしょうか？」と女の声が言った。
「そうです。5721の1251です」
「突然ごめんなさい。実は私、5721の1252に電話をかけてたんです」
「はあ」と私は言った。
「朝からもう三十回くらいずううっとかけているんです。でも出ないんです。ええーと、たぶん旅行にでも出かけているのかもしれませんね」
「それで？」と私は聞いてみた。
「それでですね、まあいわばお隣りみたいなものだから、ちょっと5721の1251にかけてみようかなあって思ったんです」
「はあ」
　女は小さな咳払いをした。「私、昨夜バンコックから戻ってきたばかりなんです。とおおおおってもすごいことがバンコックであったんですよ。超信じられないようなこと。ものすごおおおおいこと。それであっちに一週間いる予定だったのを、三日で切り上げて帰って来たわけ。それで、その話をしようと思ってずっと1252にかけていたの。誰かに話さないととても寝られそうにないし、かといって誰にでもできる話じゃないし。それでひょっとしたら1251の人が聞いてくれるかなあって思ったりしてえ」
「なるほど」
「でも私、ほんとうは女の人が出るんじゃないかなあって思ってたんです。女の人のほうがこういう話ってしやすいんじゃないかなあって思うし」
「それはどうも」と私は言った。
「あなた、おいくつ？」
「先月で三十七になりました」
「うーん、三十七か。もう少し若いほうがいいような気もしちゃうんだなあ。ごめんなさいね。こんなこと言って」
「いえ、いいですよべつに」
「ごめんなさいね」と彼女は言った。「5721の1253を試してみることにします。じゃあね」

というわけで、バンコックで何が起こったのか、私にはとうとうわからずじまいだった。
(村上春樹『村上朝日堂 超 短編 小説 夜のくもざる』「バンコック・サプライズ」新潮 文庫)

1) この話の中の「会話」の場面は次のどれですか。

① はい、5721の1251です
② はい、5721の1252です
③ はい、5721の1251です

2) 下線部「それはどうも」のあとに「私」は何と言いたかったでしょうか。
  ① 「私」に話してみてはどうですか。
  ② 「私」が男でも女でも同じだと思いますよ。
  ③ 「私」が男であいにくでしたね。

3) 本文の内容と合っていれば〇、違っていれば×を書いてください。
  ① (　) 電話をかけた人は誰でもいいからバンコックのことを話したかったのだ。
  ② (　) 電話をかけた人は次に5721の1253に電話をかけるだろう。
  ③ (　) 5721の1251の人はバンコックであったことに興味を持ったにちがいない。

2. ①、②に最も適切な言葉を選んでください。

父の趣味は人生を励まし励まされる言葉を集めることで、もう千を超える言葉を集めている。その中から父が口癖のように私たちに言って聞かせるものを紹介しよう。
・何かを習得したいときは、人（①　　　）自分がどうかなどと考えてはいけない。昨日の自分（①　　　）今日の自分はどうかを考えなさい。
・死にたいという人がいたら、「どうしても死にたいなら、1年後にしなさい。1年もたてば、すべてが変わってくる。人間にとって時の流れほど強い味方はない（②　　　）から」と言ってやりなさい。

① と比べて　とともに　としては
② みたいだ　ものだ　そうだ

第19課

読む・書く	ロボットコンテスト ―ものづくりは人づくり―

・筆者の言いたいことは何か、事実と
　評価を読み取る
・提言を的確に把握する

話す・聞く	ちょっと自慢話になりますが

・まとまった形で、経験や感想を語る
・集まりで、即席スピーチをする

読む・書く

1. 考えてみよう

1) あなたは夢中で何かに取り組んだことがありますか。それはどんなことですか。友達と一緒に何かをやりとげて、友達とその喜びを分かち合ったことがありますか。それはどんなことですか。

2) 次のようなロボットを知っていますか。

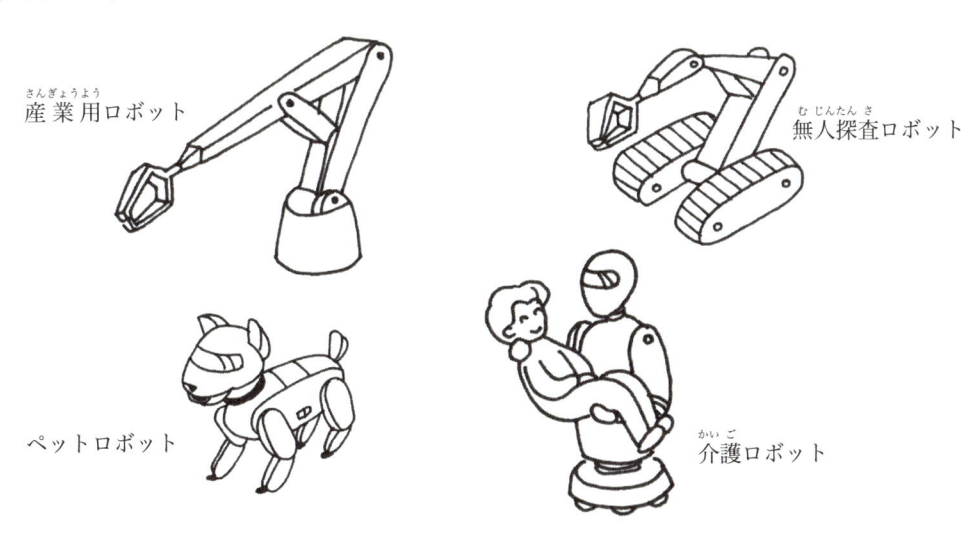

産業用ロボット

無人探査ロボット

ペットロボット

介護ロボット

2. 読もう

> **読むときのポイント：**
> - ロボコン授業の教育的効果はいくつあるか、それが書いてある箇所の先頭にある、「第一」「第二」「第三」という語を探しながら読みましょう。
> - 何をすることがそれぞれの教育的効果に結びついているのか、読み取りましょう。

ロボットコンテスト －ものづくりは人づくり－

　私はロボットコンテスト（ロボコン）を提唱し、1989年以来、その普及に努めてきた。ロボコンとは、与えられた課題を達成するロボットを設計し、製作し、競技を行うというものである。

　このロボコンは初めのころはNHKの番組で、大学や高専の学生を対象に行われていた。ところが、1991年からは中学校にまで広がり、今日では、ロボコンを技術科の授業として行っている中学校が、全国で3,000校ほどにもなっている。これはロボコンというものが、大きな教育力を備えた活動だということがはっきりしてきたからにほかならない。

　さて、ロボコン授業の教育的効果といえば、第一にロボットづくりによる生徒の技術力の向上があげられる。しかもそれはたんに、切った、削った、組み立てたという技術力だけではなく、わが国に欠けている創造的な技術力の向上なのである。添付された説明書に従ってキットを組み立てるという単純な作業ではなく、自分たちのアイデアを絞りだして、自分たちのロボットを創作することで、独創力が養われ、達成感と満足感を味わうことができるのである。

　第二は、ロボットづくりを通して、物と人間とのよい関係が身につくということである。資源活用と経費節約から、廃品や廃材、あるいは前年度のロボットも分解して再利用する。車輪などは、ファックス用紙やガムテープの巻いてあった芯に発泡ゴムを巻き、ていねいにヤスリをかけて仕上げる。自分たちの手ですべての部品を作ることから、ロボットが動きだすと、物に生命が入ったと感じ、それを自分たちの分身だと思うようになる。そして彼らは物を大切にしだす。たいていの中学校では秋から翌年にかけて4か月間ロボットづくりをさせるが、2、3か月も経つとトイレのドアの開け閉めも静かになる。そして、彼らのふるまいの変化はともかく、彼らの顔が以前に比べて、おだやかになる。

　第三は、チームワークの大切さを学ぶ点である。ロボコンは4人ほどのチームを組んでトーナメント戦をする。チームが勝つためには、彼らは意見の違いを乗り越えていかざるを得な

い。こうして、ロボコンによる教育は、生徒たちを精神的に成長させる人間教育としても注目されるようになった。「登校拒否を下校拒否に変えるロボットコンテスト」、「ものづくりは人づくり」などの標語も生まれた。

このようなロボコンの特効薬的効果は、中学生ばかりでなく、高専や大学の学生にも例外なくある。そして今、ロボコンは、国際教育イベントとして世界中に広まろうとしている。

(森政弘「ロボットコンテストの教育効果」『てら』No.11
エヌ・ティ・ティ・コムウェア㈱より、一部を改変して掲載)

3. 確かめよう

1) 質問に答えてください。
   ① 「ロボコン」とは、どのような競技ですか。
   ② 筆者はなぜ「ロボコン」の普及に努めてきましたか。
   ③ 「ロボコン」の教育的効果を3つ挙げてください。
   ④ 「登校拒否を下校拒否に変えるロボットコンテスト」とありますが、どういう意味ですか。

2) ロボコンに参加した生徒の行動とその効果について、(　　) に本文の中の言葉を入れてください。

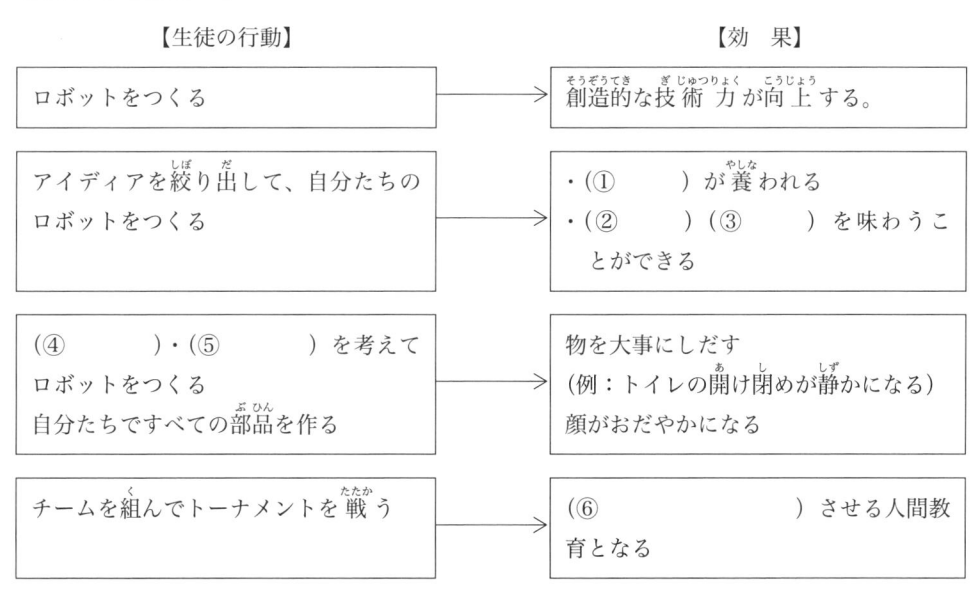

【生徒の行動】	【効 果】
ロボットをつくる	創造的な技術力が向上する。
アイディアを絞り出して、自分たちのロボットをつくる	・(①　　　) が養われる ・(②　　　)(③　　　) を味わうことができる
(④　　　)・(⑤　　　) を考えてロボットをつくる 自分たちですべての部品を作る	物を大事にしだす (例:トイレの開け閉めが静かになる) 顔がおだやかになる
チームを組んでトーナメントを戦う	(⑥　　　　　　　　) させる人間教育となる

4. 考えよう・話そう

日本で、1か月に1回程度、生徒が自分で昼食の弁当を作ってくるという活動を行っている学校があります。この活動には、どのような教育的効果が期待できるか、話し合ってください。

5. チャレンジしよう

1）現代社会は人間が物とのよい関係をつくっていると言えますか。どうすれば、「物と人間とのよい関係」をつくり、育てることができるか、考えてください。

2）教育的効果が上がる活動として、ロボコンや弁当作り以外に、どのような活動が考えられますか。活動と期待できる効果を考え、400字程度にまとめてください。

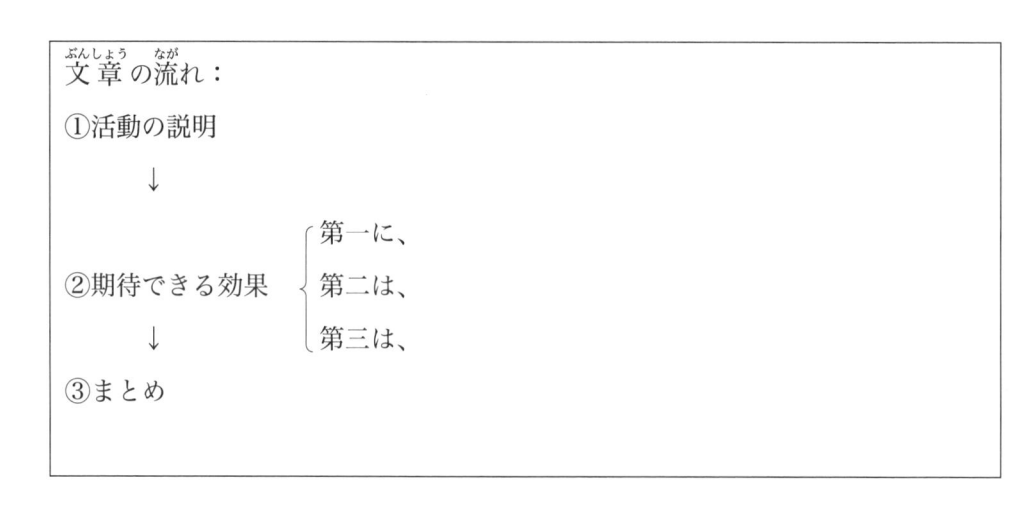

```
文章の流れ：
①活動の説明
     ↓
                  ┌第一に、
②期待できる効果  ┤第二は、
     ↓            └第三は、
③まとめ
```

| 話す・聞く | ちょっと自慢話になりますが |

1. やってみよう

料理教室に入会しました。自己紹介をするように言われました。自分をアピールするような話をしてください。

2. 聞いてみよう
CD1-21

聞くポイントを確認してから、
聞きましょう。

山口　　南　　古田

マヨラン　　松下　　アンヌ

1) 内容を聞き取りましょう。
　① 今日は何の会が行われますか。
　② それは何の部ですか。
　③ 先輩の古田さんは演劇と役者についてどんなことを言いましたか。
　④ 新入部員は何人ですか。それぞれどんな経験を持っていますか。

2) 表現を聞き取りましょう。
　どう言いましたか。
　① 司会者が簡単なスピーチを古田さんに頼むとき
　② 司会者が新入生にどのようなことを話してほしいか言うとき
　③ マヨランさんが自分の経験を話し始めるとき
　④ マヨランさんが今までやってきたことを今後の部活動に役立てたいと言うとき
　⑤ 松下さんが、野球部での自分の存在を一言で表現するとき

🔊 3. もう一度聞こう

＿＿＿の部分に言葉を書いてください。

【大学演劇部　入部歓迎会】

山　口：　司会の山口です。今日は皆さんのさくら大学演劇部への入部を歓迎してささやかな会を行いたいと思います。①＿＿＿＿＿＿＿＿＿＿＿＿＿＿。

南　　：　はい。部長の南です。皆さん、入学おめでとうございます。我が演劇部は代々全国大学演劇祭で優秀な成績を収めてきた歴史ある部です。その伝統と誇りをぜひ受け継いでもらいたいと思います。

山　口：　では、次に、古田先輩、②＿＿＿＿＿＿＿＿＿＿＿＿。続いて、新入生にバトンを回しますので、心の準備をしておいてください。じゃ、古田さん。

古　田：　古田です。僕は現在4年生ですが、実は大学7年目です。演劇というと、みんな役者を思い浮かべるでしょう。しかし、演劇が出来上がるには、まず、脚本、舞台装置、衣装作り、それから役者が登場するのです。決して華やかなだけの世界ではないということを覚えておいてほしいです。練習は厳しいですから覚悟してください。

山　口：　では、これから、新入生に登場願いますが、③＿＿＿＿＿＿＿＿＿＿＿＿＿、何か自分をアピールするようなことを話してください。先輩が聞いて、このキャラクターはこの役割にいいんじゃないかとイメージできるようにお願いします。④＿＿＿＿＿＿＿＿＿＿。マヨラン君。

マヨラン：　はい。工学部のマヨランです。⑤＿＿＿＿＿＿＿＿＿＿＿＿、僕は高専時代にロボットコンテストで優勝しました。学校の行事だったので、はじめは嫌だなあと思っていました。でも作っていくうちに、僕の足がタイヤに、腕がストッパーに、筋肉がモーターに、そして心がロボットの中に入っていったような気がしました。僕が、僕を作っている、その僕が僕を動かしている、そう思うと何だか楽しくなりました。ロボット作りの⑥＿＿＿＿＿＿舞台装置作りに⑦＿＿＿＿＿＿＿＿＿＿＿＿＿。

松　下：　経済学部の松下です。僕は小学校から高校まで野球部にいました。でも万年補欠、一度もレギュラーになったことがありません。⑧＿＿＿＿＿＿＿＿＿＿。華やかな世界を支える下積みの人間の心の痛みを知っているつもりです。よろしくお願いします。

アンヌ：　医学部のアンヌです。私は高校で落語のサークルに入っていました。

得意の小噺をひとつ聞いてください。「先生、私、手術初めてなんです。大丈夫でしょうか」「大丈夫ですよ。私も初めてですから」。
できれば喜劇のほうをやりたいんですけど、大丈夫でしょうか。

山　口：　ユニークなキャラクターが揃ったようで、我が演劇部の伝統も無事引き継がれていきそうです。では、あしたからの練習、気を引き締めてやっていきましょう。

4. 言ってみよう

絵を見ながら発音やイントネーションに注意し、CDのとおりに言ってみましょう。

5. 練習しよう

1) 人に自慢できる経験を披露し、自分をアピールします。

　　例：小学校のときから野球が得意。高校のとき、甲子園の高校野球大会に出場した。

　　　　○：川上です。私は小学校のときから、野球をやっていました。**ちょっと自慢話**になりますが、高校のときは甲子園へも行きました。優勝はできませんでしたが、準決勝まで進みました。練習の厳しさや、野球部**の経験を**営業の仕事**に生かせたら**いいなと思います。

（1）小学校のときから、そろばんが得意。中学で全国優勝した。電卓より速く正確である。

（2）子どものときからいろいろなボランティア活動に参加してきた。高校ではボランティア部を新しくつくった。

2) 一般的にはマイナスと考えられる経験を述べて自分をアピールします。

　　例：中学時代は友達がいなかった。家にこもってたくさん本を読んだ。空想力と想像力に自信がある。

　　　　○：私は中学時代、友達をつくるのが下手で、家の中でいつも一人で過ごしていました。**いわゆる**引きこもり**です**。でもその間にたくさんの本を読んだ

り、アニメを見たりしました。ですから他の人より豊かな空想力、想像力を持っているつもりです。

（1）よく迷子になる。地図とコンパスが手放せない。方向音痴である。ナビゲーターの会社に就職できれば、かゆい所に手が届くようなナビが作れると思う。

（2）すぐ人を信じる。何回もだまされたことがある。お人よしである。ぜひ警察官になって詐欺などの被害を防ぎたい。

6. チャレンジしよう

自分をアピールする自己紹介をしてください。

グループをつくり、まず、何の集まりか決めてください。

全員、新しいメンバーとして、順番に1分間ずつ話してください。

文法・練習

読む・書く

1. ロボコンは初めのころはNHKの番組で、大学や高専の学生**を対象に**行われていた。

　1）幼児を対象に開発されたゲームが、大人の間で流行している。
　2）テレビの午後の番組はおもに主婦を対象に組まれている。

　　　大学生を対象に、漢字の能力を調査した。
　　　　a．大学生の漢字の能力を調査した。
　　　　b．大学生が漢字の能力を調査した。

2. ロボコンの特効薬的効果は、中学生**ばかりでなく**、高専や大学の学生にもある。

　1）18号台風は農業ばかりでなく、経済全体にも大きなダメージを与えた。
　2）ここは温泉ばかりでなく、釣りや山登りも楽しめます。

　　　このゲーム機は子どもばかりでなく、大人にも人気がある。
　　　　a．子どもも大人もこのゲーム機が好きだ。
　　　　b．子どもより大人のほうにこのゲーム機の好きな人が多い。

3. ロボコンというものが、大きな教育力を備えた活動だということがはっきりしてきたから**にほかならない**。

　1）子どもの反抗は、大人になるための第一歩にほかならない。
　2）この成功は、あなたの努力の結果にほかなりません。
　3）このような事故が起きたのは、会社の管理体制が甘かったからにほかなりません。

　練習1　例：彼女が難民キャンプで医療活動を続けるのは、医者としての使命感からにほかならない。

　1）彼が定年まで無事に働いてこられたのは、＿＿＿＿＿＿＿＿からにほかならない。
　2）彼が、大スターになってもふるさとの村に住み続けているのは、＿＿＿＿＿＿＿＿＿＿＿＿＿＿＿＿＿にほかならない。
　3）＿＿＿＿＿＿＿＿＿＿＿＿のは、子どものことを心配するからにほかならない。

練習2 友人のお祝いのパーティー（優勝、受賞など）でスピーチをしてください。

例：受賞おめでとうございます。長島君が物理の道に進まれ、このようなすばらしい賞を受賞されたことは僕にとっても大きな誇りです。今回の受賞は、野球で養われた決してあきらめない精神で、研究を続けてこられた長島君の努力の成果にほかなりません。ますますのご活躍を祈ります。本当におめでとうございます。

4. ロボットづくり**を通して**、物と人間とのよい関係が身につく。

1）厳しい練習を通して、技術だけでなく、どんな困難にも負けない心が養われたと思います。
2）茶道を通して、行儀作法だけでなく、和の心を学んだ。
3）語学の学習を通して、その言葉だけでなく、その国の文化や人の考え方なども知り、理解が深まったと思う。

練習1 例：読書を通して、いろいろな世界や人の生き方を知りました。
1）学校のクラブ活動を通して、＿＿＿＿＿＿＿＿＿＿＿＿＿＿＿＿＿＿＿＿＿＿＿＿。
2）ボランティア活動を通して、＿＿＿＿＿＿＿＿＿＿＿＿＿＿＿＿＿＿＿＿＿＿＿＿。

練習2 これまでに習ったことを通して、どんなことを身につけたか話してください。

例：ピアノを10年間習いました。上手にはなりませんでしたが、ピアノのけいこを通して、音楽を楽しむことを知りました。今、精神的に疲れたとき、音楽を聞いてあしたへの活力を取り戻しています。

5. たいていの中学校では秋**から**翌年**にかけて**4か月間ロボットづくりをさせる。

1）台風8号は今夜から明日にかけて上陸する見込みです。
2）毎年1月から3月にかけてほうぼうで道路工事が行われる。
3）関東から東北にかけていろいろな都市でコンサートを開いた。

練習1 例：今日 明日 暑い なる
　　　　→ 今日から明日にかけて暑くなる。
1）スペイン風邪　1916年　1919年　世界的　大流行　→
2）セツブンソウという花　ヨーロッパ　アジア　広い　分布　→

練習2　例：朝7時半から8時にかけて、通勤ラッシュで電車が込む。

1）私の国では_____年から_____年にかけて_____。

2）ゴビ砂漠は世界で4番目の広さを持つ砂漠で、_____から_____にかけて_____。

練習3　あなたの国の季節や気候について話してください。

例：日本では3月の終わりごろから5月にかけて、桜前線が日本列島を南から北に北上します。また、5月から7月にかけて、毎日のように雨が降ります。これを梅雨といいます。

6. 彼らのふるまいの変化はともかく、彼らの顔が以前に比べて、おだやかになる。

1）あのレストランは値段はともかく、味はいい。

2）彼は見た目はともかく、性格がいい。

3）参加するかどうかはともかく、申し込みだけはしておこう。

練習1　例：彼は営業の成績はともかく、お客さんの評判はとてもいい。
　　　　　　彼は営業の成績は（ⓐ．それほどでもないが　　b．分からないが）、お客さんの評判はとてもいい。

1）買うかどうかはともかく、まず何種類かカタログを見て検討しよう。
　　買うかどうか（a．今、考えながら　　b．あとで考えるとして）、まず何種類かカタログを見てみよう。

2）あの歌手は、ダンスはともかく、歌はうまい。
　　あの歌手はダンスは（a．あまり上手じゃない　　b．上手か下手か分からない）が、歌はうまい。

練習2　例：漢字は、書くのはともかく、読めるようになりたい。

1）試合の結果はともかく、_____。

2）日本語能力試験を受けるかどうかはともかく、_____。

7. チームが勝つためには、彼らは意見の違いを乗り越えていかざるを得ない。

1）マンションを買うためには、3,000万円くらい必要だ。

2）医者になるためには、国家試験に合格しなければならない。

3）新聞が読めるようになるためには、もっと漢字を勉強したほうがいい。

練習1　例：やせる　運動
　　　　　→　やせるためには運動が必要だ。
　　　　　　　やせるためには運動しなければならない。
　　　　　　　やせるためには運動したほうがいい。
1）勝つ　チーム全員　協力　→
2）趣味　楽しむ　気が合う　友人　持つ　→

練習2　例：外国で車を運転するためには、国際免許を取らなければならない。
1）＿＿＿＿＿＿＿＿＿＿＿＿ためには、もっと英語を勉強しなければならない。
2）国の赤字を減らすためには、＿＿＿＿＿＿＿＿＿＿＿＿＿＿＿＿＿。

練習3　アドバイスしてください。
例：貯金しようと思っていますが、なかなか貯まりません。
→　お金を貯めるためには、まず節約しなければなりません。節約は恥ずかしいことではありません。また、何のために貯めるのか目的意識をはっきり持ち、常にその目的を思い起こすようにしたらいいと思います
1）大学を卒業したら、日本で就職したいと思っています。→
2）日本人の友達がいません。→

話す・聞く

8. 演劇は**決して**華やかなだけの世界では**ない**ということを覚えておいてほしい。
1）経営者側は自分たちの責任を決して認めようとはしなかった。
2）落とした財布が中身ごと戻ってくるということは決してめずらしくない。

　　野球は世界的には決してポピュラーなスポーツとは言えない。

　　a．野球は世界的に人気があるスポーツだ。
　　b．野球は世界的に人気があるスポーツではない。

問題

I. 1. 1) a. 賛成　　b. 反対
　　　2) (　　　)

　 2. 1) a. 後ろ向き　　b. 前向き
　　　2) (　　　)

II. 1. 文章を読んで答えてください。

> 最近の子どもたちの様子をみていると、考えさせられることがあります。
> 　以前は子どもにも用事がけっこうありました。店もひとつひとつ別々ですからそれぞれ買い物に行かなければなりません。廊下を拭く、家の前を掃く、という家の仕事も、町中そろっての清掃、廃品回収、お祭りの準備なども、四季を通してさまざまな仕事を大人がするだけでなく子どもにもさせていました。今は、時代も変わり、子どもの数が少なくなりました。親はその子に期待し、また大事に育てようとして、子どもに何の用事も頼まなくなったように思います。生活スタイルも変わり、電化され、掃除、洗濯も子どもに頼まなくてもすむようになったということでしょうか。
> 　買い物も、スーパーに行けばすべてそろっていて便利です。でも、個別の店にはそれなりに価値がありました。例えば豆腐屋さん。お使いに行った子どもは店のおじさんの手元を見つめ「あんなに大きいお豆腐を一度切ってみたいなあ」と思ったり、そうっと扱わないと壊れてしまうことだって学べました。
> 　今は何かと未経験のことが多すぎるようです。小さいときの働く体験に、無駄なものはありません。これらは、成人になってからの生きる自信に確かにつながるように思います。
> 　　　(発達臨床研究会・保育士心の発達研究会共編『岡宏子と考える保育の科学：
> 　　　　　　　　　理論と現場の循環のために』新曜社より、一部を改変して掲載)

1) 筆者は子どもに手伝いをさせなくなった理由としてどんなことを挙げていますか。
　① _____
　② _____

2) 筆者がいちばん言いたいことは何ですか。(　　　)
　a. 手伝いから遊びまで、子どものころのあらゆる体験に無駄なものはない。
　b. 子どものころの手伝いの体験が大人になってからの生きる力につながる。
　c. 最近の子どもは手伝いをしないので、未経験なことが多く、困る。

2．文章を読んで答えてください。

　私は小、中学生（①　　　　　）した少年サッカーでは「仲間を助けるプレー」こそが、大切なものだと考えています。なぜなら、サッカーはチームスポーツだからです。チームメイトがボールを持っているとき、周りの選手は、ボールを持っている選手の動きを見て、彼を助ける動きをする必要があります。助ける動きとは、ボールを受けられる位置に行くことです。（A　　）それが「サポートをする」ということです。
　味方がボールを持っているとき、敵の後ろにいることは、サポートができている状態とはいえません。この場合の仲間を助ける動きとは、相手に取られない位置に走りこみ、パスコースを作ることです。それを試合中、常に考え、結果（②　　　　　）実行できるのがいい選手です。いつも「ボールはどこにある？」「自分はボールを持っている選手を助けてあげられているかな」と、意識しながらプレーすることが大切です。（B　　）、シュートではチーム一の選手ではなくてもチーム（③　　　　　）欠くことのできない存在となれるでしょう。

　　　　　　　　　　　　　(㈱イースリー「ジョアン・ビラの少年サッカー」サカイクHP、
　　　　　　　　　　　　　　　　　　　2011年5月11日付より、一部を改変して掲載)

1）①〜③に最も適切な言葉を選んでください。
　　①　を限りに　　を通して　　を対象に
　　②　をめぐって　　はともかく　　からみて
　　③　のためにこそ　　のためなら　　のためには

2）A、Bに適切な言葉を選んでください。

　　　そうすれば　　そのうえ　　それから　　そうして　　つまり

3）質問に答えてください。
　　①　筆者は、少年サッカーにおいて「仲間を助けるプレー」が最も大切だと言っていますが、その理由は何ですか。
　　②　筆者は、少年サッカーチームでいい選手とはどういう選手だと考えていますか。

第20課

読む・書く	尺八(しゃくはち)で日本文化(にほんぶんか)を理解(りかい)

- 新聞記事(しんぶんきじ)（文化面(ぶんかめん)）を読む
- プロフィールを通して、その人を知る

話す・聞く	なぜ、日本で相撲(すもう)を取(と)ろうと思われたのですか

- インタビューをする
- インタビューの手順(てじゅん)を考える
- インタビューを通して相手(あいて)がどんな人物かを知る

読む・書く

1．考えてみよう

1）「管楽器(かんがっき)」にはどんな楽器がありますか。

2）次(つぎ)の楽器は邦楽(ほうがく)に使われる楽器です。知っていますか。

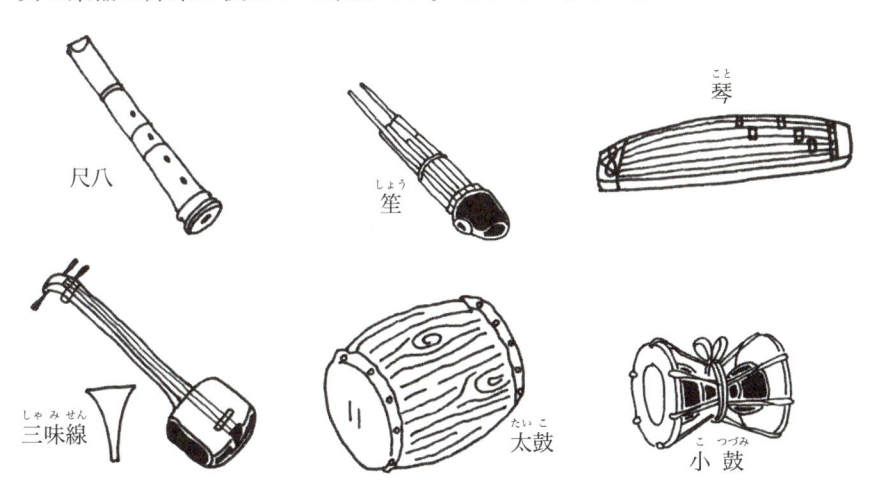

尺八(しゃくはち)　笙(しょう)　琴(こと)
三味線(しゃみせん)　太鼓(たいこ)　小鼓(こつづみ)

3）あなたは邦楽を聞いたことがありますか。
　　いつ、どこで聞きましたか。どうでしたか。

🔊 2. 読もう

> 読むときのポイント：
> - クリストファー遙盟さんが尺八を通してどのように日本文化を理解してきたかを読み取りましょう。
> - 民族音楽について遙盟さんの考えが現れているところに＿＿＿を引きましょう。

尺八で日本文化を理解

クリストファー遙盟・ブレィズデルさん。邦楽器・尺八の奏者である。1984年に号「遙盟」を授かり、日本の内外で教えながら古典と自身の演奏を続ける。この度、修業に努めた自らの半生を語った著書『尺八オデッセイ―天の音色に魅せられて』で優れたノンフィクション作品に与えられる第6回蓮如賞を受賞した。

───────────

身長182センチ、アフロヘアーの青年が竹盟社宗家・山口五郎のもとで尺八修業を始めた1972年ごろ、日本の友人たちの反応は、「ヘンなガイジン」の一点のみだったという。

初心者にとって尺八ほど厄介な楽器はないと言われるが、トロンボーンとフルートを吹いていた遙盟さんはあっさりと音を出した。しかし、出てからが問題だった。「尺八そのものより、複雑な組織の在り方のほうに戸惑わせられた」と彼は言う。「進級」「卒業」ごとにお金が必要で、「ナイヨウ（内容）」より「カタチ（形）」を重視する考えには従うしかなかったが、常に疑問を持っていた。しかし、30年にわたる経験の末、今ではこう語る。「こうした日本文化の全体の中に自分がいることに大きな意味があったのです。言葉や人間関係の中にいることが、尺八の徹底的な理解につながって、よかったと思います」

日本でも決してポピュラーだとは言えない尺八であるが、海外には意外に多くの愛好者がいる。1967年にニューヨークで初演された武満徹の「ノヴェンバー・ステップス」の中で使われて以来、尺八は国際的に広がりをみせた。アメリカには尺八を教える大学もあるくらいである。そして90年代に入って、世界の尺八人口は急速に増加した。尺八は本来そうであったように「いやし」の音楽としても注目されている。

「日本人には古臭い存在かもしれませんが、われわれにとって日本の音楽は斬新なものとして聞くことができたのです。山口先生の音色も『これぞ音！』という感じでした。先入観がなく、耳が自由でしたから。そういう耳を育てなくてはならないと思います。最近の日本の若者たちは邦楽になんて接したことがありませんから、『こういうすごい音楽があるぞ』

と示すと、いい反応があります」

　彼が日本の内外に向けて主張し続けてきた「邦楽は日本の民族音楽だが、またそれと同時にどんな民族音楽も人類全体の財産である」という言葉は、国籍や目の色などを超えて、われわれの中にすんなりと入ってくる。

(毎日新聞　2000年6月9日付夕刊より、一部を改変して掲載)

3. 確かめよう

1) 正しい答えを選んでください。

　① クリストファー遙盟さんは何に魅せられて、尺八修業を始めましたか。
　　　a. 尺八の音色
　　　b. 尺八の音の出し方のやっかいさ
　　　c. 尺八の「カタチ」

　② 尺八が国際的に広がったのはどうしてですか。
　　　a. 尺八を聞いた人がこの斬新な音色にいやされたから。
　　　b. 尺八の音色がトロンボーンやフルートの音色と似ていたから。
　　　c. 武満徹の「ノヴェンバー・ステップス」の中で尺八が使われていたから。

　③ 民族音楽について、クリストファー遙盟さんはどのように考えていますか。
　　　a. その音楽を持つ民族だけが理解できるものである。
　　　b. 民族固有の音楽であるとともに人類全体の宝である。
　　　c. 古い音楽で、現代の人たちには理解されない。

2) 年表を完成させてください。

年	事　柄
1967年	武満徹が「ノヴェンバー・ステップス」をニューヨークで（①　　　　）
1972年	クリストファーが山口五郎の下で（②　　　　）
1984年	クリストファーが号「遙盟」を（③　　　　）
1990年代	世界の尺八人口が（④　　　　）
2000年	『尺八オデッセイ－天の音色に魅せられて』で第6回蓮如賞を（⑤　　　　）

3) ①～⑧に適当な言葉を入れてください。本文のとおりでなくてもかまいません。

クリストファー遙盟さんの日本での①＿＿＿＿を通しての気持ちは、始めのころは②＿＿＿＿＿、そして③＿＿＿より④＿＿＿を重視する考えには⑤＿＿＿しかなかった。しかしいつも⑥＿＿＿を持っていた。
それから30年経った今は、こうした疑問も含め⑦＿＿＿全体の中に自分がいたことが、尺八の徹底的な⑧＿＿＿につながってよかったと思うようになった。

4. 考えよう・話そう

1) 本文を読んで、クリストファー遙盟さんはどのような人柄、性格の人だと思うか、話し合ってください。

2) 日本の文化・スポーツなどで興味を持ったものがありますか。それはどのようなもので、どこに興味を持ったのか発表してください。

5. チャレンジしよう

日本の若者向けの雑誌で、自分の国の伝統文化・スポーツなどを紹介することになりました。写真・イラストのレイアウトなど、魅力が伝わるように工夫して、1ページの記事を書いてください。

```
文章の流れ：
①どのようなものか・歴史
        ↓
②魅力・人
```

話す・聞く なぜ、日本で相撲を取ろうと思われたのですか

1. やってみよう

市主催の美術展で、カリナさんが日本画部門の最優秀賞を取りました。
カリナさんにインタビューして、市の広報誌に記事を掲載します。
カリナさんに会うのは初めてです。
1) 初対面の挨拶をしてください。
2) 受賞の感想を聞いてください。
3) インタビューを終えてください。

2. 聞いてみよう
CD2-2

聞くポイントを確認してから、聞きましょう。

臥牙丸関　イー・ジンジュ

1) 内容を聞き取りましょう。
  ① 臥牙丸さんはなぜ日本で相撲を取ろうと思ったのですか。
  ② 十両優勝したとき、お母さんに電話して、声を聞いたとたん涙が出たのはどうしてですか。
  ③ 相撲部屋の生活でどのようなことに戸惑いましたか。
  ④ 後輩へどのようなアドバイスをしていますか。
  ⑤ これからの抱負をどのように語っていますか。

2) 表現を聞き取りましょう。
  インタビューする人は何と言いましたか。
  ① インタビューのはじめに、インタビューを受けてくれたお礼を言うとき
  ② 最初の質問をするとき
  ③ あいづちを打つとき
  ④ インタビューを終えるとき

🔊 3. もう一度聞こう
CD2-2

【相撲部屋で】

イー・ジンジュ： 本日は、①_____。
AKC研究センターのイー・ジンジュと申します。当センターの機関誌『国際人』に臥牙丸関を②_____。

臥牙丸： 光栄です。よろしくお願いします。

イー： ③_____、グルジアの方が、なぜ、日本で相撲を取ろうと思われたのですか。

臥牙丸： はい、6歳から柔道を始めました。ですが、僕のうちが今活躍している黒海関の実家の近くだったことから、相撲に興味を持ちました。それで相撲を始めて、2005年のジュニア世界選手権大会で日本へ来たのがきっかけです。

イー： そうですか。入門されて4か月で初土俵、それからわずか4年で関取に。順風満帆ですね。

臥牙丸： いえ、そうでもなかったんですよ。入門した翌年に父が交通事故で亡くなりました。また、十両に上がるのに3年もかかりました。けれども、父の命日の前日に昇進の知らせを受けたので、すごくうれしかったです。

イー： ④_____。そして二場所目で十両優勝……。お母様もさぞお喜びだったでしょうね。

臥牙丸： ええ。優勝が決まってすぐ母に電話したんです。でも、声を聞いたとたんに、涙が……。

イー： そうでしょうね。故郷を離れて日本での生活、中でも特殊な相撲部屋での生活は、お国の環境とは全く違っていて、⑤_____。

臥牙丸： はい。黒海関にいろいろ教えてもらってはいたんですが、先輩後輩の関係とか、やはり戸惑うことも多かったです。覚悟はして来たつもりでしたが。それから、食べ物。はじめのうちは魚のちゃんこ鍋が苦手でした。でも、外国人だからといってわがままは言えないし……。今では寿司も納豆もいけますよ。

イー： あ、そうですか。それにしても、「ががまる」という四股名は力強い響きですね。

臥牙丸： ええ、子どものときからのニックネームの「ガガ」に師匠が期待をこめて、いい漢字を選んでくれました。

イー： そうですか。ところで、お国の若者から力士になりたいと言われたら、どんなアドバイスをされますか。

臥牙丸： そうですねえ。僕は18歳でグルジアを発ったとき、自分は生まれ変わるんだ、って思いました。どこでも、違ったルールはある。相撲の世界の慣習を理解し、守ること。常に感謝の気持ちを忘れない。努力すれば努力しただけ報いられる世界だと思っています。

イ ー： いいお言葉をいただきました。最後に、応援してくれているご家族、お友達、そしてファンの皆さんに一言、お願いします。

臥牙丸： はい。これからも毎日のけいこを一生懸命頑張って、常に今より高いところを目指したいです。応援よろしくお願いします。

イ ー： さらなる⑥＿＿＿＿＿＿＿＿＿＿＿＿＿。⑦＿＿＿＿＿＿＿＿＿＿＿＿＿＿＿＿＿。

臥牙丸： こちらこそ、ありがとうございました。

4. 言ってみよう

絵を見ながら発音やイントネーションに注意し、CDのとおりに言ってみましょう。

5. 練習しよう

インタビューの流れを考えて、実際に町の有名人にインタビューしてみます。インタビューは町の広報誌『みんなの広場』に紹介されます。

例：お弁当屋を始めたきっかけと成功した理由を聞く（●：弁当屋の経営者）

・始めたきっかけ：母親が作った弁当を友達に分けてあげたら、とても喜んで食べてくれた

・成功した理由：テレビで紹介された

○：**お忙しいところ、お時間をいただきありがとうございます。○と申します。**
　　●さんのお話を広報誌『みんなの広場』に紹介させていただきたいと思います。

●：光栄です。よろしくお願いします。

○：**まず伺いたいんですが、**なぜお弁当屋を始めようと思われたのでしょうか。

●：中学校の遠足のとき、母が作ったお弁当を友達に分けてあげたら、おいしいおいしいと言って…、全部食べられちゃったんです。

○：そうだったんですか。**それにしても、わずか３年で10店を超えるまでになった成功のわけ**とは何でしょうか。

●：手作りでおいしいと、テレビで紹介されたからではないでしょうか。

○：そうですか。
　では、これから会社を始めようとする若い人たちに**何か一言お願いできますでしょうか**。

●：そうですね。何事もやればできると信じて夢を持ち続けることが大切ですね。

○：いいお言葉ですね。今日はどうもありがとうございました。**ますますのご活躍を期待しております**。

（１）医者になったきっかけと現役を続ける理由を聞く（●：70歳の医師）

　　・きっかけ：中学のとき、テレビのドキュメンタリーで島の診療所で働く医師の姿を見て感動した

　　・理　　由：データに頼らず、患者の顔を見て、患者に寄り添うことの大切さを若い医者に伝えたい

（２）趣味あるいは余暇の活動について、それを始めたきっかけと続けている理由、これからの抱負を聞く

　　・相手と話す内容は自由に考える

6. チャレンジしよう

興味を持っているテーマを１つ選んで、身近な人にインタビューしてください。

　例：若者のファッションについて

　　　日本のポップミュージックについて

> インタビューの流れ：
> ①質問を準備します。本やネットで調べれば分かることは質問せず、相手の経験や意見を引き出す質問を考えましょう。
> ②インタビューの相手とインタビューの日時・場所を決めます。テーマも伝えておきましょう。
> ③実際にインタビューをします。できれば、録音させてもらいましょう。
> ④内容をまとめましょう。
> ⑤インタビュー相手にお礼のメールを書きましょう。

文法・練習

読む・書く

1. アフロヘアーの青年が山口五郎**のもとで**尺八修業を始めた。

1) 新しい監督のもとでチーム全員優勝を目指して頑張っている。
2) 4歳のときに親を亡くし、田舎の祖父母のもとで育てられた。

ⓐⓑ クリスさんは山口先生のもとで研究をすることになった。

　　a．クリスさんは山口先生と研究することになった。

　　b．クリスさんは山口先生の指導を受けることになった。

2. 尺八は本来**そう**であった**ように**「いやし」の音楽としても注目されている。

1) この地域では、昔からそうであったように、共同で田植えをする。
2) 誰でもそうだが、子どもを持って初めて親のありがたみを知る。

ⓐⓑ 父がそうであったように、日本の男性は女性を褒めるのが下手である。

　　a．父は他の日本人男性同様、女性を褒めるのが下手だった。

　　b．日本の男性は父同様、女性を褒めるのが下手だ。

3. すごい音楽がある**ぞ**。

1) 気をつけろ。このあたりは毒ヘビがいるぞ。
2) おーい。ここにあったぞ。

ⓐⓑ （a．父親　　b．母親）：この本、おもしろいぞ。読んでみろ。

4. 邦楽は日本の民族音楽である**と同時に**人類全体の財産である。

1) 酒は薬になると同時に毒にもなる。
2) 遅く帰ってきた娘の顔を見て、ホッとすると同時に腹が立った。

ⓐⓑ 彼は作曲家であると同時に演奏家でもある。

　　a．彼は作曲もするし、演奏もする。

　　b．彼は演奏しながら、作曲する。

5. 内容より形を重視する考えに従う**しかなかった**。

1) 誰も手伝ってくれないなら、私がやるしかない。
2) 私にはとても無理な仕事だったので、断るしかなかった。
3) 国立大学と私立大学に合格したとき、私は経済的理由で学費の安い国立大学に進学するしかなかった。

練習1 例：薬　治らない　手術する
　　　　→　薬で治らないなら、手術するしかない。
　　　　→　薬で治らなかったので、手術するしかなかった。
1）スーパー　レストラン　閉まっている　コンビニ　買う→
2）誰　行かない　私　行く　→
3）修理ができない　新しい　パソコン　買う　→

練習2 例：電車もバスも止まってしまったので、歩いて帰るしかない。
1）漢字が書けないなら、＿＿＿＿＿＿＿＿＿＿＿＿＿＿＿＿＿。
2）＿＿＿＿＿＿＿＿＿＿＿ので、友達に頼むしかなかった。
3）失業中なので、＿＿＿＿＿＿＿＿＿＿＿＿＿＿＿＿＿＿。

6. クリストファー遙盟・ブレイズデルさんは30年にわたる経験の末、こう語る。

1）苦労の末、画家はやっと作品を完成させることができた。
2）その選手は、数週間悩んだ末、引退する決心をした。
3）いろいろな仕事を渡り歩いた末に、結局最初の仕事に落ち着いた。

練習1 例：5年間　受験勉強　ようやく　国家試験　合格
　　　　→　5年間の受験勉強の末、ようやく国家試験に合格できた。
1）失敗　重ねる　とうとう　新しい薬　開発　成功　→
2）いろいろ　考える　やっと　結論　出す　→

練習2 例：長時間にわたる議論の末、全員の意見が一致した。
1）延長戦の末、＿＿＿＿＿＿＿＿＿＿＿＿＿＿＿＿＿。
2）百年にわたる戦争の末、＿＿＿＿＿＿＿＿＿＿＿＿＿＿。

練習3 長い間頑張ったあと、いい結果に終わったことと、悪い結果に終わったことを話してください。
例：会社との長期間の交渉の末、ボーナスは昨年の20％アップに決まりました。その週末、愛犬チロが長い病気の末、とうとう死んでしまいました。喜んでいいのか、悲しんでいいのか、分からないような1週間でした。

7. 武満徹の作品の中で使われて以来、尺八は国際的に広がりをみせた。

1）スキーで骨折して以来、寒くなると足が痛むようになった。
2）結婚して以来ずっと、横浜に住んでいる。
3）帰国して以来、一度も日本食を食べていない。

練習1 例：退院　たばこ　やめている　らしい

→　退院して以来、たばこをやめているらしい。

1）来日　一度も　帰国　→
2）父　退職（たいしょく）　地域（ちいき）　子ども　世話　→

練習2　例：高校を卒業（そつぎょう）して以来、母校を訪（たず）ねていない。

1) ＿＿＿＿＿＿＿を買って以来、＿＿＿＿＿＿＿＿＿＿＿＿＿＿＿＿＿。
2) 祖父母（そふぼ）に会うのは、＿＿＿＿＿＿＿＿＿＿＿＿＿＿＿以来だ。

練習3　ある時から一度もしていないことを話してください。
例：戦争（せんそう）が終わって以来、祖父は戦争（せんそう）中に体験したことを一言（ひとこと）も話しませんでした。
　　思い出（つ）すのも辛（つら）い経験（けいけん）をしたからでしょう。

8. アメリカには尺八を教える大学もある**くらいだ**。

1) 空港（くうこう）までは遠いので、朝7時に家を出ても遅（おそ）いくらいだ。
2) このかばんはとてもよくできていて、偽物（にせもの）とは思えないくらいだ。
3) この本は中学生でも読めるくらい簡単（かんたん）な英語で書かれている。

練習1　例：暗（くら）い　誰（だれ）　いる　分からない
　　　→　暗くて、誰がいるのか分からないくらいだ／くらいだった。
　　　→　誰がいるのか分からないくらい暗い／暗かった。
1) この商品（しょうひん）　人気　ある　3か月　待（ま）たない　買えない　→
2) 歩く　早い　思う　道路（どうろ）　渋滞（じゅうたい）　→

練習2　例：祖父は病気が重くて、一時（いちじ）は一人で歩けないくらいだった。
1) 私の家から駅まではとても遠くて、＿＿＿＿＿＿＿＿＿くらいだ。
2) 彼（かれ）が今どこにいるかなんて、＿＿＿＿＿＿＿＿＿くらいだ。

練習3　事情（じじょう）を説明してください。
例：どうして電話をしてくれなかったんですか。
　　→　すみません。電話できないくらい忙（いそが）しかったんです。
1) どうして授業（じゅぎょう）に遅刻（ちこく）したんですか。　→
2) どうしてその服（ふく）を捨（す）てるんですか。　→

話す・聞く

9. 「ががまる」という四股名（しこな）はニックネームの「ガガ」に師匠（ししょう）が期待（きたい）**をこめて**、いい漢字を選（えら）んでくれました。

1) これは子どものために母親が愛（あい）をこめて作った詩（し）です。

2）今日はお客さんのために心をこめて歌います。
　ⓐⓑ　この歌は戦争への怒りをこめて作られた。
　　　a．この歌には戦争に対する怒りが表現されている。
　　　b．この歌を聞くと戦争に対する怒りが湧き起こってくる。

10. 相撲の世界は努力すれば努力した**だけ**報いられる世界です。

　　1）頭は使えば使っただけ柔らかくなる。
　　2）苦労は大きければ大きいだけ財産になる。
　ⓐⓑ　どんなスポーツも練習すれば練習しただけ上手になる。
　　　a．どんなスポーツも練習すれば練習するほど上手になる。
　　　b．どんなスポーツもただ練習しただけでは上手にならない。

11. 電話で母の声を聞い**たとたんに**、涙が出てきた。

　　1）箱のふたを開けたとたん、中から子猫が飛び出した。
　　2）お金の話を持ち出したとたんに、相手が怒りだした。
　　3）テレビのCMでこの曲が使われたとたん、CDの売上げが急激に伸びた。

　練習1　例：歌手　ステージ　登場　大きな　拍手　起こる
　　　　　　→　歌手がステージに登場したとたん、大きな拍手が起こった。
　　1）電車　乗った　娘　うち　帰りたい　泣きだす　→
　　2）終了のベル　鳴った　学生たち　教室　飛び出す　→

　練習2　例：彼の顔を見たとたんに、約束を思い出した。
　　1）小説を読み始めたとたん、＿＿＿＿＿＿＿＿＿＿＿＿＿＿＿＿＿＿。
　　2）それまで静かだったのに、＿＿＿＿＿＿＿＿とたん、学生たちは騒ぎ始めた。
　　3）彼女はやせていたのに、＿＿＿＿＿＿＿＿＿＿とたんに、太り始めた。

12. 外国人**だからといって**、わがままは言えません。

　　1）新聞に書いてあるからといって、必ずしも正しいわけではない。
　　2）便利だからといって、コンビニの弁当ばかり食べていては体によくないと思う。
　　3）民主主義だからといって、何でも数で決めていいわけではない。

　練習　例：銀行　1億円　ある　働かなくてもいい　わけではない
　　　　　　→　銀行に1億円あるからといって、働かなくてもいいわけではない。
　　1）予防注射　受けた　それで　安心　する　いけない　→
　　2）運動神経がいい　一流　スポーツ選手　なれる　わけではない　→

問題

I．1．① (　　　)　② (　　　)　③ (　　　)　④ (　　　)

2．1）始めるとき：_____

　　　　終えるとき：_____

　　2）_____

　　3）_____

II．1．文章を読んで答えてください。

ベネズエラ音楽を伝えるハープ奏者　　吉沢陽子さん（39）

　ハープは優雅に奏でるだけの楽器ではない。155センチの自分の背丈よりちょっと小さい木の枠に張られた弦を親指に力を込めてはじく。時に激しく上半身を揺らしながら、メンバーとの掛け合いをリードする。

　現地のハープ奏者は男性ばかり。力強さで負けまいと弦をはじいているうち、左手の親指は付け根から大きく外側に開いてしまった。時々痛む。「それも本場の雰囲気を伝えるため。日本では私にしかできないから」とスタイルは変えない。

　17年前、ふと耳にした演奏で、リズムの「格好良さ」にほれ込んだ。2拍子と3拍子が同時進行し、ラテン音楽の中でも特に複雑と言われる。3年後には番組制作会社を辞めて現地に渡った。個人授業を受けながら、2年間は毎日新しい曲を一つ覚えると決め、夜明けまで弾いた。

　その後、即興演奏のバンドに加わったり、激しい演奏が持ち味の地方の街で学んだり、武者修行のような5年間で、各地のリズムを体に刻み、2002年に帰国した。

　日本でベネズエラ音楽と言えば、半世紀前に発表された「コーヒールンバ」くらいしか知られていない。日本でのライブは昨年で4回目。毎年赤字だが、自腹を切り続ける。「本物を聴けば、きっとわかってもらえる。今にブラジルのボサノバ以上に有名にする」

　2月、独立200周年を迎えるベネズエラのイベントに招かれ、現地の一流奏者たちに交じって演奏を披露する。

（朝日新聞2011年1月25日付朝刊「ひと欄」より）

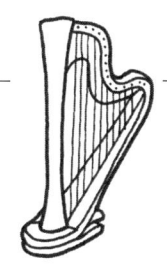

1) 年表を完成させてください。

年	事柄
①	初めてベネズエラ音楽の演奏を聴き感激する
1997年	②
③	帰国する
2010年	④
⑤	独立200周年を迎えるベネズエラのイベントで演奏する

2) 本文の内容と合っていれば○、違っていれば×を書いてください。

① (　) 吉沢さんは力強く演奏するので、手の形が変わり、時々痛い。

② (　) 吉沢さんが日本に「コーヒールンバ」という曲を紹介した。

③ (　) 日本ではベネズエラ音楽よりブラジルのボサノバのほうが有名だ。

2. 文章を読んで答えてください。

　私の趣味は自作の「がらくた楽器」の演奏です。がらくた楽器というのは、捨てられてしまう物で作った楽器です。最近、大型の空き缶とバネで作ったものは、弦楽器である（①　　　　）打楽器でもあり、さらに音にエコーもつけられるというものです。
　私はがらくた楽器を始めて4年になります。学生時代にはバンドをやっていたんですが、卒業し（②　　　　）、音楽からは離れていました。あるとき、インターネットでがらくた楽器の演奏に出合い、聴い（③　　　　）、これがやりたい、と思いました。
　家族は、（A　　　　）嫌がりました。それでも、音を聴いてもらったり、説得したりして、「好きにやらせるしかない」となんとか認めてもらいました。（B　　　　）、私も市の環境イベントなんかで演奏させてもらえるようになって、今では、家族も、これ使えるかも、なんて素材を拾ってきてくれたりする（④　　　　）です。
　いずれ私も家族でがらくた楽器のバンドをやれたらおもしろいなと思うんです。

1) ①〜④に適切な言葉を選んでください。

> くらい　　て以来　　だけ　　と同時に　　たとたん

2) A、Bに適切な言葉を選んでください。

> 最初から　　最初は　　それなら　　そのうち

第21課

読む・書く	**日本の誇り、水文化を守れ**
	・意見を表明する文を読む
	・筆者の主張をその根拠や具体例から読み取る

話す・聞く	**発表：データに基づいてお話ししたいと思います**
	・データを基に情報を伝えるスピーチをする
	・図表を用いて説明する

読む・書く

1. 考えてみよう

1) 飲み水はいつも買いますか。水道の水を飲みますか。おいしいですか。

2) 日本に来て、水に関してびっくりしたことがありますか。

3) 日本人の水へのこだわりを、日本人の生活のどんなところで感じますか。例を挙げて話してください。

2. 読もう

読むときのポイント：
- 日本文化と水の関わりの深さを、どのような例や根拠で述べているか、読み取りましょう。
- 筆者は何について、どのような危機感を持っているのか、読み取りましょう。

日本の誇り、水文化を守れ

　金に糸目をつけない江戸の通人が、ある料理屋で茶漬けを注文したところ、なんと半日ばかりも待たされて、漬物、煎茶、それに飯だけが出て、代金として一両二分を請求された。高すぎはしないかというと、料理屋の「うまい茶漬けをとのことでしたからお茶を吟味いたしましたが、この茶に合うほどの水が近所には見当たりませんため、多摩川の上流までくみにやりました。お急ぎと存じましたので早飛脚を仕立てました故、運賃がかかりました」との言い訳に、さすがの通人、二の句もつげなかったとか。

　当時の多摩川上流の水は江戸上水の主流として清冽をうたわれた名水。汚れの目立つ今の多摩川とは比較するべくもない。とにかく人間、産湯から末期まで一生縁の切れぬのは水であるから、いつの時代にもよい水にあこがれ、それを求めるのは当然である。

　雑誌やテレビでは日本の名水はどこそこだと一方的に決めつけてあおりたてるが、私に言わせれば「本当にそんな名水、まだ日本に残っているのかいな」と疑いたくなるほど、日本の水は確実に質を落としてしまった。

　わが国は昔から世界有数の水のよい国といわれてきた。水を沸かしもせずに、そのまま生で飲める国など世界広しといえどもそう多くはない。日本料理や日本酒を見てもよくわかる。主食の米を炊くこと自体に水をたっぷり使い、副食のミソ汁も水が大半だから、我々は水を食べて生きてきたといえよう。いくら国産の銘柄米といっても、とびきりの玉露にしても、極上のミソを使っても、水が駄目なら材料を生かせないし、日本酒だって水が命なのである。

　では、地下水はなぜ良質だったのか。それは、日本の年間平均降水量は世界平均の1.8倍もあり、その豊富な雨水や雪どけ水は杉、松、クヌギなどの林の下に広がる豊かな土地にしみ込んで常時安定して湧いてきたためである。そして、山の土と岩石の状態がうまい水をつくり出すのにちょうどよい舞台となっているからだった。だが、その素晴らしい地下水が、山の奥まで入り込んだリゾート開発やゴルフ場建設、山林の伐採など自然環境の破壊によって汚れ、水道水まで汚れ始めた。

次の日本語を英訳せよ。「水を差す」「水を向ける」「水かけ論」「水入らず」「誘い水」。このような問題が出されたら、よほど英語が堪能な人でもそう簡単には訳せないだろう。水の周辺の言葉を見れば、日本人がいかに水と密着して独自の水文化を築きあげてきたかがよくわかる。今こそ水を守らなければ、文化のバランスそのものまで目に見えて崩れていくはずだ。

(小泉 武夫『食に知恵あり』日経ビジネス人文庫（日本経済新聞社）より)

3. 確かめよう

1) 質問に答えてください。
   ① 筆者は、江戸時代の料理屋が、お茶漬け一杯の代金として一両二分という高い代金をお客に請求したという話を最初に述べています。それはなぜですか。
   ② 現在の日本の水の状況について筆者はどのように言っていますか。
   ③ 良質の地下水が汚れた原因は何ですか。
   ④ 筆者は、今、水を守らなければどのようなことが起こると心配していますか。

2) ①～③について、筆者はどのような例や根拠を挙げて説明していますか。

	例や根拠
① 日本人の水へのこだわり	
② 日本の水のよさ	
③ 日本人が水と密着して独自の水文化をつくってきたこと	

3) ＿＿＿＿に適切な言葉を入れてください。答えは本文のとおりでなくてもかまいません。

   日本は、世界と比べても①＿＿＿＿が多く、豊富な雨水や雪解け水が②＿＿＿＿となって湧いてきたため、うまい水をつくるのに③＿＿＿＿＿。それで日本の地下水は④＿＿＿＿＿のである。しかし、さまざまな⑤＿＿＿＿や⑥＿＿＿＿などにより自然が破壊され、良質の水は⑦＿＿＿＿＿てしまった。

4. 考えよう・話そう

1) お茶漬けの話は日本人の水へのこだわりを表しています。あなたの国にも同様のエピソードがありますか。

2) 最近の日本とあなたの国の水事情について、話し合ってください。
    ① 共通すること
    ② 異なること

3) あなたの国の言葉には、「水」に関する単語や慣用句にどんなものがありますか。一つ挙げて説明してください。

5. チャレンジしよう

1) ①〜④について、あなたの子どものころ（または、親の世代）と現在を比べ、どのような変化がありましたか。その中から話題を選び、紹介してください。
    ① 食品、食事
    ② 衣類、ファッション
    ③ 住居
    ④ 自然

2) 上で紹介した変化の中で、問題があると思うものについて、以前のものを守るべきだと考えますか、それとも時代とともに変化するのはしかたがないと考えますか。自分の意見を400字程度にまとめてください。

```
文章の流れ：
①変化
    ↓
②その問題点
    ↓
③自分の意見と理由
```

| 話す・聞く | 発表：データに基づいてお話ししたいと思います |

1. やってみよう

1) 下のグラフを説明してください。

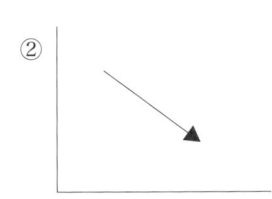

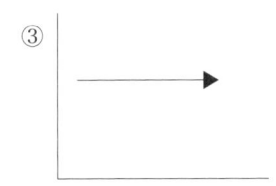

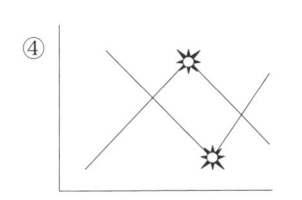

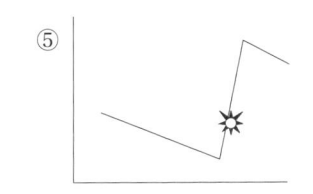

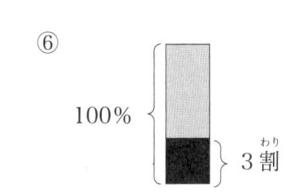

① ② ③ ④ ⑤ ⑥

2) 次の表現は上のグラフのどれか、（　）に番号を入れてください。同じ番号が入ることがあります。

a．横ばい　　（　）　　b．増加する　（　）　　c．伸びる　（　）
d．進む　　　（　）　　e．減少する　（　）　　f．転じる　（　）
g．著しい　　（　）　　h．占めている（　）

2. 聞いてみよう

CD2-5

聞くポイントを確認してから、聞きましょう。

マリア

1) 内容を聞き取りましょう。
   ① 食事のとり方で近年増えてきたのは何ですか。
   ② 「個食」とはどのようなことですか。

2) 表現を聞き取りましょう。
   マリアさんはどう言いましたか。
   ① 図1を見てもらいたいとき
   ② グラフの一部を見てもらいたいとき
   ③ 図2を見てもらいたいとき
   ④ 発表を終えるとき

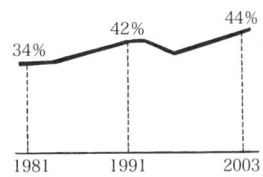

図1．食料消費支出に占める外部化率の推移

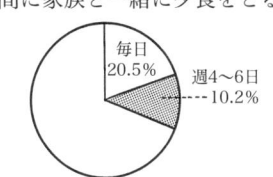

34%　42%　44%
1981　1991　2003

図2．1週間に家族と一緒に夕食をとる回数

毎日 20.5%
週4〜6日 10.2%

3. もう一度聞こう

＿＿＿の部分に言葉を書いてください。

【市の講座で、グラフを見せながら】

　マリア・サントスと申します。私はブラジルにいるときから食生活に興味を持っていました。来日後も日本の食生活について興味深くみてきました。

　今回、市からのお知らせで「食事スタイルを考えよう！」という講座が開かれることを知りました。それで、日本人の食生活について知るよい機会だと思い参加しました。本日のまとめの発表会で今の日本の食事スタイルの特徴だと思われる点を2つ、①＿＿＿＿＿＿＿＿＿＿＿＿＿＿と思います。

　まず、この図1をご覧ください。これは、食事のとり方が1980年代から②＿＿＿＿＿＿＿＿＿＿＿＿＿＿＿＿。農水省2006年度『食育白書』の中にあるデータの一つです。食事のとり方には「内食」、「中食」、「外食」があります。「内食」とは家庭で素材から調理する手作りの食事のこと。「中食」とは聞きなれない言葉ですが、調理済み食材や惣菜で手軽に済ます食事のことです。「外食」はレストランなどで食事をすること。そして「中食」と「外食」の両方を含むものを「外部化」と呼びます。

　このグラフを「外部化」に注目してご覧ください。③＿＿＿＿＿＿＿＿＿＿＿＿＿＿＿＿＿＿＿＿＿1981年には34％でした。それが、その後の10年で8ポイント伸び、91年には42％になっています。その後2年間は横ばいで、95年に一度減少、そののち再び増加に転じています。2003年には44％とさらに「外部化」が進んでいます。ここで一つ興味深いことは、「外食」がわずかながら減少しているにもかかわらず、「外部化」は進んでいることです。このことは特に「中食」の伸びが著しいことを示しています。④＿＿＿＿＿、近年、「内食」が依然全体の半分以上を⑤＿＿＿＿＿とはいえ、家庭における食事の形態が大きく様変わりしていることが⑥＿＿＿＿＿＿＿＿＿＿＿＿＿＿。

　もう1点、この講座を受講して気になったのは、最近、一人で食事をする「個食」人口が増え、家族そろって食卓を囲むということが少なくなってきたという点です。皆さんのご家庭では週何回ぐらい家族そろって夕食をとっていらっしゃるでしょうか。私は今回、この講座の参加者に協力してもらい、「1週間に家族と一緒に夕食をとる回数」を調べました。回答してくれた人は48人中39人でした。その結果が図2です。「毎日」と答えた人の割合が20.5％、「週4日以上、6日以下」と答えた人が10.2％、つまり、週4日以上家族で夕食をとっている人の割合は全体の30％ほどでしかないのです。しかし、農水省のデータによると、1994年には60％近い人が週4日以上とっていたということです。農水省の調

査と今回の結果では調査対象人数が大きく異なりますが、⑦＿＿＿＿＿、15年ほどの間に食事のとり方も大きく変化してきたと⑧＿＿＿＿＿＿＿＿＿。

確かに日本の食卓は豊かです。ところが、その一方で、食の外部化率の上昇や「個食」の増加といったことが起きています。⑨＿＿＿＿＿、生活環境の変化が⑩＿＿＿＿＿。具体的には、一人住まいの人が多くなったことや、働く時間帯の多様化、女性の就労が増えたことなどが挙げられます。このような現象は日本に限らず、ブラジルでも他の国でも起きているのではないでしょうか。私は今回の講座を通して、中食を上手に利用しながら、家族のために栄養を考えた料理を作り、家族そろって食事をする機会をつくっていきたいと⑪＿＿＿＿＿＿。

⑫＿＿＿＿＿＿＿＿＿。何かご意見やご質問がございましたらお願いします。

4．言ってみよう

絵を見ながら発音やイントネーションに注意し、CDのとおりに言ってみましょう。

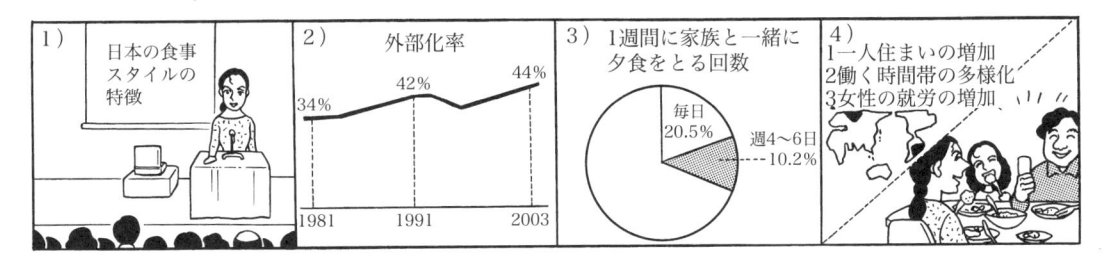

1) 日本の食事スタイルの特徴
2) 外部化率　34%　42%　44%　1981　1991　2003
3) 1週間に家族と一緒に夕食をとる回数　毎日 20.5%　週4～6日 10.2%
4) 1 一人住まいの増加　2 働く時間帯の多様化　3 女性の就労の増加

5．練習しよう

1) グラフを説明します。

例：訪日外国人旅行者数の推移をグラフを示しながら説明します。

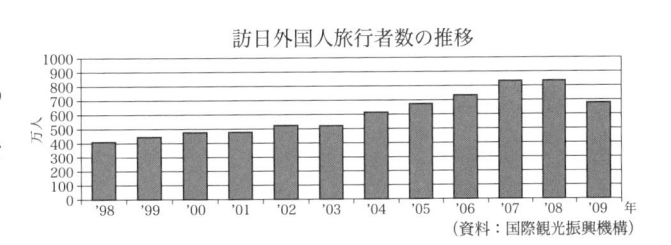

訪日外国人旅行者数の推移
（資料：国際観光振興機構）

○：これは「訪日外国人旅行者数の推移」を示すグラフです。

グラフに見られるように、日本を訪れた外国人旅行者数は1999年は前年より**増加**。2002年から03年にかけては**横ばい**。そして03年から07年の間はキャンペーンやイベント、円安もあり、大きく**増加に転じています**。2008年は最多になりましたが、2009年は世界的不況、円高、新型インフルエンザの流行などもあり、大きく**減少**しました。

(1) 海外留学する日本人学生の数の推移をグラフを示しながら説明する。

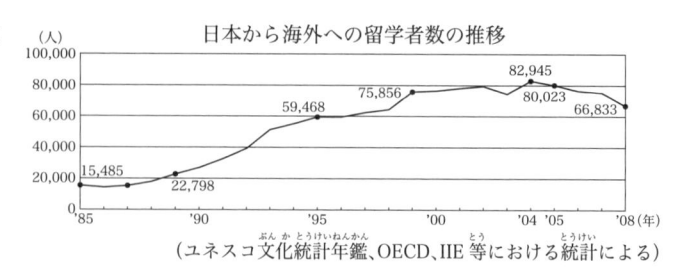

日本から海外への留学者数の推移
(人)
100,000
80,000　　　　　　　　　　　82,945
　　　　　　　　75,856　　　　80,023
60,000　　　59,468　　　　　　　　66,833
40,000
20,000　15,485
　　　　　22,798
0
'85　'90　'95　'00　'04 '05　'08(年)
(ユネスコ文化統計年鑑、OECD、IIE 等における統計による)

2) グラフから言えることを述べます。

例：訪日外国人旅行者数の推移のグラフから読み取れることを述べる。

○：**以上から、外国人旅行者の増減には、外的な要因の影響も大きいことがお分かりいただけると思います**。しかし、日本を訪れる外国人を増やそうとする努力も一定の成果をあげていると言えるのではないでしょうか。

（1）海外留学する日本人学生の数の推移を示すグラフから読み取れること、それについての意見を述べる。

3)「発表の流れ」を意識して、訪日外国人旅行者数の推移、または海外留学する日本人学生の数を発表します。

発表の流れ：① テーマを選んだ理由
② ・グラフの説明
　・グラフから読み取れること
③ ②についての自分の意見
④ 発表を終わる挨拶

6. チャレンジしよう

テーマを決め、自分の国の状況を調べ、データに基づいて発表してください。データはできるだけ信頼性の高いものを探しましょう。また、発表や資料の中で、どこで入手したデータかの情報も明らかにしてください。

例：1世帯当たりの人数
　　大学進学率
　　自動車の保有台数

文法・練習

読む・書く

1. 水を沸かしもせずに、そのまま生で飲める国など世界広しといえどもそう多くはない。

1) 父は具合が悪いのに、医者に行きもせずに仕事を続けている。
2) 彼は上司の許可を得もせずに、新しいプロジェクトを進めた。

ⓐⓑ どんなことでも事実かどうか確かめもせずに、そのよしあしを
　　（a．判断したほうがいい　　b．判断してはいけない）。

2. 水をそのまま生で飲める国など世界広しといえどもそう多くはない。

1) どんな大金持ちといえども、お金で解決できない悩みがあるはずだ。
2) 名医といえども、すべての患者を救うことはできない。

ⓐⓑ （a．狭い日本　　b．広い日本）といえども、旅行したいところはたくさんある。

3. よほど英語が堪能な人でも、そう簡単には訳せないだろう。

1) よほどけちな人でも、あの吉本さんには勝てないだろう。
2) よほど不器用な人でも、この機械を使えば、ちゃんとした物が作れるはずだ。

ⓐⓑ よほど日本語が（a．得意な　　b．苦手な）人でも俳句を理解するのは難しい。

4. 日本人がいかに水と密着して独自の水文化を築きあげてきたかがよくわかる。

1) 朝のラッシュを見ると、日本人がいかに我慢強いかが分かる。
2) 自然の力の前では人間の存在などいかに小さなものかを知った。

ⓐⓑ 節電をしてみて、今までいかに無駄に電気を使っていたかに気づいた。

　　a．節電してから、電気の使い方に気をつけるようになった。
　　b．節電しても、節電前と電気の使用量はあまり変わらない。

5. さすがの通人、二の句もつげなかったとか。

1) 隣のご主人、最近見かけないと思ったら、2週間前から入院しているとか。
2) お嬢さんが近々結婚なさるとか。おめでとうございます。
3) 先週のゴルフ大会では社長が優勝なさったとか。

練習1　例：今朝　新聞　首相　風邪　ひく　／　来週　アメリカ訪問　大丈夫
　→　今朝の新聞によると首相が風邪をひいたとか。来週のアメリカ訪問は大丈夫だろうか。
1）今年　花火大会　天候　悪い　中止　／　残念　→
2）ネットの記事　多くのファン　彼の　コンサート　集まった　／　テレビ　どうして　報道しない　不思議だ

練習2　最近、人から聞いた話を伝えてください。感想も述べてください。
例：50歳の女性が双子の赤ちゃんを出産したとか。おめでたい話だけど、子育てが大変でしょうね。

6. 私に言わせれば、「本当にそんな名水、まだ日本に残っているのかいな」と疑いたくなる。

1）経済の専門家に言わせれば、円はこれからもっと高くなるらしい。
2）口の悪い弟に言わせると、「長」がつく人間は信用してはいけないそうだ。
3）200年前の日本人に言わせたら、現代の若者が話している日本語は外国語みたいだと言うだろう。

練習1　例：野球　評論家　イチロー選手　打ち方　基本　全く　外れる　らしい
　　　　→　野球評論家に言わせれば、イチロー選手の打ち方は基本から全く外れているらしい。
1）父　母　みそ汁　日本一　おいしい　らしい　→
2）パンダ　人間　列　つくって　並ぶ　好き　動物　ということになる　→
3）祖父母　節電　早寝早起き　簡単　できるそうだ　→

練習2　あなたの意見を言ってください。
例：年より若く見えること
　　→　私に言わせれば、年より若く見られて喜ぶ人は単純なのではないかと思います。年を積み重ねたなら、それなりの年輪を感じさせるのが自然で美しいと思います。
1）男子が化粧すること　→
2）ダイエットをすること　→

話す・聞く

7. 日本の食事スタイルの問題点を、データに基づいてお話ししたいと思います。

1）この映画は、事実に基づいて作られている。
2）デパートでは、調査結果に基づいた新しいサービスを導入した。
3）予想ではなく、経験に基づいて判断しました。

練習1　例：アンケート　結果　メニュー　考えた
　　　　→　アンケートの結果に基づいて、メニューを考えた。
1）予算　購入する　物　検討した　→
2）災害時　信頼できる　情報　行動　→
3）専門家　意見　建築　安全基準　決定　→

練習2　例：ユーザーのニーズに基づいて、新しい携帯電話を開発した。
1）世論調査の結果に基づいて、＿＿＿＿＿＿＿＿＿＿＿＿＿＿＿＿＿＿。
2）事実に基づいて、＿＿＿＿＿＿＿＿＿＿＿＿＿＿＿＿。

8. 15年ほどの間に食事のとり方も大きく変化してきたと言えます。

1）日本の経済力を考えると、国際社会における日本の責任は大きいと言える。
2）人口増加によって、地球温暖化はますます進むと言えるのではないでしょうか。
3）お金があれば幸せだと言えるのでしょうか。

練習1　例：美しい　自然　私たち　子ども　残せる　大きな　遺産
　　　　→　美しい自然は私たちが子どもに残せる大きな遺産だと言える。
1）留学生　それぞれの国　外交官　→
2）一家　そろう　とる　夕食　家族　きずな　深める　場　→

練習2　例：このデータを見ると、日本の高齢化は急速に進んできたと言える。
1）この10年で世界は＿＿＿＿＿＿＿＿＿＿＿＿＿と言えるのではないでしょうか。
2）美しい音楽を聞くことは、＿＿＿＿＿＿＿＿＿＿＿＿＿＿＿＿と言える。
3）この結果を見ると、＿＿＿＿＿＿＿＿＿＿＿＿＿＿＿と言える。

9. 日本の食卓は豊かですが、一方で食の外部化率の上昇や「個食」の増加といったことが起きています。

1）日本は技術が進んだ国だが、一方で古い伝統文化も大切にしている。
2）英語は小さい時から学ばせたほうがいいという意見がある一方で、きちんと母語を学んでからにしたほうがいいという意見もある。
3）コレステロール値が高いのは問題だが、一方ではあまり低すぎるのも長生きできないという調査結果がある。

練習1　例：食べ物　捨てる　国　ある　飢え　苦しむ　国　ある
　　　　→　食べ物を捨てている国がある一方で、飢えに苦しんでいる国がある。
1）彼　医者として　活躍する　文学者として　有名　→
2）あの会社　莫大な　利益　得る　数多く　社会貢献も　行う　→

練習2　例：子どもは厳しく叱ることも必要だが、一方で褒めることも大切だ。
1）このブランドの製品は品質が優れている一方で、デザインは＿＿＿＿＿＿＿＿＿＿という評判がある。
2）彼は上司からの評価は高いが、一方で部下＿＿＿＿＿＿＿＿＿＿＿＿。

練習3　物事の良い点と悪い点を比べて、述べてください。
例：インターネットはさまざまな情報が得られる便利なものだが、その一方で人は情報を探すだけで、自分で考え、判断する力を失ってしまったと言われている。

10. このような現象は日本に限らず、ブラジルでも他の国でも起きている。

1）このキャラクターは、子どもに限らず大人にも人気がある。
2）海外ではお寿司やてんぷらに限らず、豆腐料理なども人気がある。
3）バリアフリーとは障害を持った人やお年寄りに限らず、誰でもが快適に利用できるということです。

練習1　例：ダイビングは夏しかできないのですか。
　　　　　…いいえ、夏に限らず、一年中できます。
1）このケータイは国内しか使えないのですか。→
2）このコンテストは日本人しか参加できないのですか。→

練習2　あなたのお勧めのものや場所について説明してください。
例：私はスピルバーグの映画が大好きで、ほとんど全部見ています。ぜひ皆さんにも見ていただきたいと思います。彼の作品は単なる娯楽映画ではなく、人生や社会について考えさせる深い内容を持ったもので、子どもに限らず、大人も十分楽しめるものだと思います。

問題

🔊 I.
CD2-6

図1：インスタントラーメン総消費量の推移　　図2：2010年度インスタントラーメンの一人当たりの消費量

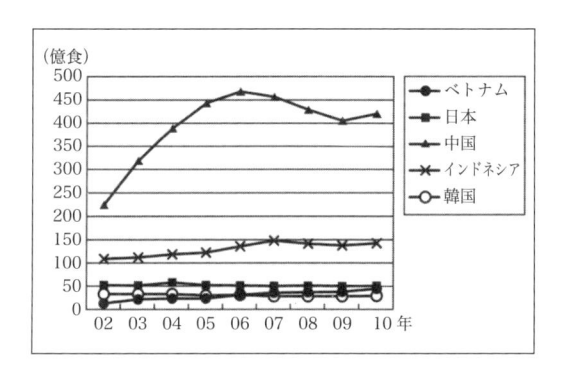

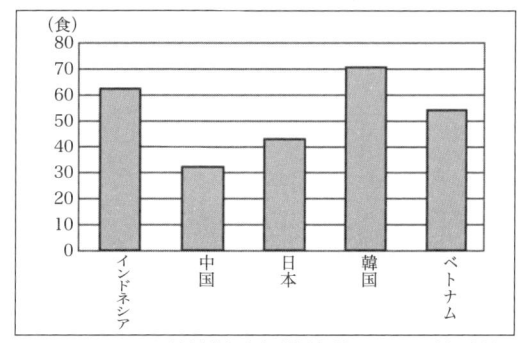

((社)日本即席食品工業協会のHPを基に作成)

1． 1)（インドネシア　　韓国　　中国　　日本　　ベトナム）

　　 2)（インドネシア　　韓国　　中国　　日本　　ベトナム）

　　 3)（インドネシア　　韓国　　中国　　日本　　ベトナム）

2． 1)（　　　）　　2)（　　　）

II． 1．文章を読んで答えてください。

> 　近年、ハウスものの野菜や果物、養殖や冷凍による魚などが一般に出回り、年間を通して食材が豊かになった。その一方で、季節感が乏しくなってしまったことも事実である。
> 　いつの間にか、イチゴはクリスマスケーキの主役になった。忘年会にはカツオとサンマの刺身が並ぶ。
> 　別に俳句の季語にこだわるわけではないが、季節感は日本料理にとって、非常に大事な要素である。四季のはっきりしている日本で食事を楽しむのであれば、たとえ、日常の家庭での食事であっても、その季節でいちばんおいしい旬の食材を吟味し、料理の技やしきたりを生かした日本料理を味わい楽しんでほしいものである。

1) 筆者は何を嘆いていますか。

　　a．忘年会にカツオとサンマの刺身しか出てこなかったこと。

　　b．ハウスものの野菜や養殖の魚では俳句が作れないこと。

　　c．日本料理から季節感が失われてしまったこと。

2）なぜイチゴがクリスマスケーキを飾り、忘年会にカツオやサンマが出てきますか。

   a．ケーキや料理には季節感が大切だから。

   b．おいしい旬の食材だから。

   c．ハウスや養殖、冷凍の技術が普及したから

2．文章を読んで答えてください。

ある呉服屋の若だんなが急に病気になり、食事も取れなくなった。大切な息子のことなので両親も心配して、あらゆる名医に診てもらうが、「心の病気で、何か心に思っている願いがかなえば、きっと治る」と言うばかり。

（ A ）番頭が若だんなに尋ねると、「どうせかなわないこと（①　　　　　　）、言わずにこのまま死んでいく」と、なかなか言わない。しかし、しつこく聞いてみれば（②　　　　　　）みかんが食べたいと。それを聞いた番頭、あまりに意外なことに驚いて、そんなことなら座敷中みかんでいっぱいにしてあげますと約束したそうだ。

（ B ）、時は八月、夏のいちばん暑いこの時期にみかんを手に入れるのが（③　　　　　　）難しいことか番頭は思い知った。町中走り回り、やっとの思いで神田の果物屋の蔵に残っていた、腐っていないみかんを1個見つけた。しかし、値段は千両。いくら季節外れだ（④　　　　　　）、千両は高すぎると番頭は思ったが、主人は息子の病気が治ればと、迷い（⑤　　　　　　）番頭にそのみかんを買わせた。

みかんには十の房がつまっていた。息子は喜んで7房を食べると、番頭に残りの3房を両親とお祖母さんにあげるようにと言いつけた。番頭が独立するときにもらえるお金はせいぜい三十両ほど。彼は預かったみかんの3房を持って逃げたという。

(落語「千両みかん」)

1）①～⑤に適切な言葉を選んでください。

   なんと　といえども　ゆえ　もせずに　いかに

2）A、Bに適切な言葉を選んでください。

   それから　そこで　それでも　ところが

3）番頭はなぜみかんを3房持って逃げましたか。

第22課

読む・書く	**私の死亡記事**
	・手紙文（依頼状）の内容を読み取る
	・筆者の死についての考え方（死生観）を読む

話す・聞く	**賛成！**
	・ディスカッションで意見を交換する技術を学ぶ

読む・書く

1. 考えてみよう

1) あなたのいちばんよく使う通信手段は何ですか。
   内容や相手によって、通信手段を選びますか。
   「手紙」という手段をどう思いますか。

2) 新聞などで、有名人の死亡記事を読んだことがありますか。
   どんなことが書かれていましたか。

2. 読もう

> 読むときのポイント：
> ・依頼状で、何を目的としてどのような依頼をしているか、読み取りましょう。
> ・依頼に応じて書いた「死亡記事」の中で筆者が言いたかったことは何か、読み取りましょう。

私の死亡記事

拝啓

時下、ますますご健勝のことと存じます。

さて小社におきましては、目下『私の死亡記事』という、かつて類をみないネクロロジー（死亡記事、物故者略伝）集を編纂中です。これにぜひ玉稿をたまわりたく、お手紙をさしあげた次第です。

どのように類をみないかと申しますと、物故者の解説を、当のご本人その人に執筆していただくという点です。つまりご存命中でありながら、ご自身をすでに一生を終えた人物として扱い、その業績、あるいは辞世の言葉、墓碑銘などについて解説するというものです。不謹慎だとお叱りを受けるかもしれませんが、けっして興味本位からのものではないことをご推察いただければと存じます。

死を考えることは生を考えることです。人の業績や人生上のエピソードは、つねに同時代のまわりからの評価にさらされ、それを集約したかたちで、死亡記事や人名事典の記述がなされます。それをもって「客観的評価」とされ、私たちはあまり疑問を抱きません。しかし本人がどう思っているかは別問題です。また人物やその作品、業績の評価は、時代と共に変化することはご承知のとおりです。それならば、いっそご本人にその作品や人生について書いていただければ、時代を隔てても価値をもつ貴重な資料になりうるのではないかと考えたわけです。（中略）

どうか本書の意図するところをご理解いただき、ご執筆くださいますようお願い申し上げます。

敬具

2004年12月
文藝春秋　「私の死亡記事」編集部

色は匂へど散りぬるを

山折哲雄　国際日本文化研究センター所長

　一年前にすでに死亡していたことが、最近になって判明した。氏は生前、死んだあとは葬式はしない、墓はつくらない、遺骨も残さない、という三無主義を唱えていた。それを遺書に記していることを公言していたため、遺族もこれを忠実に守り、その結果、氏の死の事実がひそかに覆い隠されることになったのであろう。

　生涯、宗教学者として通した。死ぬときは西行法師のように、春、桜のころ、満月を仰いで、と夢想していたが、はたしてその通りの最期を迎えることができたかどうかは、何しろ死後一年も経ってしまっているので定かではない。もう一つ、死期を悟ったときの氏の心得として、できうることなら断食をしてそのときを迎えたいといっていたが、はたして断食によって往生ができたのかどうか、それも現時点では確かめるすべがない。

　最後に一言。氏はかねて「一握り散骨」を提唱していたので、おそらく遺族や知友は、氏の残された遺灰を、旅行などのみちすがら、一握りずつもっていって因縁のある場所に散布していると思われる。その一部は、もしかしたらインドのガンジス川に流されているかもしれない。

　氏の愛唱句の一つ。　　　色は匂へど　散りぬるを
　　　　　　　　　　　　　我が世誰ぞ　常ならむ
　　　　　　　　　　　　　有為の奥山　今日越えて
　　　　　　　　　　　　　浅き夢見じ　酔ひもせず

（山折哲雄『私の死亡記事』文春文庫より）

3. 確かめよう

1）質問に答えてください。

＜依頼状＞

① この依頼状を書いている人は、何をつくろうとしていますか。
② 『私の死亡記事』は"通常の死亡記事"とどこが違うのでしょうか。
③ 「死を考えることは〜と考えたわけです」から『私の死亡記事』の制作意図を示していると思われる部分を書いてください。
④ そのために手紙でどんなことを依頼しましたか。

＜色は匂へど散りぬるを＞

⑤ 筆者自身による死亡記事の中で唱えている「三無主義」というのは、具体的にはどのようなものですか。

⑥ 筆者は死ぬときはどのように迎えたいと夢みていたでしょうか。2つ挙げてください。

⑦ 筆者は自分自身の遺灰がインドのガンジス川に流されているかもしれない、と書いていますが、それはどうしてですか。

4．考えよう・話そう

40年後の「あなた」を想像してみてください。思えば、山あり谷ありの人生でした。40年間を振り返り、主な功績をメモにまとめます。還暦を迎えた「あなた」をその記念パーティーで紹介してください。

5．チャレンジしよう

1）あなたの通っている学校や、あなたの住んでいる地域で、「いろいろな国の文化を紹介するフェア」を開催することになりました。しかし、開催するための資金が足りません。そこで、地域の団体や会社などに寄付をお願いする手紙を書いてください。

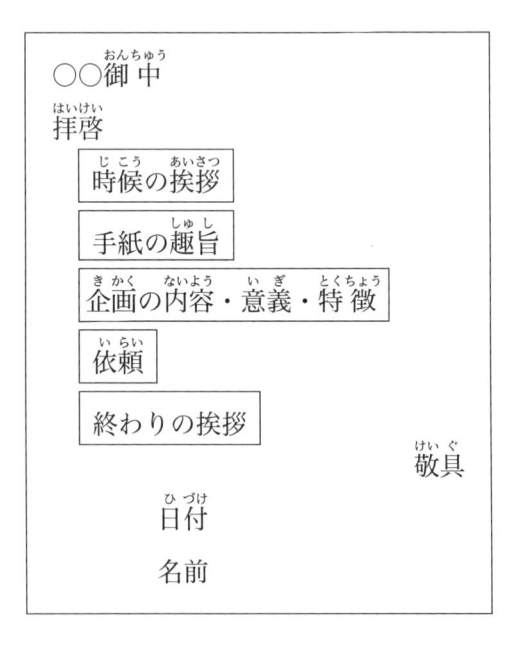

```
○○御中
拝啓
  ┌──────────┐
  │ 時候の挨拶 │
  └──────────┘
  ┌──────────┐
  │ 手紙の趣旨 │
  └──────────┘
  ┌────────────────────┐
  │ 企画の内容・意義・特徴 │
  └────────────────────┘
  ┌──────┐
  │ 依頼 │
  └──────┘
  ┌──────────┐
  │ 終わりの挨拶 │
  └──────────┘
                    敬具
        日付
        名前
```

2）「4．考えよう・話そう」で話したことを「あなた」の伝記にまとめてください。

話す・聞く　賛成！

1. やってみよう

日本語学校の行事で、みんなで日本の文化を体験しようということになりました。いろいろなアイディアが出ましたが、最後に、

　　A：茶道を体験したい
　　B：太鼓を体験したい

という意見に分かれました。予算は限られていますので、どちらか一つしかできません。AとBで話し合ってどちらかに決めてください。

2. 聞いてみよう

聞くポイントを確認してから、聞きましょう。

小川　山口　張

森　ジャン

1）内容を聞き取ってください。
　「少子化」というテーマのディスカッションで、出席者は4つの話題を取りあげています。どんな話題ですか。

2）表現を聞き取りましょう。
　ゼミの学生は何と言いましたか。文末に気をつけて聞いてください。
　① 遠慮がちに意見を言うとき
　② 賛成・同意の意思を表すとき
　③ 感想を言うとき
　④ 自分の考えを主張するとき
　⑤ 意見をまとめるとき

🔊 3. もう一度聞こう

_____の部分に言葉を書いてください。

【さくら大学　ゼミでのディスカッション】

小川：　では、次の議題、少子化問題を解決するにはどうすればいいかに移ります。

山口：　はい。女性が安心して子どもが産める社会にすること。働く女性が子どもを欲しいと思っても、保育所がない。あったとしても、費用が高い。それに時間が短い。これでは子どもを産もうにも産めないと思うのですが。

張　：　①_____。とにかく希望する人は全員保育所に入れるようにするべきですよ。

山口：　それに、教育にお金がかかりすぎます。1人の子どもが生まれてから大学を出るまでに3,000万円はかかるそうです。そういうことを聞くと、子どもを持つのをためらう人がいます。せめて高校までは給食費や学費などすべてタダにしてもいいんじゃないでしょうか。

森　：　保育施設の充実や教育の無償化…そうなると子どものいない人とか、お年寄りだけの家庭などでは負担のわりに受ける恩恵が少なくて不公平感があるんじゃないかな。

山口：　②_____、近い将来、4人のお年寄りが1人の若者に支えられるときが来るんです。今、若い人を支えておくことが、やがて自分を支えてもらうことになるんじゃないでしょうか。

小川：　③_____。④_____、男性の育児参加⑤_____。今は核家族化しているので、男性も育児休暇を取らないとやっていけないんですけど、非常に取りにくいのが現実ですよね。

ジャン：そうですね。日本の父親は子育てにもっと積極的に参加するべきじゃないでしょうか。子育ての放棄やイジメなんかが起きるのは、母親1人だけに任せているからじゃないかと思います。

張　：　その通りですね。だから育児休暇が取りやすいように、というより、みんなが取らなければならないように法律で縛ればいいんじゃないでしょうか。

小川：　⑥_____！　実行されるかどうかは疑問ですけど。それより少子化を解消した国の例を見ると、結婚していてもいなくても、生まれた子どもはすべて平等に法律で守られているらしいですね。

ジャン：そうそう、2004年だったかな、私の国では生まれた子どもの46.6%が結婚してい

ないカップルから生まれたとか。今だったら50%を超えているかもしれません。

森　　：結婚にこだわらない家庭のかたちを認めるかどうかは、その社会の歴史的背景、価値観によると思う。ただ、そのことが少子化の問題を解決するカギになるかどうかは分かりませんが。

山　口：⑦＿＿＿＿＿＿＿＿＿。とは言っても、結婚に対する考え方を変えてみることも必要かもしれませんね。現在の未婚化、晩婚化は、結婚という制度のせいかもしれません。

小　川：では、そろそろ⑧＿＿＿＿＿＿＿＿＿＿＿＿＿＿＿＿。少子化問題を解決するためには、保育施設の充実、教育の無償化、また父親に育児休暇を取りやすくさせる、結婚に対する発想を転換する、などが必要である。これでよろしいでしょうか。

4. 言ってみよう

絵を見ながら発音やイントネーションに注意し、CDのとおりに言ってみましょう。

1)　　2)　　3)　　4)

5. 練習しよう

賛成意見、反対意見を述べます（司会・A・B・C：参加者）

例：自治会費の値上げについて、自治会で話し合いをする。

　　賛成意見　・今の自治会の財政状況をみると、値上げせざるを得ない
　　　　　　　・20年前から値上げしていない
　　　　　　　・居住環境のレベルを維持するためには必要である
　　反対意見　・年金生活では今以上の負担は無理である
　　　　　　　・払っていない人もいるそうだが、その人たちからきちんと回収すべきである
　　　　　　　・まず支出を見直すべきである

司会：**では、今日の議題**、自治会費の値上げ**について話し合いたいと思います。**

　A　：はい。**私は値上げに反対です**。年金生活者にとって今の収入では食べて行くのが精いっぱいで、これ以上は、たとえ100円でも無理です。聞くところによると、自治会費を払っていない人もいるそうですね。値上げ**よりも**先

にそういった人たちからの回収をきちんと行うべきじゃないでしょうか。

B：**その通りです。**安易に値上げを考える**のではなく、まず、**支出の見直しを行う**べきだと思います。**

C：**ですが、Bさん。**自治会費は20年前のままなのに、物価はこの20年で5倍にもなっているのですから、いくら支出を見直しても、無理なものは無理だと思いますよ。

B：**それもそうですね。**ある程度物価にスライドして上げるのも仕方がないかもしれません。しかし、やはりこの際、無駄な支出はないか、見直すことも大切**なんじゃないでしょうか。**

司会：**ではそろそろ意見をまとめたいと思います。**

（1）高校生がアルバイトをすることについてディスカッションをする。
　　賛成意見：・お金の価値が分かる
　　　　　　・働くことの大変さが分かる
　　　　　　・社会の厳しさを知る
　　　　　　・同じ世代ではない人たちとの交わりから学ぶことがある
　　反対意見：・勉強の時間が少なくなる
　　　　　　・自由な時間が少なくなる
　　　　　　・こづかいが多くなり、無駄遣いをする
　　　　　　・自分の環境以外の人と交わることによる誘惑や危険がある。

6. チャレンジしよう

日頃考えている身近なことの中から、テーマを決めてディスカッションをしてください。
例：①子どもがオンラインゲームをすることについて
　　②24時間営業する店があることについて
まず、テーマについて情報を集め、良い点と問題点をそれぞれ3つ以上考えてください。そのあとで、自分の意見を理由とともに述べ、友達と率直な意見交換をしてください。まとめ役の人はみんなの意見をまとめて報告してください。

文法・練習

読む・書く

1. ネクロロジー集に玉稿をたまわりたく、お手紙をさしあげた**次第**です。

1) 関係者が情報を共有すべきだと考え、皆様にお知らせした次第です。
2) 私どもだけではどうしようもなく、こうしてお願いに参った次第でございます。

ⓐⓑ 以上、（a．ご説明申し上げたような　b．説明したような）次第で、本社を移転いたすこととなりました。

2. それ**をもって**「客観的評価」**とされている**ことに私たちはあまり疑問を抱きません。

1) 出席率、授業中の発表、レポートをもって、評価とします。
2) 拍手をもって、賛成をいただいたものといたします。

ⓐⓑ 日本では、運転免許証をもって身分証明書とする場合がある。

a．日本では、運転免許証が身分証明の代わりになる場合がある。
b．日本では、運転免許証を取るために身分証明が必要である。

3. 小社**におきましては**、目下『私の死亡記事』というネクロロジー集を編纂中です。

1) 経済成長期の日本においては、収入が2～3年で倍になることもあった。
2) 外国語の学習においては、あきらめないで続けることが重要だ。
3) 皆様におかれましてはお元気にお過ごしのことと存じます。

練習1　例：国連　地球温暖化　問題　議論する
　　　　→　国連においては地球温暖化の問題が議論されている。

1) 国際会議　通訳　よしあし　成功不成功　左右する　→
2) 乳幼児　死亡率　日本　世界　最も　低い　国　一つ　→

練習2　例：この厳しい環境（ⓐ．においては　b．では）いかなる生命体も存在しえないだろう。

1) この公園（a．においては　b．では）たばこを吸ってはいけないんだよ。
2) 当レストラン（a．におきましては　b．では）上着の着用をお願いしております。

練習3　例：ASEAN諸国においては、＿＿＿＿＿＿＿＿＿＿＿＿。
　　　　→　ASEAN諸国においては、インドネシアの人口が最も多い。

1) 大学生活においては、＿＿＿＿＿＿＿＿＿＿＿＿＿＿＿＿＿＿＿。
2) 現代社会においては、＿＿＿＿＿＿＿＿＿＿＿＿＿＿＿＿＿＿＿。

4. 本人が書いた死亡記事は、時代を隔てても貴重な資料になり**うる**のではないか。

1) 就職に関する問題は彼一人でも解決しうることだ。
2) 今のうちにエネルギー政策を変更しないと、将来重大な問題が起こりうる。
3) 彼女が他人の悪口を言うなんてことはありえない。

練習1　例：私　考える　すべて　方法　やる　みる
　　　　　→　私は考えうるすべての方法をやってみた。

1) これ　私たち　体験する　最も　貴重な　経験　→
2) これ　今　入手する　最も　確実な　情報　→
3) 連絡　とる　すべて　人　イベント　寄付　呼びかける　→

練習2　例：この世にはまだ人間が知りえない病気が存在する。

1) ＿＿＿＿＿＿＿＿＿＿＿＿＿＿＿＿＿＿ことはありえないように思われる。
2) どんなに科学が発達しても＿＿＿＿＿＿＿＿＿＿＿＿＿＿＿えない。

5. 氏は生前、三無主義を唱えていたため、遺族もこれを守り、その結果、氏の死の事実が覆い隠されることになった**のであろう**。

1) 洋子さんは先に帰った。保育所に子どもを迎えに行ったのだろう。
2) ガリレオは「それでも地球は回る」と言った。地動説への強い信念があったのであろう。
3) 田中さんがにこにこしている。待ち望んでいたお子さんが生まれたのだろう。

練習1　例：めったに　泣かない　彼女　泣く／よほど　うれしい
　　　　　→　めったに泣かない彼女が泣いた。よほどうれしかったのだろう。

1) 彼　一生懸命　練習した　から　優勝できた　→
2) たくさん　人　集まっている／おそらく　事故　あった　→

練習2　例：最近よく昔のことを思い出す。年を取ったということなのだろう。

1) 佐藤さんは朝から機嫌が悪い。＿＿＿＿＿＿＿＿＿＿＿＿＿＿のだろう。
2) 彼は＿＿＿＿＿＿＿＿＿＿＿＿＿＿。ストレスがたまっていたのだろう。

6. 遺族は残された遺灰を、一握りずつ因縁のある場所に散布している**と思われる**。

1) 世界の経済の混乱はこの先5、6年は続くと思われる。
2) 彼の指摘は本社の経営上の問題の本質を突いていると思われる。
3) エコロジーは世界中で必要な思想だと思われる。

練習1　（　）の言葉を使って例のように書き直してください。

例：日本の景気はまもなくよくなると思います。（回復）

→　日本の景気はまもなく回復すると思われる。

1）そういう習慣は前からあったと思います。（そうした、以前、存在）　→

2）彼の言ったことをそのまま信じるのは危ないと思います。（発言、信用、危険）　→

練習2　「と思われる」を使って、現在の社会に対するあなたの考えを述べてください。

例：日本の少子化がこのまま進めば、外国人の労働力に依存する割合が増えることは間違いないと思われる。外国からの労働者を受け入れる場合、労働条件などの制度を整備し、実施することが重要だ。

話す・聞く

7. 保育所がない。あった**としても**、費用が高い。

1）たとえ天と地がひっくり返ったとしても、私は驚かない。
2）たとえ彼女が本当にそう言ったとしても、彼女に対する私の愛は変わらない。

　ⓐⓑ　たとえ世界が一つの国になったとしても、日本語はなくなってほしくない。

　　　a．話している人は世界が一つの国になることはありえないと思っている。
　　　b．話している人は世界が一つの国になることがありえると思っている。

8. これでは子どもを産**もうにも**産め**ない**と思うのですが。

1）上司や同僚がまだ仕事をしているので、帰ろうにも帰れない。
2）パスワードが分からないので、データを見ようにも見られない。

　ⓐⓑ　寒さで地面が凍って、車を動かそうにも動かせない。

　　　a．寒さで地面が凍ったため、車を動かしたくないので、動かさない。
　　　b．寒さで地面が凍ったため、車を動かしたいのだが、動かせない。

9. お年寄りだけの家庭では負担の**わりに**受ける恩恵が少ない。

1）映画「王様のスピーチ」はタイトルのわりにはおもしろかった。
2）この王様は幼い頃、いじめられたわりにはまっすぐな性格をしている。

　ⓐⓑ　母は（a．若い　　b．年を取っている）わりにおしゃれです。

10. 希望する人は全員保育所に入れるようにする**べきです**。

1) 豊かな国は貧しい国を援助するべきだ。
2) 子どもの前で夫婦げんかをすべきではない。
3) もう少し早く家を出るべきだった。電車に乗り遅れてしまった。

練習1　例：政府　景気　刺激する　税金　下げる

　　　　→　政府は景気を刺激するために、税金を下げるべきだ。

1) 災害　備える　非常用袋　水や食料　入れておく　→
2) 困ったとき　お年寄り　アドバイス　聞く　→
3) 不確かな情報に基づいて　他人　評価　→

練習2　例：大学時代は社会に出るための準備期間でもある。
　　　　　　だから、いろいろなことに挑戦すべきだと思う。

1) 医者は患者の命を預かっているのだから、＿＿＿＿＿＿＿＿＿＿べきではないだろうか。
2) 全国のどこの児童公園も同じようなブランコと滑り台がある。もっと＿＿＿＿＿＿＿＿＿＿
　　＿＿＿＿＿＿＿＿＿＿べきだ。
3) 子どもを甘やかす親が多い。もっと＿＿＿＿＿＿＿＿＿＿べきだ。

練習3　今の社会に強く訴えたいことを言ってください。

例：日本は欧米に比べて、子どもの予防接種の制度が遅れています。必要な予防接種を少しでも早くどの子どもでも無料で受けられるようにすべきだと思います。

11. 育児休暇が取りやすいように、**というより**、みんなが取らなければならないように法律で縛ればいいんじゃないでしょうか。

1) 治す医療、というより、人間がもともと持っている回復する力に働きかける医療が求められている。
2) ゴッホにとって絵は、描きたいというより、描かなければならないものだった。
3) 歴史を学ぶことは、過去を知るというより、よりよい未来を築くためなのです。

練習　例：バイオリン　彼にとっては　趣味　生きがい　なる

　　　　→　バイオリンは彼にとっては、趣味というより生きがいになっている。

1) お年寄り　病気　ならないように　元気　暮らせるように　体調　気をつけるべき　→
2) アンデルセン童話　子どものため　大人のため　書かれる　→

問題

I．1．1）女の人： 賛成・反対　　　男の人： 賛成・反対

2）① (　　) ② (　　) ③ (　　) ④ (　　) ⑤ (　　)

2．1）① (　　) ② (　　) ③ (　　) ④ (　　)

II．1．2通のメールA、Bを読んで答えてください。

A

From: 村田優子

Sent: Sunday, December 18, 2011 11:40 AM

To: Lim S Y

Subject: 国際交流フェスタ

───────────

リム　シンイエン様

突然のメールにて失礼いたします。山川市国際交流協会の村田優子と申します。私どもの協会では、毎年、春と秋に国際交流フェスタというイベントを開催しております。この秋のイベントでは、リム様の写真作品「日本に暮らす子どもたち」シリーズを展示させていただきたく、ご連絡を差し上げた次第です。
詳細につきましては、「国際交流フェスタ企画書」を添付させていただきます。どうかこのイベントの趣旨をご理解いただき、ご協力くださいますようお願い申し上げます。

村田優子

B

From: Lim S Y

Sent: Sunday, December 18, 2011 12:30 PM

To: 村田優子

Re: 国際交流フェスタ

───────────

山川市国際交流協会

村田優子様

ご連絡ありがとうございました。
ご依頼の件、喜んで協力させていただきます。
打ち合わせの日程につきまして、ご連絡をお待ち申し上げます。
用件のみにて失礼いたします。

リム　シンイエン

1）AとBのメールの目的は何ですか。（　　）にAかBを、どちらでもないものに×を書いてください。

① （　　）写真作品を貸してもらいたいと依頼する。
② （　　）国際交流フェスタの開催を知らせる。
③ （　　）写真を貸し出すことを承諾する。
④ （　　）イベントの趣旨の理解と協力をお願いする。

2）Bのメールを読んだあと、村田さんは何をしますか。

2．文章を読んで答えてください。

> 「七人の侍」、「羅生門」などで知られる黒澤明監督に、「生きる」という作品がある。主人公は市役所の課長で、毎日無気力に仕事を続けていた。ある日、自分が病気で長くは生きられないことを知った。仕事を無断で休み、貯金を半分おろして酒を飲み、さまざまな遊びをしてみるが、（①　　　　　　）。遊びでは、心は満たされなかった。
> 　元の部下と再会し、今は工場で玩具を作っている彼女の「あなたも何か作ってみたら」という言葉に心を動かされた主人公は、仕事に戻った。自分が（②　　　　　　）ものを見つけたのだった。その日から、上司たちに粘り強く働きかけ、数か月後、住民から要望されていた小さな公園を完成させた。そして、雪の降る夜、完成した公園のブランコに乗って、静かに息を引き取った。
> 　同僚たちは、通夜の場では主人公の最後の仕事を褒めたたえ、自分たちも積極的に仕事に（③　　　　　　）だと言っていたが、次の日にはそれまでと変わらない熱意のない仕事ぶりに戻ってしまっていた。しかし、主人公の作った公園では、子どもたちが楽しげに遊ぶ声が響いていた。
> 　1952年の作品だが、今でもDVDなどで人々に鑑賞され続けている。時代が変わっても、訴えるものが（④　　　　　　）。

1）①～④に適切な言葉を選んでください。

① 楽しもうにも楽しめない　　楽しめるだけ楽しんだ
② 残しうる　　残しえない
③ 取り組むはず　　取り組むべき
④ あるのだろう　　あるつもりだ

2）「時代が変わっても、訴えるもの」とは何ですか。

第23課

読む・書く	コモンズの悲劇(ひげき)

・論文(ろんぶん)を読む
・筆者(ひっしゃ)の主張(しゅちょう)を理解(りかい)する

話す・聞く	スピーチ：一人の地球市民(ちきゅうしみん)として

・大勢(おおぜい)の人に向(む)かってスピーチをする
・自分の主張を聞く人に分かりやすく伝(つた)える

読む・書く

1. 考えてみよう

1）次(つぎ)の言葉(ことば)を知っていますか。

```
地球温暖化(ちきゅうおんだんか)    オゾン層の破壊(そうはかい)
熱帯雨林の減少(ねったいうりんのげんしょう)    酸性雨(さんせいう)
生物絶滅の危機(せいぶつぜつめつのきき)    大気汚染(たいきおせん)
水の汚染
```

2）イラストを見ながら、上の言葉を使って、話してみましょう。

🔊 2. 読もう

読むときのポイント：

・「コモンズの悲劇」とはどのようなことか、それは現在どのような環境問題として現れているか考えながら読みましょう。

コモンズの悲劇

「コモンズの悲劇」という有名な言葉がある。この言葉は地球の環境と人間活動を考える上でとても重要な意味をもつようになってきた。話は村の共有地に始まる。共有地には牧草があり、誰でもそこで羊を飼うことができる。人々はできるだけ多くの羊をそこに入れ、自分の利益を少しでもあげることを試み始めた。このような競争の結果、牧草地は荒廃してしまい、誰も羊を飼うためには利用できなくなり、その共有地は捨て去られてしまった。イソップ物語にでも出てきそうな事柄であるが、1968年に投稿され、アメリカの『Science』誌に出た有名な論文に基づいた話である。

ここで大事なことは、このような競争がなぜ始まったかということである。恐らくこの共有地はそれまで大事にされ、いろいろなやり方で地域の人々によって守られてきていたに違いない。あるいは過去にもそのような失敗があり、これに懲りた人々がそれを守る仕組みや掟を伝統的な文化の中に組み込んでおいた可能性もある。なぜこの物語が有名になり、いろいろな識者によって語られるようになったのであろうか。それは現在の地域や地球規模の環境問題の多くがこの牧草地のあり方の問題に直結しているからである。牧草地を普遍化すると公共圏（コモンズ）といわれる。それは、身近には水資源であり、山林、河川、湖である。地球規模で考えるならば、大気であり、その中の酸素であり、少々ものを捨ててもだれにも文句をいわれない海洋である。それらを皆が自分の利益のためだけに使ったら、全部がだめになってしまうということを、コモンズの悲劇は意味している。

異なる文化はさまざまな神話をもち、それぞれ異なる政治的および道徳的な信念を支えにしている。それがそれぞれの地のコモンズを支えてきた。このため、自然科学と社会科学に人文科学の研究を織りまぜなければ、環境か開発かのジレンマを掘り下げることはできない。これから地球環境を制御するシステムの理解が深まるにつれて、無数の相互作用や可能性のある解決策が見えてくるであろう。

人間が農耕を開始して1万年間いろいろな失敗をし、教訓を得てきている。メソポタミアの灌漑による土壌への塩類集積、アラル海の縮小、海浜の消失等々数えあげればき

りがないであろう。しかしこれからの環境問題は全地球的に及んでおり、一度失敗するとあとのつけは数百年に及ぶ可能性があり、失敗から教訓を学ぶようなやり方はとれなくなっているのである。コモンズの悲劇の最も大事な教訓はここにある。このためには結果を予測し、いろいろな起こり得る事象を明確にし、その確率を明らかにしておくことが不可欠となる。

(和田英太郎『環境学入門3 地球生態学』 岩波書店より)

3．確かめよう

1) 次の6つの文はA．B．C．のどの段階ですか。（　）に記号を入れてください。

　　A．皆で利益を分け合っていた
　　B．皆が自分の利益だけを求めた
　　C．皆が利益を失った

① 他の人も利益を多くあげようとして競争が始まった。（　）
② 誰もそこで羊を飼うことができなくなった。（　）
③ 村の共有地には牧草もあり、皆がそこでそれぞれの羊を飼っていた。（　）
④ その共有地は捨て去られてしまった。（　）
⑤ 誰かが自分の利益を増やそうと、羊の数を増やした。（　）
⑥ 羊の数が増えすぎて、牧草地が荒れてしまった。（　）

2) 牧草地を普遍化すると、公共圏（コモンズ）と言われます。それは具体的にどのようなところを指していますか。

　　身近な問題の例：
　　地球規模の問題の例：

3) 正しい答えを選んでください。

① 「コモンズの悲劇」は次のどれをたとえている話ですか。
　　a．地球の環境と人間活動
　　b．地球の環境と植物の生育
　　c．地球の環境と工業

② それはどうしてですか。
　　a．皆で利益を分け合えば、地球も環境も滅びることはないから。
　　b．利益を上げれば、地球も環境も発展するから。
　　c．人が競争して利益を上げようとすると地球も環境もだめになってしまうから。

③ コモンズの悲劇の最も大事な教訓は何ですか。
　a．失敗を早く忘れることが大切である。
　b．失敗の影響は長期間に及ぶので、失敗から教訓を学ぶやり方では地球は守れない。
　c．歴史上の種々の失敗から学んで対策をたてれば地球は守られる。

④ コモンズの悲劇を避けるためには何が大切だと言っていますか。
　a．結果を予測し、起こり得る事象を明確にし、その確率を明らかにしておくこと。
　b．結果を予測し、失敗しそうなことは行わないこと。
　c．結果を予測し、起こり得る事象を明確にし、関係者に説明すること。

4．考えよう・話そう

1) メソポタミア、アラル海はどのあたりか、地図に記入して、そこで起こった環境問題について調べてください。

2) あなたの身近なところにも環境問題がありますか。あれば話してください。

5．チャレンジしよう

1) 環境を守るために、普段の生活の中で具体的にどのような取り組みをすればよいかを考え、「エコチェックシート」を作ってください。

```
・温度設定
・水道の使い方
・自動車の使い方
・電気の使い方
　　　　︙
```

2)「エコチェックシート」の質問に関して、実行している人があなたの周りにどのくらいいるか調べてください。

話す・聞く　スピーチ：一人の地球市民として

1. やってみよう

日本語スピーチ大会で「人口問題」について話します。始めと終わりに気をつけて簡単なスピーチをしてください。

2. 聞いてみよう

聞くポイントを確認してから、聞きましょう。

カリナ

1) 内容を聞き取りましょう。
   ① カリナさんが紹介するクマゲラとはどのようなものですか。
   ② なぜカリナさんはクマゲラの話をするのですか。
   ③ なぜ白神山地の林道計画は中止されたのですか。
   ④ インドネシアに絶滅の恐れがある鳥類が多い原因として、カリナさんはどのようなことを挙げていますか。
   ⑤ カリナさんは世界中の環境問題の解決にはどのようなことが必要だと言っていますか。

2) 表現を聞き取りましょう。

   カリナさんはどう言いましたか。
   ① 旅行がきっかけとなって鳥たちやその生息地の問題に興味を持った経緯を説明するとき
   ② インドネシアは絶滅の恐れのある鳥類が世界第2位だという事実を述べるとき
   ③ 鳥の数が徐々に減ったことを伝えるとき
   ④ カリナさんが一人の地球市民としての決意を述べるとき

🔊 3. もう一度聞こう
CD2-12

_____の部分に言葉を書いてください。

【地域国際交流協会主催のスピーチコンテストで】

皆さん、こんにちは。カリナと申します。①_____クマゲラの棲む森②_____。クマゲラって何でしょうか。クマのような動物？ ……いいえ。クマゲラとは啄木鳥という鳥の仲間です。頭からしっぽの先までの長さは40センチから50センチ、頭の後ろの羽毛が赤い色をしています。

なぜ、インドネシア人の私がクマゲラの話をするのかと不思議に思われるかもしれませんが、実は、今年の夏休み、東北へスケッチ旅行に行ったとき、白神山地でクマゲラと偶然出合ったのです。③_____、クマゲラと森について、さらにはインドネシアの絶滅する恐れのある鳥たちとその生息地④_____。

クマゲラの棲む白神山地は日本に残された最大のブナの原生林で、広さは1万7000ヘクタールあります。そこにはクマゲラをはじめ、多種多様な動植物が見られます。しかし、戦後、ブナは使い道のあまりない木材だからと伐採されました。また、それを運び出すために道が造られました。こうしてブナの原生林は次第に狭められてきました。一方で、ブナの原生林を守ろうという動きが出てきました。ちょうどそのころ、青森と秋田を結ぶ新たな道路が計画され、開発か保護かの議論が起こりました。その中でカギとなったのがクマゲラでした。クマゲラにとって、巣作り、餌集め、ねぐらのどれをとってもブナの木の存在は欠かせません。天然記念物であると同時に絶滅危ぐ種に指定されているクマゲラを守るためには、ブナの伐採を止めさせる必要があったというわけです。結局、道路計画は見直され、中止されました。そしてその後、白神山地は世界自然遺産として登録されたのです。

⑤____、私の国、インドネシア⑥_____。⑦_____、絶滅の恐れのある鳥類が141種もいます。それは世界で2番目の多さだと言われています。どうしてそのような事態になったのでしょうか。

まず、農地や居住地の拡大です。人々は農地を広げるために木々を伐採しました。また、町をつくるために森を開拓しました。海外へ輸出するための木材もどんどん伐採されたのです。さらに気候変動も影響しました。こうしたさまざまな要因が絡みあって森が破壊され、そこに棲む鳥たちの命が奪われていったのです。

持続可能な開発という言葉があります。私は、人間にはそれを可能にする知恵があると信じます。ブナ林のすばらしさは言うまでもありません。そして、人間の知恵が生かされた⑧_____、白神山地⑨_____。

水、大気、食糧…、世界中に多くの環境問題が存在しています。それらを解決していくためには、国を超えて人々が理解し合い、経験と知識を共有し、ともに協力し合うことが必要です。私は、一人の地球市民として、⑩＿＿＿＿＿＿＿＿＿＿＿＿＿＿＿＿＿＿＿＿＿＿＿＿＿＿＿＿。ご清聴ありがとうございました。

4. 言ってみよう

絵を見ながら発音とイントネーションに注意し、CDのとおりに言ってみましょう。

1) スピーチコンテスト
2) 白神山地
3) インドネシア
4) 環境問題を考える

5. 練習しよう

1) 何かをするようになったきっかけを話します。

　　例：今年の夏休みに行った海の砂浜が汚れているのを見て、海の汚染について関心を持つようになった。

　　　　○：私は今年の夏休み、海へ泳ぎに行きました。そのとき、砂浜にたくさんのごみが打ち寄せられているのを見て、とても残念に思いました。**それがきっかけで**海の汚染について考える**ようになりました**。

　（1）お土産にもらったかっこいいシャツが日本製だったので、日本のファッションに興味を持つようになった。
　（2）母が一日中働くことになり、携帯電話を持つようになった。

2) 話題を転じ、それについての感想を伝えてから、現状を述べます。

　　例：私の国では町にごみがあふれ、臭いのために観光客も減っている。とても悲しい。

　　　　○：**さて、私の国ではどうでしょうか**。悲しい**ことに**、美しい街並みで有名な故郷がごみでいっぱいになることがたびたびです。夏にはごみから出る臭いもひどく、世界中から来る観光客も少なくなっています。

　（1）私の会社では経験豊かな技術者が減ってきている。困ったことだ。
　（2）私の国では子どもの数が増えている。うれしいことだ。

6. チャレンジしよう

「スピーチの流れ」を意識して、自国の環境問題への取り組みについてスピーチをしてください。

```
スピーチの流れ：① 導入　（テーマへの導入）
　　　　　　　　② 説明　（テーマを選んだ理由、きっかけ）
　　　　　　　　③ 展開　（テーマが抱える問題点）
　　　　　　　　④ 主張　（身近な自分の問題に引き寄せる）
　　　　　　　　⑤ 結論
　　　　　　　　⑥ スピーチを終わる挨拶
```

1）具体的な事例について調べてください。
2）その中で何を取り上げるか、「スピーチの流れ」に沿ってメモを作成してください。

文法・練習

読む・書く

1. 一度失敗すると、あとのつけは数百年**に及ぶ**可能性がある。

1) 2004年の大津波の被害はインドネシアからインドの海岸にまで及んだ。
2) 議論は国内問題にとどまらず国際問題にまで及び、今回の会議は非常に実りのあるものとなった。

a/b 昨日の国際会議は8時間に及んだ。

　　a．国際会議を8時間ぐらいするのは普通である。
　　b．国際会議が8時間になることは珍しい。

2. 一度失敗すると、あとのつけは数百年に及ぶ**可能性がある**。

1) あの学生は基礎的な学力があるし、努力家だから、これから大きく伸びる可能性がある。
2) 携帯電話は非常時の連絡に便利だが、場所によってはかからなくなる可能性もある。

a/b 将来はほとんどの大学で1年が9月に初まり6月に終わるようになる可能性がある。

　　a．将来は大学の入学式が9月に行われているかもしれない。
　　b．将来は大学の入学式が9月に行われることはあり得ない。

3. 「コモンズの悲劇」という有名な言葉がある。**この**言葉は地球の環境と人間活動を考える上でとても重要な意味をもつようになってきた。

1) 「生きるべきか死ぬべきかそれが問題だ」。この言葉はシェークスピアの『ハムレット』に出てくるものだ。
2) 「本店は来月いっぱいで閉店します」。この発表を聞いたとき、大変驚いた。
3) 「ワールドカップ2010でスペインが優勝した」。このニュースを私は病院で聞いた。

練習1 例：「天は人の上に人をつくらず、人の下に人をつくらず」。（ⓐ．この　b．その）言葉は慶應義塾大学をつくった福沢諭吉のものである。

1) 「愛してる。結婚しよう」。彼の（a．この　b．その）言葉を聞いたのは1か月前だ。
2) 「転ばぬ先の杖」。（a．この　b．その）ことわざの意味は「前もって準備していれば、失敗することはない」ということである。

練習2　あなたが好きな言葉を挙げて、どういう意味か教えてください。

例：「朝令暮改」。この言葉は漢字が示す通り「朝決めたことを夕方には改める（すぐ変更する）」という意味です。普通、悪い意味に使われますが、私はその軽さが好きです。いったん決めたことを簡単に変更するのは恥ずかしいと思って、改めたほうがいいと分かっていても変えられず、どうにもならなくなって困ってしまうことがよくあるからです。

4. 「コモンズの悲劇」という言葉は地球の環境と人間活動を考える**上で**重要な意味をもつ。

1) お見舞いの品を選ぶ上で、気をつけなければならないことはどんなことですか。
2) 値段を決める上で、最も重要なのは製品のコストだ。
3) 人間が成長する上で、愛情は欠かせないものだ。

練習1　例：優れた　論文　書く　重要　こと　以下　述べる
　　　　　→　優れた論文を書く上で、重要なことを以下に述べる。

1) 日本語　習得する　漢字　知識　欠かせない　→
2) 当時　日本人の生活　知る　この本　貴重　思う　→

練習2　例：部下を引っ張っていく上で、もっとも重要なことは部下の信頼を得ることである。

1) 日本で留学生活を送る上で、＿＿＿＿＿＿＿＿＿＿＿＿＿＿＿＿＿＿＿＿＿＿＿。
2) ＿＿＿＿＿＿＿＿＿＿上で、＿＿＿＿＿＿は＿＿＿＿＿＿＿＿＿＿＿＿＿＿＿＿。

5. 地球環境を制御するシステムの理解が深まる**につれて**、無数の解決策が見えてくるであろう。

1) 日本語が分かってくるにつれて、日本での生活が楽しくなった。
2) あのとき謝ったけれど、時間が経つにつれて、腹が立ってきた。
3) 調べが進むにつれて、事実が明らかになると思われる。

練習1　例：ケータイなど　機器　普及する　人間関係　変わる　くる
　　　　　→　ケータイなどの機器が普及するにつれて、人間関係が変わってきた。

1) 時間　経つ　悲しみ　薄れる　→
2) 大会　近づく　選手　緊張　高まる　→

練習2　例：秋が深まるにつれて、山の色が赤く染まってきた。

1) ゼミでの発表が近づくにつれて、＿＿＿＿＿＿＿＿＿＿＿＿＿＿＿＿＿＿＿＿＿。

2) ＿＿＿＿＿＿＿＿＿＿＿＿＿＿＿＿＿＿＿につれて、暮らしが豊かになってきた。

話す・聞く

6. 悲しい**ことに**、インドネシアには絶滅の恐れのある鳥類が141種もいます。

1) おもしろいことに、メキシコとエジプトは遠く離れているにもかかわらず、同じようなピラミッドが造られている。
2) 驚いたことに、40年ぶりに訪ねた故郷の小学校がなくなっていた。

　不思議なことに、祖父が亡くなった日に息子が生まれた。

　　a．祖父が亡くなった日に息子が生まれたことは不思議だ。
　　b．祖父が亡くなったことも、息子が生まれたことも不思議なことだ。

7. インドネシアには絶滅の**恐れのある**鳥類が141種もいます。

1) 台風13号は九州に上陸する恐れがあります。
2) やけどの恐れがありますから、この機械に絶対に触らないでください。

　今年の冬もインフルエンザが流行する恐れがありますから、注意してください。

　　a．人間はいまだに自然の力に対する恐れがある。
　　b．今の経営状態が続けば、会社は倒産する恐れがある。

8. ブナ林のすばらしさは言う**までもありません**。

1) 彼女の返事は聞くまでもない。イエスに決まっている。
2) 彼の息子なら大丈夫だろう。会うまでもないさ。

　このことの真偽は確かめるまでもない。

　　a．確かめたいと思っている。
　　b．確かめたいと思っていない。

9. 東北へ旅行に行ったとき、白神山地でクマゲラと偶然出合ったのです。それ**がきっかけで**、クマゲラと森について考えるようになりました。

1) 小学生の頃プラネタリウムを見たことがきっかけで、宇宙に興味を持つようになった。
2) 今回のビル火災をきっかけに、各階にスプリンクラーの設置が義務づけられた。
3) 通学の電車で彼女の落とし物を拾ってあげました。それをきっかけに話すようになり、今では大切な親友の一人です。

練習1　例：町　外国人　道　聞かれる　ボランティア　日本語　教える　なる
　　　　→　町で外国人に道を聞かれたことがきっかけで、ボランティアで日本語を教えるようになりました。
1）子ども　生まれる　食物と環境　興味　持つ　→
2）小学校3年生　社会科の試験　100点　取る　社会科　好き　なる　／　今　国立地理研究所　働く　→

練習2　あなたのきっかけを話してください。
1）日本語学習を始めたきっかけ　→
2）今の趣味にはまったきっかけ　→

10. 白神山地にはクマゲラをはじめ、多種多様な動植物が見られます。

1）カラオケをはじめ、ジュードー、ニンジャなど、世界共通語になった日本語は数多くある。
2）世界には、ナスカの地上絵をはじめ、ネッシー、バミューダ・トライアングルなどいまだ多くの謎が存在する。
3）市長をはじめ、皆様のご協力で今日のこの日を迎えることができました。

練習1　例：ホストファミリー　先生方　事務の方々　たいへん　お世話になる　ありがとうございました
　　　　→　ホストファミリーをはじめ、先生方、事務の方々にたいへんお世話になり、ありがとうございました。
1）ミラーさん　サントスさん　シュミットさんなど『みんなの日本語』登場する　外国人　みんな　日本語　上手　→
2）納豆　フナずし　ドリアン　臭い　おいしい　もの　世界中あちこち　存在する　→

練習2　例を挙げて話してください。
例：愛するもの
→　木や花などの自然をはじめ、歌、踊り、絵、建築など、この世に愛するものは無数にあります。なかでも、踊りです。踊りは絵や建築と違って形として残らず、瞬間に消えてしまう点で特に好きです。
1）ないほうがいいもの　→
2）日本語で好きな言葉　→

問題

Ⅰ．1．
1) ① (　　　) ② (　　　) ③ (　　　) ④ (　　　)

2) ① _____

② _____

③ _____

Ⅱ．1．文章を読んで答えてください。

> 「森は海の恋人、川はその仲人」と言って、山に木を植えることを呼びかけた人がいる。河口でカキを育てている畠山重篤さんという漁師だ。畠山さんは、上流に豊かな森が広がっていないと、川に栄養分がなくなって、海の魚もカキも育たないことに気がついた。
> サケという魚も自然の循環の中で生きている。サケは海に流れ出た森の栄養分を体にたっぷり取り込み、川を上ってきて卵を産み、そして死ぬ。動物や鳥がそれを食べ、あるいは上流の土地の栄養分となり、それが森を豊かにする。まさに命の循環である。

1) 本文の内容と合っていれば○、違っていれば×を書いてください。

① (　　　) 畠山さんは海を守るために、海をきれいにしようと仲間に呼びかけた。

② (　　　) 川に栄養分がなくなると、河口の魚もカキも育たない。

③ (　　　) よい川の上流には豊かな森が広がっている。

④ (　　　) サケは海に流れ出た森の栄養分を取り込み、そこで卵を産む。

2) 「森は海の恋人、川はその仲人」の意味に合っているものを選んでください。

a．豊かな海と豊かな川の命の循環を山が見守っている。

b．豊かな海と豊かな森の命の循環を川がつないでいる。

c．豊かな森は海で働く人たちの憧れだ。

2．文章を読んで答えてください。

　日本のエネルギー消費のうち、家庭部門の占める割合は14.0％であり、産業部門の42.7％に比べ決して多いわけではない。ところが日本の家庭の電力消費はヨーロッパに比べて非常に多く、近年その伸びが世界的にもいちじるしいことから、個人のレベルでの見直しも必要になってきた。

　技術の進歩により、冷蔵庫（①　　　　　）テレビ、エアコンなど、電化製品の省エネ化が確実に進んだ。照明器具の省エネ化は、蛍光灯の開発に始まったが、さらにLEDへの切り替えも進み、現在、一般家庭の照明（②　　　　　）。

　しかし、このように省エネ化が進んだにもかかわらず、日本の家庭消費電力は増え続けてきたという事実がある。これらは製品の大型化、あらたな機器の登場、また、その普及（③　　　　　）、個人が複数の機器を使うようになった結果であることは、あらためて言う（④　　　　　）。もう省エネを技術だけに頼ることはできない。機器の数や使用時間などは、生活の知恵と工夫により、相当減らすことができる。

　そして、より重要なことは、家電に頼りすぎない生活へ向かうことである。たとえば緑に囲まれた、風通しのよい部屋では、エアコンの使用時間は少なくて済む。またテレビはお年寄りの楽しみだが、家族や友人と楽しく過ごせるなら、テレビを見る時間も少なくなる。だから、一日中テレビを見て過ごすような老人をつくらない地域社会にしていくことが省エネへの第一歩とも言えるわけだ。

　家電の使用をすべてやめる必要はないが、子どもたちの未来と地球の環境を守るためには、多少の不便はあっても家電に頼りすぎない、もっと人間的な生活を大切にすることが、これからの家庭には求められている。

（『徹底検証 21世紀の全技術』「第4章 家庭電化はどこまで必要か」（猪平進）現代技術史研究会編 藤原書店 より、一部を改変して掲載）

1）①～④に適切な言葉を選んでください。

　　につれて　　をはじめ　　までもない　　にも及んでいる

2）筆者がいちばん言いたいことは何ですか。

　　a．省エネの第一歩は家電を使わず、風通しのよい部屋で家族や友人と過ごすこと。
　　b．家電に頼りすぎず、人間的な生活を大切にし、子どもたちの未来と地球環境を守っていくこと。
　　c．技術の進歩により省エネ化は進んだが、知恵と工夫によりもっと減らすよう心がけること。

第24課

読む・書く	**型にはまる**

・随筆を読む

・筆者の主張を読み取る

・対比しながら読む

話す・聞く	**好奇心と忍耐力は誰にも負けないつもりです**

・就職試験の面接を受ける

・自分のことをアピールする

・専門について詳細に述べる

読む・書く

1. 考えてみよう

1）規則や約束事を守ることの良い点と悪い点、それを守らず自由にすることの良い点と悪い点は何でしょうか。

2）服装にはTPO（時・場所・場合）の約束事がありますが、それを守りますか。自由に好きなかっこうをしますか。

3）茶道と能、利休と世阿弥について何か知っていますか。知らなければインターネットなどで調べてみましょう。

2. 読もう

> 読むときのポイント：
> - 筆者が最も主張したいことは何か、考えながら読みましょう。
> - 型について、私達と利休、世阿弥を比べながら読みましょう。

型にはまる

お能にもお茶にも型というものがあります。

およそ世の中に、型にはまる、ということくらい理想的なことはありません。なんでも型にはめさえすれば、間違いは、おこり得ないのです。また、型にはまらなければ、型を破ることも出来ないのです。

若い人達は、とかく型にはまることをいやがります。自由であること、——なるほどそれ以上のいいことはないようです。けれども、見渡したところ、世の中には型にあらざるものはない、といってもいいすぎではないほど、上は宗教から、芸術から、生活に至るまで、型にはまってないものは一つとしてありません。言葉でも、衣類でも、食器でも、法律でも、教育でも、習慣でも、紙でもペンでも。（中略）「世の中」という一つの枠は、私達を固くきつくしばり上げています。それも、たった一人で、人跡絶えた山奥にでも住まぬ以上、そうです。一人でも、人間に会ったら、もうそこに一つの約束が出来上がります。（中略）面倒くさいきずなを、こんがらかった糸でも切るように、ズタズタに切りさかぬかぎり、社会人たる私達は、なんといおうと、型にはまらないで暮らすわけにはゆきません。思えば、自由ということは、実に寂しいことであるのです。

利休も世阿弥も、私達不自由な者からみれば、お茶やお能をつくったということにおいて、うらやむべき幸福な人達でありますが、おそらく彼らにいわせたら、彼らほど不幸で、寂しい人間はいない、というにきまっていると思います。天才は、いつもたった一人で、話相手をもちません。いっても仕様のないこと、そうかといって、いわないでも仕様のないこと。そういう気持ちをまぎらわすために、利休には茶、世阿弥には能が必要でありました。まぎらわす、というよりも、もっと切実に、芸術がなかったら、彼らは生きてはゆけなかった。それだけがたよりであったのです。

一本の茶杓をけずる時でも、利休はおそらく、そういうあきらめの心とともに、その竹の一片に彼の肉体と精神をまかせきったことと思います。利休はそのささやかなものを自分と同じくらい愛したと同時に、そんなものはどうでもよかったに違いありません。（中略）

死ぬ時に、「無用の物」といって、愛用した茶碗を壊したのも、利休が、自分の死とともに、茶器も茶道も、みんな一緒に滅びる、ということを信じていたからです。

事実、茶道は利休とともに滅びました。お寺の鐘が鳴るように、鳴った後は、それは音ではなくてひびきです。その美しい余音を少しでも長くとどめておこうとして、後の人々は、おろかな努力をこころみます。本人にはちっとも型をつくる気はなかったのに、その人々が利休をしのぶあまりに、茶道の型をでっち上げたのです。それは、しかし天才ならぬ我々にとって、唯一の、利休へ近づく道であります。型を破る、などということは、ほんとをいえば、利休までもけっとばしてしまうくらいの自信ある、そして利休以上の天才でないかぎり、そんなことは出来ないのです。

(白洲正子『日月抄』「Ⅱたしなみについて　五十一」世界文化社)

3. 確かめよう

1) 筆者は本文中でどのように述べていますか。正しい答えを選んでください。

① 筆者が「社会人たる私達は、…型にはまらないで暮らすわけにはいかない」と言っているのはどうしてですか。
   a．世の中には宗教・芸術から生活まで、型にはまってないものはないから。
   b．世の中が私達を一つの枠にしばってしまうことはできないから。
   c．一人で、人跡絶えた山奥に住むということは、寂しいから。

② 筆者は型というものをどのように考えていますか。
   a．茶道や能などの伝統的なものにだけ型がある。
   b．なんでも型にはめるということが間違いのもとである。
   c．天才だけが、型を破ることができる。

③ 筆者は利休と茶道をどうとらえていますか。
   a．利休にとっての茶道とは、なかったら生きていけないものだった。
   b．利休にとっての茶道とは、利休が作った茶杓を後世に残すことだった。
   c．利休にとっての茶道とは、利休の死とともに一緒に滅びるものではなかった。

2）表を完成させてください。

	私達	利休、世阿弥
例	① (凡人)・天才	② 凡人・(天才)
（1）	① 不自由・自由	② 不自由・自由
（2）		② 寂しい・寂しくない
（3）	① 型が破れる・型が破れない	② 型が破れる・型が破れない

4. 考えよう・話そう

1）利休は自分の死によって茶道は滅びることを信じ、愛用の茶碗を壊して死にましたが、21世紀の今日、なお利休によって始められた茶道が行われています。その理由を考えてください。

2）社会では世の中の枠ばかりでなく、学校や会社という組織、工場という生産の仕組みなど、いろいろな型を学ばなければなりません。あなたはどうやって型を獲得していきますか。自由に話してください。

5. チャレンジしよう

あなたの国、地域にも、利休や世阿弥のように型にはまらなかった人物がいますか。その人を紹介してください。その人についてあなたはどう思いますか。800字程度にまとめてください。

```
文章の流れ：

①型にはまらなかった人物の紹介
        ↓
②その人がしたことを具体的に
        ↓
③その人は社会にどう受け止められたか
        ↓
④あなたはその人についてどう思うか
        ↓
⑤まとめ
```

話す・聞く　好奇心と忍耐力は誰にも負けないつもりです

1. やってみよう

広告制作会社で働きたいと思っています。今日は面接です。なぜ、その会社で働きたいかを述べ、自分をアピールしてください。

2. 聞いてみよう

聞くポイントを確認してから、聞きましょう。

面接担当者　　ジャン

1) 内容を聞き取りましょう。
   ① ジャンさんはなぜこの会社で働きたいと思いましたか。
   ② ジャンさんはこの会社の商品についてどう思っていますか。
   ③ ジャンさんはどうして日本への留学を志望しましたか。
   ④ 留学の目的はどんなことですか。
   ⑤ 自分のどのようなところをアピールしましたか。

2) 表現を聞き取りましょう。

   ジャンさんはどう言いましたか。
   ① 志望動機を述べた後で、最後にまとめて自分の気持ちを述べるとき
   ② この会社の商品の感想を言った後で、自分にとってどのようなものかをまとめて言うとき
   ③ ぜひこの会社で働きたいという意志を強く示すとき
   ④ 面接が終わったと告げられたとき

🔊 3. もう一度聞こう

___の部分に言葉を書いてください。

【就職の面接会場で】

面接担当者： ジャンさんは①_____。

ジャン： はい。御社は、グローバルに事業を展開されています。例えば、最近では私の国でも新しい工場を建設されました。原料である農産物の調達や雇用の確保を現地で行っていらっしゃるという点で、お互いの関係をwin-winなものにしてこられたと思います。私は、②_____。

担当者： そうですか。で、ジャンさんは③_____。

ジャン： はい。まず、私にとってMKのカップ麺との出会いは、味も香りも衝撃的でした。日本に留学してからは、自炊生活をしておりますが、MKの商品は種類も豊富で、冷凍食品やレトルト食品まで、どこのスーパーでも手軽に手に入ります。お金がないときや時間がないとき、ちょっと贅沢をしたいときにもMKの商品は食生活を豊かにしてくれます。

担当者： なるほど。ところで、④_____？

ジャン： はい。日本のアニメが大好きで、⑤_____。来たばかりの頃は授業についていくのが大変でした。そのような時でもテレビのアニメはよく見ていました。その時に流れていた御社のCMはいつも元気いっぱいで、ずいぶん励まされました。

担当者： そうですか。それで、そういうテレビのCMや、アニメの制作などには⑥_____。企画とか、宣伝とか、……。

ジャン： はい。⑦_____テレビのアニメやCMでした。しかし、それは単なるきっかけです。私が日本に留学した目的は日本の科学技術を学ぶためです。卒業後は、生産関係の仕事に就き、技術を身につけ、将来的には開発の仕事に携われれば、と考えております。

担当者： なるほど。会社組織の中では必ずしも希望する職種につけるわけではありませんが、ジャンさんは当社で⑧_____。

ジャン： はい。私は大学では化学を専攻しました。特に食品に含まれるアミノ酸を卒論のテーマにしました。御社は、アミノ酸生産技術を応用した食品製造に実績があるだけでなく、近年は医薬品、化粧品、健康食品の分野にまで進出していらっしゃいます。⑨_____が、好奇心と企画力と

⑩＿＿＿＿＿＿＿＿＿＿＿＿＿＿＿＿＿＿＿。もし機会が与えられましたら、現場で経験を積んで、⑪＿＿＿＿＿＿＿＿＿＿＿＿＿＿＿＿＿＿＿＿。

担当者： 分かりました。けっこうです。今日は、どうもありがとうございました。
ジャン： ありがとうございました。よろしくお願いいたします。

4. 言ってみよう

絵を見ながら発音とイントネーションに注意し、CDのとおりに言ってみましょう。

5. 練習しよう

1) 就職の面接試験で志望理由を言います。

例：世界中に工場があり、どこの工場もその地域といい関係を築き仕事をしている。
（●：面接担当者）
●：どういった理由で当社への就職を希望されたんですか。
○：御社は世界中に工場があり、どの工場もその地域でいい関係を築き、仕事をしておられる**ことに感銘を受け、ぜひ御社で働きたいと思いました。**

（１）育児や介護をしている社員に対して配慮がある。
（２）ユニークな旅行を企画し、業界の発展に貢献している。

2) 面接試験で自分の発言に対して突っ込まれるが、うまく切り返します。

例：専門と志望職種が違うことを指摘される（●：担当者）
●：あなたは学校の教師や語学インストラクターになろうとは思わなかったんですか。専門も教育関係だし、アルバイトでもずっと中国語を教えていたようだし、…。
○：**確かに**私の学生時代は専門もアルバイトも教育関連でした。**しかし、**専門は教育といっても理科教育でしたし、留学目的は日本の科学技術を学ぶためでした。

（1）仕事内容が専門分野を生かせるものではないと指摘される。
　　　●：弊社では必ずしも○さんの専門を生かせる部署に配属されるとはかぎりませんが。
（2）配偶者が国にいるが、日本での長期の就労が可能かと聞かれる。
　　　●：あなたの奥さん（ご主人）はお国にいらっしゃるようですが、もしあなたが日本で就職することになれば、どうなさるおつもりですか。

6. チャレンジしよう

1）面接試験の流れに沿って、自分の場合をまとめてください。

```
試験の流れ：① 志望動機（日本企業で働く理由）
　　　　　　② 日本留学の理由
　　　　　　③ 経験（学生時代にどのような活動をしたか）
　　　　　　④ 短所・長所（特に短所、失敗談）
　　　　　　⑤ 専門、適性の有無
　　　　　　　［否定的な質問への受け答え］
　　　　　　　例：あなたの専門はこの会社では生かせないと言われたとき
　　　　　　⑥ 決意、抱負
```

2）あなたの受けたい会社を決めてください。

　　面接を受けてください。

文法・練習

読む・書く

1. 世の中には型にあら**ざる**ものはない、といってもいいすぎではない。

1）「見ざる、聞かざる、言わざる」は一つの生き方を示している。
2）歴史にはまだまだ知られざる事実があるはずだ。

　ⓐⓑ　世界には、許されざる差別がまだ残っている。

　　　a．世界には、許されなければならない差別が今もある。
　　　b．世界には、許してはいけない差別が今もある。

2. 上は宗教から、芸術**から**、生活**に至るまで**、型にはまってないものは一つとしてありません。

1）自転車のねじから人工衛星の部品に至るまで、どれもこの工場で作っています。
2）クラシックからJ-popに至るまで、当店ではどんなジャンルの音楽でもご用意しております。

　ⓐⓑ　この歌は子どもからお年寄りに至るまで、みんなに親しまれています。

　　　a．この歌は子どもとお年寄りに親しまれている。
　　　b．この歌はあらゆる世代の人に親しまれている。

3. その竹の一片に彼の肉体と精神をまかせ**きった**ことと思います。

1）赤ちゃんは安心しきった表情で母親の胸で眠っている。
2）山本さんは疲れきった顔で座り込んでいる。

　ⓐⓑ　子育てを母親にまかせっきりにしている父親が多い。

　　　a．母親だけが子育てをしている家庭が多い。
　　　b．母親の子育てに協力する父親が多い。

4. それは、しかし天才**ならぬ**我々にとって、唯一の、利休へ近づく道であります。

1）それが、永遠の別れになるとは、神ならぬ私には、予想もできなかった。
2）いつか宇宙に行きたいと思っていたが、それがついに夢ならぬ現実となった。

　ⓐⓑ　駅前にコーヒーショップならぬ「ウォーターショップ」が開店するそうだ。

　　　a．こちらのチーズは、牛乳ならぬやぎ乳で作ったものです。
　　　b．プッチーニ作曲の「誰も寝てはならぬ」は素晴らしい曲だ。

5. なんでも型にはめさえすれば、間違いは、おこり得ないのです。

1) 非常用として3日分の水と食料を蓄えておきさえすれば、あとは何とかなる。
2) このグラウンドは、市役所に申し込みさえすれば、誰でも使えます。
3) 家族が健康に暮らしてさえいれば、十分に幸せです。

練習1　例：子ども　褒めてやる　まっすぐ　育つ　ものだ
　　　　　→　子どもは褒めてやりさえすれば、まっすぐ育つものです。
1) 前方　よく　見る　運転する　事故　起きない　はず　→
2) よく　食べる　よく　寝る　病気　ならない　→

練習2　何かをしてさえいれば、機嫌のいい人を紹介してください。
例：次郎はゲームをしてさえいれば、機嫌がいいです。宿題をしろとか食事だからやめろなどと言うと機嫌が悪くなります。きちんとしつけをしたくても言うことをきかず、親としてはストレスがたまります。

6. 型にはまってないものは一つとしてありません。

1) 似ている声はありますが、調べてみると同じ声は一つとしてありません。
2) 皆が励まし合った結果、一人としてやめたいと言う者はいなかった。
3) 故郷で暮らす母を思わない日は一日としてありません。

練習　例：たとえ今悲しく辛い日々も、人生にとって無駄なことは一つとしてないと信じます。
1) 彼女に出会って以来、＿＿＿＿＿＿彼女のことを思わない日はない。
2) 君のようなお金の価値が分からない人にお金を貸す人は＿＿＿＿＿＿いません。
3) モーツァルトの作品にはつまらない曲は＿＿＿＿＿＿ありません。

7. たった一人で、人跡絶えた山奥にでも住まぬ以上、型にはまらないで暮らすわけにはゆきません。

1) 相手が「うん」と言わぬ以上、あきらめるしかありません。
2) 家賃が払えない以上、出ていくしかない。
3) 結論が出た以上、実施に向けて計画を進めます。

練習1　例：住民　意見　受け入れる　市　一日も　早く　開発　進めてほしい
　　　　　→　住民の意見を受け入れた以上、市は一日も早く開発を進めてほしい。
1）役員　引き受ける　この1年間　長い　旅行　病気　できない
2）人気　ない　番組　中止　なる　仕方がない　→

練習2　例：会議で決まった以上、その決定に従わなければならない。
1）どんなに小さな約束でも約束した以上は、＿＿＿＿＿＿＿＿＿＿。
2）＿＿＿＿＿＿＿＿以上は、3年は頑張らないと、その仕事が合っているかどうか結論は出せないはずだ。

8. 面倒くさいきずなを、ズタズタに切りさか**ぬかぎり**、社会人**たる**私達は、なんといおうと、型にはまらないで暮らすわけにはゆきません。

1）私が病気にでもならぬかぎり、この店は売りません。
2）あきらめないかぎり、チャンスは必ず来ると思う。
3）ご本人の了承がないかぎり、個人情報はご提供できません。

練習1　例：努力しない　なりたい　自分　なれない
　　　　　→　努力しないかぎり、なりたい自分にはなれません。
1）広告　世の中　知らせない　どんなに　いい　商品　売れない　→
2）自分から　行動　起こさない　幸運　向こうから　やってこない　→

練習2　例：時計の針が戻らないかぎり、銭湯や下駄屋のある街並みを見ることはできない。
1）上司の許可がないかぎり、＿＿＿＿＿＿＿＿＿＿＿＿＿＿。
2）＿＿＿＿＿＿＿＿＿＿かぎり、戦争はなくならない。

9. 面倒くさいきずなを、ズタズタに切りさかぬかぎり、社会人たる私達は、なんといおうと、型にはまらないで暮らす**わけにはゆきません**。

1）どんなに生活に困っても、子どもの学費のために貯金してきたこのお金を使うわけにはいかない。
2）遅刻も1回、2回なら許してもいいが、3回も4回も重なると許すわけにはいかない。
3）失業中だからといって、親に頼るわけにはいかない。

練習1　例：父　大切　する　レコード　捨てる
　　　　　→　父が大切にしていたレコードだから、捨てるわけにはいかない。

1) 家族　反対　押し切る　役者　なる　やめる　→
2) 絶対に　人　言わない　約束する　しゃべる　→

練習2　例：宿題が終わらないうちは、寝るわけにはいかない。
1) 妻が3時間もかけて作ってくれた料理だから、＿＿＿＿＿＿＿＿＿＿＿＿＿＿＿＿。
2) やりたい仕事ができないからといって、＿＿＿＿＿＿＿＿＿＿＿＿＿＿＿＿。

10. 本人にはちっとも型をつくる気はなかったのに、その人々が利休をしのぶ**あまりに**、茶道の型をでっち上げたのです。

1) 子どものことを心配するあまり、つい電話をしては嫌がられている。
2) ダイエットに励むあまり、病気になった。
3) 彼は驚きのあまりに、手に持っていたカップを落としてしまった。

練習1　例：スピーチ大会　緊張　足　震える　困った
　　　　→　スピーチ大会のとき、緊張のあまりに足が震えて困りました。
1) コンテスト　優勝する　興奮　大声　出してしまう　恥ずかしかった　→
2) 昔々　ある国　王子様　失恋　悲しみ　石　なる　→
3) 山田さん　手術　失敗　後悔する　医者　やめてしまった　→

練習2　例：試合に負けて、悔しさのあまりに、涙が止まらなかった。
1) 彼女はボランティア活動に熱心なあまりに、＿＿＿＿＿＿＿＿＿＿。
2) 地球の未来を心配するあまりに、＿＿＿＿＿＿＿＿＿＿。
3) 彼は飛行機がゆれたとき恐怖のあまりに、＿＿＿＿＿＿＿＿＿＿。

練習3　うれしさのあまり、眠れなかった経験を話してください。

例：長いことダンスを習ってきましたが、ちっとも上達せず、落ち込んでいました。先週の木曜日、いつもの通り一人ずつやらされました。一瞬の沈黙のあと「すばらしい」と言われたとき、すぐには信じられませんでした。うれしさのあまり、その日の夜は夢の中でも踊っていました。

問題

I．1．
1)（①　　　）（②　　　）（③　　　）（④　　　）
2)（①　　　）（②　　　）（③　　　）（④　　　）
3）履歴書

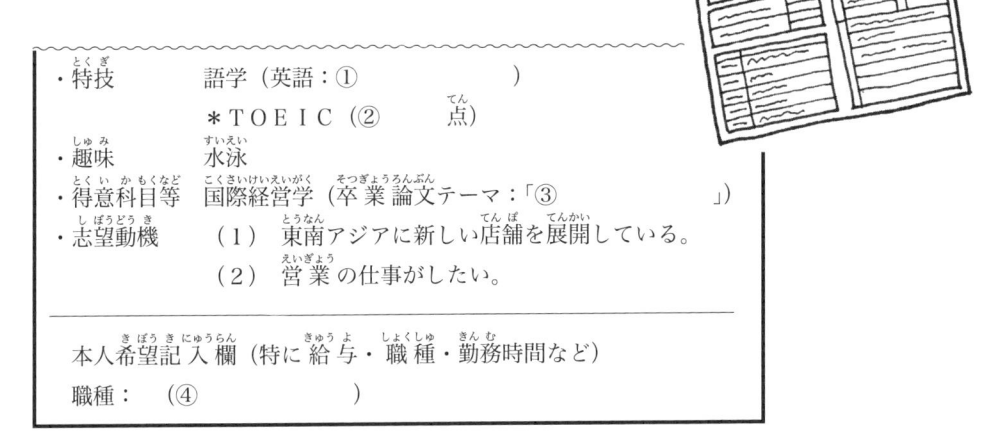

・特技　　語学（英語：①　　　　　）
　　　　＊ＴＯＥＩＣ（②　　）点
・趣味　　水泳
・得意科目等　国際経営学（卒業論文テーマ：「③　　　　　」）
・志望動機　（1）東南アジアに新しい店舗を展開している。
　　　　　　（2）営業の仕事がしたい。

本人希望記入欄（特に給与・職種・勤務時間など）
職種：（④　　　　　）

II．1．文章を読んで質問に答えてください。

　人生の岐路というほどに大げさなことでなくても、日常生活の中でも道の選び方の癖はある。家から最寄りの駅に向かう道筋でも、たくさんの可能性があるはずなのに、時間がたつにつれて次第に好みのルートが決まってくる。
　仕事場まわりなど他の人と共有する道筋で、好みが違うので驚くこともある。私の場合、たとえ遠回りをしても、静かで小さな道だと心が落ち着く。一方、とにかく距離が短くて早く着く道がよいという人もいる。
　一緒に仕事場を出て飲み会の店に行く時などに、「道の選択」における彼我の差を思い知らされる。「効率優先」の人と歩いていると、自分としてはあまり選びたくないような、車の通行が激しい大通りを行かなければならない。
　道なんて、どれを選んでも同じようにも思われる。しかし、案外そのような好みが、長い目で見ると人柄というものをつくり、人生の帰結を変えていくものではないかと思う。目に見えない人生の旅路においてどのような道が好みかということが、いつしかその人の生き方そのものとなっていく。
　通る道に好みがあるのは、人間だけのことではない。
　子どものころ、昆虫採集をしていて、「蝶の通る道」があるということを知った。専門家たちは、「蝶道」と呼ぶ。

家の近くの神社で網を構えて待っていると、いつも同じところを黒いアゲハチョウが飛んでいった。木立の中を、太陽に照らされたり暗がりに消えたりしながら、ずっと移動していく。

日照の条件や、食草がどこにあるか、メスとどこで出合えるか。さまざまな条件によって、蝶道は変わっていく。種類によっても違うし、季節や、一日のうちの時間帯によっても移り変わる。

蝶道がわかると、そこで待ち構えていれば採集できるから、よく観察するようになった。そのうちに、網の中に収めるよりも、蝶がどのような道を選んで飛ぶのかという理屈のほうに興味を持つようになった。中学生のころである。

生物は、どのような原理に従って行動しているのか。その不思議に魅せられたことが、職業として科学者を選ぶ一つの大きなきっかけとなったように思う。

（朝日新聞社『暮らしの風』2008年12月号 茂木健一郎「暮らしのクオリア 蝶の通る道」より）

1) 本文の内容と合っていれば○、違っていれば×を書いてください。

① (　　) 日常生活における道の選び方は、いつしかその人の生き方につながっていく。

② (　　) 「蝶道」とは、蝶の採集の効果的な方法を研究しようとするものである。

③ (　　) 「蝶の通る道」は種類によって違うが、季節や一日の時間帯で変わったりしない。

④ (　　) 蝶の採集よりも、蝶の飛ぶ道に興味を持ったことが科学者になる一つのきっかけになったようだ。

2) ①〜⑤に適切な言葉を選んでください。

　　　　かぎり　　さえ　　以上は　　わけ　　至るまで　　として

私は子どものころから、今に（①　　　　　　）、昆虫採集が好きだ。小学生のころは、宿題を忘れても、虫網を持たずに外へ出ることは一日（②　　　　　　）なかった。網（③　　　　　　）あれば、他には何も要らないという少年だった。「蝶の通る道」というものを知った（④　　　　　　）、私としては採集や観察に励まない（⑤　　　　　　）にはいかなかった。

3) 「道の選択」の違いは何に通じると筆者は述べていますか。

学習項目(がくしゅうこうもく)

* 「読む・書く」「話す・聞く」に提出された文法項目を「理解項目」と「産出項目」に分けて示した。

	読む・書く	話す・聞く
第13課	ゲッキョク株式会社	勘違いしてることってよくありますよね
目標	・随筆を読む ・時間の経過の中で変化する筆者の心情を読み取る	・日常的な社交場面で、おしゃべり、雑談、会話を続ける ・エピソードを話す
理解項目	1. ～たて 2. たとえ～ても 3. ～たりしない	5. …んだって？
産出項目	4. ～ほど	6. ～ながら 7. つまり、…という／ってことだ 8. …よね。
第14課	海外で日本のテレビアニメが受けるわけ	謎の美女と宇宙の旅に出るっていう話
目標	・解説文を読む ・理由を探しながら読む ・2つの物事の関係を読み取る	・ストーリーテリング ・話を促す ・共感する、感想を言う
理解項目	1. ～際 2. ～といった 3. ～に（も）わたって	10. …っけ？ 11. ～げ
産出項目	4. ～うちに 5. ～にとって 6. ～とは 7. ～において 8. …わけだ 9. …のではないだろうか	

第15課	働かない「働きアリ」	イルワンさんの右に出る人はいないということです
目標	・説明文を読む ・条件と結果を表す文を読む	・話をつなぐ、話を途中で切り上げる ・褒める、謙遜する
理解項目	1．…という 2．〜たびに	7．…ほどのものじゃない 8．〜だけでなく
産出項目	3．〜に関する 4．…わけではない 5．…のではないか 6．…のだ（言い換え）	9．〜といえば
第16課	個人情報流出	不幸中の幸いだよ
目標	・新聞記事（社会面）を読む ・記事の概要をすばやくつかむ ・事実関係を読み取る	・苦い体験を話す ・慰める、元気づける
理解項目	1．〜に応じる・〜に応じて 2．〜によって 3．〜とみられる 4．…としている	8．あんまり…から
産出項目	5．〜にもかかわらず 6．…とともに 7．〜たところ	9．…ところだった 10．〜に限って
第17課	暦	もうお兄ちゃんだね
目標	・解説文を読む ・物事に関係するエピソードを読み取る	・相手によって呼称を使い分ける ・相手によって話すスタイルを使い分ける
理解項目	1．〜からなる 2．〜としては 3．〜上 4．〜により	7．〜てはじめて 8．〜ったら

産出項目		5．～ことから 6．～ざるを得ない	9．～にしては 10．…からには 11．～でしょ。
第18課		鉛筆削り（あるいは幸運としての渡辺昇①）	あなたこそ、あの本の山はいったい何なの！
	目標	・小説を読む ・登場人物の行動と心の内を追いながら、自由な解釈を楽しむ	・文句を言ったり、言い返したりする ・謝ったり、相手を認めたりして、関係を修復する
	理解項目		4．～た（発見） 5．だって、…もの。 6．～たところで
	産出項目	1．…に違いない 2．～に比べて 3．…ものだ・ものではない	7．～だって（取り立て助詞） 8．～こそ（取り立て助詞）
第19課		ロボットコンテスト －ものづくりは人づくり－	ちょっと自慢話になりますが
	目標	・筆者の言いたいことは何か、事実と評価を読み取る ・提言を的確に把握する	・まとまった形で、経験や感想を語る ・集まりで、即席スピーチをする
	理解項目	1．～を対象に 2．～ばかりでなく	8．決して～ない
	産出項目	3．～にほかならない 4．～を通して 5．～から～にかけて 6．～はともかく 7．～ためには	

第20課	尺八で日本文化を理解	なぜ、日本で相撲を取ろうと思われたのですか
目標	・新聞記事（文化面）を読む ・プロフィールを通して、その人を知る	・インタビューをする ・インタビューの手順を考える ・インタビューを通して相手がどんな人物かを知る
理解項目	1．〜のもとで 2．そう 3．…ぞ。（終助詞） 4．…と同時に	9．〜をこめて 10．〜ば〜だけ
産出項目	5．〜しかない 6．〜の末 7．〜て以来 8．…くらい	11．〜たとたん（に） 12．〜からといって
第21課	日本の誇り、水文化を守れ	発表：データに基づいてお話ししたいと思います
目標	・意見を表明する文を読む ・筆者の主張をその根拠や具体例から読み取る	・データを基に情報を伝えるスピーチをする ・図表を用いて説明する
理解項目	1．〜もせずに 2．〜といえども 3．よほど〜でも 4．いかに〜か	
産出項目	5．…とか。（終助詞） 6．〜に言わせれば	7．〜に基づいて 8．〜と言える 9．一方（で） 10．〜に限らず
第22課	私の死亡記事	賛成！
目標	・手紙文（依頼状）の内容を読み取る	・ディスカッションで意見を交換する技術を学ぶ

		・筆者の死についての考え方（死生観）を読む	
理解項目		1．〜次第だ 2．〜をもって…とする	7．〜としても 8．〜（よ）うにも〜ない 9．〜わりに
産出項目		3．〜においては 4．〜うる 5．…のであろう 6．〜と思われる	10．〜べきだ 11．〜というより
第23課	目標	**コモンズの悲劇** ・論文を読む ・筆者の主張を理解する	**スピーチ：一人の地球市民として** ・大勢の人に向かってスピーチをする ・自分の主張を聞く人に分かりやすく伝える
理解項目		1．〜に及ぶ 2．…可能性がある	6．〜ことに 7．〜恐れのある／がある 8．〜までもない
産出項目		3．この〜 4．〜上で 5．〜につれて	9．〜がきっかけで・〜をきっかけに 10．〜をはじめ
第24課	目標	**型にはまる** ・随筆を読む ・筆者の主張を読み取る ・対比しながら読む	**好奇心と忍耐力は誰にも負けないつもりです** ・就職試験の面接を受ける ・自分のことをアピールする ・専門について詳細に述べる
理解項目		1．〜ざる〜 2．〜から〜に至るまで 3．〜きる 4．〜ならぬ〜	

産出項目	5．〜さえ〜ば	
	6．〜として〜ない	
	7．〜以上（は）	
	8．〜ないかぎり	
	9．〜わけにはいかない／ゆかない	
	10．〜あまり（に）	

文法 プラスアルファ

1．複合助詞（2語以上からなる「助詞相当の語句」）を使って表現する

1－1 類例を挙げる

1) **～にしても**
   ① 奥様にしてもご主人がノーベル賞を受賞するとは当日まで知らなかったということです。
   ② オーストラリアでは水不足が続いているので、風呂の水ひとつにしても使う量が制限されているらしい。

2) **～でも～でも……**
   ① ワイン買ってきて。赤でも白でもいいけどイタリアのワインね。
   ② 彼は中国語でも韓国語でも理解できる。

3) **～といい～といい、……**
   ① 姉といい兄といい、みんな会社員になってしまった。父の店を守るのは私以外にいない。
   ② ここは、味といいサービスといい、最高のレストランだ。

4) **～というような／といったような／といった……**
   ① 私は金閣寺というような派手なお寺より、三千院といったような地味なお寺のほうが好きだ。
   ② 医師からの説明は、入院前、手術前、手術後といった段階で丁寧にいたします。
   ③ 移民を受け入れるには、彼らの人権をどのように守るのかといったような問題を解決しなければならない。

5) **～にしても～にしても／～にしろ～にしろ／～にせよ……**
   ① ローマにしてもアテネにしても、古代遺跡が多く残る都市では地下鉄をつくるのに時間がかかる。
   ② この先生のゼミに入るためには、中国語にしろ韓国語にしろ、アジアの言葉を最低1つ勉強しなければならない。
   ③ 何を食べるにせよ、栄養のバランスを考えることが必要だ。
   ④ 出席するにせよ、欠席するにせよ、返事をメールで知らせてください。

1－2 極端な例を挙げる

1) **～さえ……**
   ① この病気のことは家族にさえ相談できない。

② あの当時はお金がなくて、インスタントラーメンさえ買えなかった。

1－3 何か1つに限定する

1）**〜は〜にかぎる**
　① 疲れたときは寝るにかぎる。
　② 和菓子は京都にかぎる。

1－4 原因・理由を挙げる

1）**〜とあって……**
　① さすがに大学院生とあって、どの論文を読めばいいか、よく知っている。
　② 水曜日は女性が割引料金で見られるとあって、映画館は仕事帰りの女性ばかりだ。

2）**〜につき**
　① 工事中につきバス停の場所を移動しました。
　② 来週の月曜日は祝日につき図書館は休館といたします。

3）**〜ばかりに**
　① 携帯電話を家に忘れてきてしまったばかりに、待ち合わせをした友達に会えなかった。
　② 英語ができないばかりに、なかなか就職が決まらない。
　③ 子どもの病気を治したいばかりに、父親は無理をして働き、とうとう病気になってしまった。

1－5 例示する

1）**〜やら〜やら**
　① 急な入院だったので、パジャマやらタオルやらを家に取りに帰る時間もなかった。
　② 押すやら引くやらいろいろやってみたが、このドアはいっこうに開かない。

2）**〜も……なら、〜も……**
　① 研究者にとって「しつこさ」も長所なら、「あきらめの早さ」も長所だ。場合によって、この2つを使い分ける必要がある。
　② 医者が1人しかいないクリニックも病院なら、何十もの診療科がある総合病院も病院である。自分の病状に合わせて病院を選ぶことが必要だ。

1－6 対比して述べる

1）**〜と違って……**
　① 彼女はおしゃべりな姉と違って、無口な女性だ。
　② 最後の問題はそれまでの問題と違ってかなり難しい。

2) ～のに対して、……
① 東日本で濃い味が好まれるのに対して、西日本では薄味が好まれる。
② 女性が楽観的なのに対して、男性は悲観的だという調査がある。
③ 都市の人口は増えているのに対して、農村の人口は減ってきている。

3) ～反面
① 工業の発展は人類の生活を豊かにした反面、美しい自然を破壊することにつながった。
② 就職して経済的には落ち着いた反面、自由な時間が少なくなり、読みたい本を読む暇もない。
③ 彼女は自信家でプライドが高い反面、傷つきやすく、他人の評価を気にする性格だった。

1−7 ある事実・状況から、当然するべきことだ・考えられる状態だという気持ちを込める

1) ～のだから
① 自分で決めたのだから、最後まであきらめずに頑張りなさい。
② まだ小学校1年生なんだから、漢字で書けなくても仕方がない。
③ 急いでください。時間がないんですから。

2) ～だけあって
① 建築家の自宅だけあって、おしゃれで機能的につくられている。
② ブランドもののハンドバッグは高いだけあって、品質がいい。
③ スミスさんは20年以上日本に住んでいるだけあって、日本語はぺらぺらだ。

3) ～だけに
① 若いだけに、なんでもすぐに覚えられる。
② きっと合格すると期待していただけに、不合格の知らせにがっかりした。

1−8 原因・理由が不確かであるという意味を含める

1) ～からか
① 日曜日の午後だからか、デパートはいつもより込んでいた。
② 忙しいからか、お金がないからか、最近田中さんがゴルフに来なくなった。
③ 昨晩、遅く寝たからか、職場に来てもまだ眠い。
④ 寝不足からか、一日中、頭が痛かった。

2) ～ためか
① 大雨のためか、電車のダイヤが大幅に乱れている。
② インフルエンザがはやっているためか、病院の待合室は混雑していた。

3) ～のか
  ① 忙しいのか、最近、田中君から連絡が来ない。
  ② どこか具合でも悪いのか、朝から渡辺さんは元気がない。
  ③ 誰かとけんかでもしたのか、娘が学校へ行きたくないと言った。

1-9 逆接を表す

1) ～ものの
  ① 一生懸命頼んでみたものの、結局引き受けてはもらえなかった。
  ② たまには家族で旅行したいものの、忙しくて計画も立てられない。
  ③ 市内から空港までは、数は少ないものの、バスの直行便がある。

2) ～とはいうものの
  ① 株式会社とはいうものの、社員は5人しかいない。
  ② 「酒は百薬の長」とはいうものの、飲み過ぎは健康に悪い。
  ③ 退院したとはいうものの、まだときどき痛みがある。

3) ～どころか
  ① 夕方になっても雨は止むどころか、ますます激しくなった。
  ② コンサートには観客が100人くらいは来るだろうと思っていたが、100人どころか20人しか来なかった。
  ③ コンサートには観客が100人くらいは来るだろうと思っていたが、100人どころか200人も来た。

4) ～くせに
  ① 兄は自分では料理が作れないくせに、いつも他の人が作った料理に文句を言う。
  ② 田中さんは、明日試験があることを知っていたくせに、教えてくれなかった。
  ③ 弟は、まだ未成年のくせに、お酒を飲もうとして叱られた。

5) ～といっても
  ① 英語が話せるといっても、日常会話に困らない程度です。
  ② 東京でも毎年、雪が降る。降るといっても数センチ積もる程度だが。
  ③ 社長といっても、社員10人ほどの小さな会社の社長なんです。

6) ～にしろ／にせよ
  ① 病院へ行くほどではないにしろ、風邪をひいて体がだるい。
  ② ほんの短い期間であったにせよ、海外で一人暮らしを経験できたことはよかった。

1-10 条件を表す

1) **〜ては**
   ① 全員が参加しては、会場に入りきれなくなる。
   ② 全員が協力しなくては、パーティーは成功しません。
   ③ あわてては、普段できることも失敗しますよ。落ち着いてください。

2) **〜てみろ**
   ① 約束を破ってみろ、絶対に許さないからな。
   ② 全員が参加してみろ、会場があふれてしまうよ。

3) **〜てからでないと**
   ① 病気になってからでないと、健康のありがたみは分からない。
   ② 高校を卒業してからでないと、アルバイトをやらせてもらえなかった。

4) **〜次第**
   ① パソコンは修理が終わり次第、お送りします。
   ② 落とし物が見つかり次第、こちらからお電話します。

5) **〜次第で**
   ① 努力次第で、夢は実現する。
   ② 教師のアイディア次第で、生徒の学力は伸びる。

6) **〜としたら／とすれば／とすると**
   ① クラス全員が来るとしたら、いすが3つ足りない。隣の教室から持ってこよう。
   ② 天気予報のとおりに明日大雨だとすると、花見の予定は変更しなければならない。

7) **〜ものなら**
   ① 国の母が入院した。できるものなら今すぐにも帰りたい。
   ② プライドの高い佐藤さんを少しでも批判しようものなら、彼は怒るだろう。

1-11 とき（ある程度長い時間、瞬間、場合など）を表す

1) **〜てからというもの**
   ① 大地震が起こってからというもの、いつも地面が揺れているような気がする。
   ② 退職してからというもの、暇で仕方がない。

2) **〜（か）と思ったら／と思うと**
   ① 息子は「ただいま」と言ったと思ったら、もうベッドで横になっていた。
   ② 母はテレビを見ながら泣いていると思ったら、突然笑い始めた。

③ この地方の秋は短い。紅葉が始まったと思うとすぐ雪が降り始める。

3）〜か〜ないかのうちに
① 彼は宝石を手に取って見るか見ないかのうちにその価値を言い当ててしまう。
② 私が意見を言い終わるか言い終わらないかのうちに、他の人も次々に意見を言い始めた。

4）〜に際して
① この試験を受けるに際して、以下の書類を提出してください。
② 政府の能力は、非常事態に際してどのように素早く行動できるかで判断できる。

5）〜にあたって／にあたり
① 留学するにあたって、パスポートとビザを申請した。
② 物事の決定にあたり、日本ではボトム・アップ方式を取ることが多い。

1－12 ある行為・現象とともに（または続けて）起きる状況や、それと同時に行われる動作を表す

1）〜ついでに
① 買い物のついでに銀行でお金をおろしてきた。
② 友達の結婚式で大阪へ行くついでに、京都に寄ってお寺を見てきたい。

2）〜なしで
① コンピューターなしで仕事をするのは難しい。
② 許可なしでこの部屋を使わないでください。

3）〜ことなく
① 日本に来てから大学に入るまで、一日も休むことなく日本語の勉強を続けた。
② 自分が正しいと思うことは、迷うことなくやるべきだ。

4）〜つつ／つつも
① 高い品質を保ちつつ、価格の安い商品を作ることは簡単なことではない。
② 会社の先輩は、文句を言いつつも、いつも私の仕事を手伝ってくれた。

5）〜もかまわず
① 彼女は化粧が落ちるのもかまわず、泣き続けた。
② 彼は周囲の視線もかまわず、彼女を抱きしめた。

1−13 持っている知識を根拠として、誘いかけや指示、判断を表す

1）〜ことだから
① 試験も終わったことだから、みんなで食事に行こう。
② いつも遅刻する山本さんのことだから、今日もきっと遅れてくるだろう。

1−14 その他

1）〜に代わって
① 社長に代わって、部長が来年度の計画をご説明します。
② ここでは石油に代わる新しい燃料を使っている。

2）〜にこたえて
① 大統領は支援者の声援にこたえて手を振った。
② 多くのご要望におこたえして、新製品を開発することになりました。

3）〜に先立って／に先立ち／に先立つ
① 結婚に先立って両家の親族が食事会を開くことになった。
② 起業に先立つ資金は親から援助してもらった。

4）〜にしたがって／にしたがい……
① 日本での生活が長くなるにしたがって日本の文化にも詳しくなった。
② 食生活の多様化にしたがい、成人病の治療も複雑になってきた。

5）〜にともなって／にともない／にともなう
① 少子化にともなって小学校の統廃合が進んでいる。
② この国では医学の進歩にともなう高齢化が進んでいる。

6）〜に対して（は、も）／に対し
① 社員たちは社長に対して給料を上げてほしいと訴えた。
② 田中さんに対する部長のものの言い方は厳しすぎる。

7）〜を契機に（して）／を契機として……
① オリンピックの開催を契機として都市整備が急ピッチで進められた。
② 県大会での優勝を契機に今度は全国大会での優勝を目指す。

8）〜をもとに（して）……
① 実話をもとにして映画を作った。
② 社員の営業成績をもとに翌年の売上げ目標を決める。

9) **～たあげく……**
   ① 妹の結婚祝いは、あれにしようかこれにしようかとさんざん迷ったあげく、現金を贈ることにした。
   ② 兄は何度も入学試験に失敗したあげく、とうとう大学への進学をあきらめてしまった。

10) **～うえ／うえに**
   ① 東京の賃貸マンションは狭いうえ値段も高い。
   ② 子どもが急に熱を出したうえに、自分も風邪気味で、仕事を休まなければならなくなった。

11) **～かわりに**
   ① 授業料を免除されるかわりに、学校の事務の仕事を手伝うことになった。
   ② 私のマンションの1階にはコンビニがあって、便利なかわりに、人がいつも通って、少しうるさい。

12) **～にかけては……**
   ① この子は暗算が得意で、そのスピードにかけてはコンピューターにも負けないくらいだ。
   ② 福井県はメガネの生産にかけては全国一を誇っている。

13) **～にしたら／にすれば**
   ① 子どもにしたらビールは単なる苦い飲み物でしかない。
   ② このカレーの辛さは大人にすれば何でもないが、子どもにはとても食べられない。

14) **～に反して／に反し**
   ① 周囲の期待に反して、結局彼らは結婚しなかった。
   ② あの政党は市民の意思に反するマニフェストを掲げている。

15) **～ぬきで／ぬきに／ぬきの、～をぬきにして（は）**
   ① 堅苦しいことはぬきにして、ざっくばらんに話しましょう。
   ② ワサビぬきのお寿司なんて食べたくない。

16) **～を問わず……**
   ① この店ではメーカー・車種を問わず高額でバイクの買い取りを行っている。
   ② この試験は国籍を問わず誰でも受けられます。

17) **～を中心に（して）／を中心として……**
   ① 今回、日本経済の停滞の原因を中心に調査が行われた。
   ② この大学は医学部を中心とした理系の学部が人気だ。

18) **〜はもちろん／はもとより〜も**
   ① ディズニーランドは、子どもはもちろん大人も楽しめる。
   ② 京都には和食はもとより洋食のおいしいレストランも多い。

19) **〜をめぐって……**
   ① 墓地の建設をめぐって周辺の住民が反対運動を起こしている。
   ② 父親の遺産をめぐって長男と次男が法廷で争っている。

20) **〜につけ／につけて／につけても……**
   ① この写真を見るにつけ昔のことを思い出す。
   ② 何事につけ真心をこめて丁寧に対応していれば、客に文句を言われることはない。

2．接続語を使って表現する

2-1 順接（原因・理由－帰結）の関係に使う

1) **したがって**
   ① この町は人口が減っているだけでなく高齢化も進んでいる。したがって、経済の発展を考えると、若い世代の住民を増やすことが重要だと思う。
   ② 先月の売上げは約300万円、今月は合計およそ400万円であった。したがって、わずか1か月で30％以上伸びたことになる。

2-2 順接（条件－帰結）の関係に使う

1) **だとすると／だとすれば／だとしたら**
   ① A：天気予報によると明日は大雨になりそうだって。
      B：えっ、そう。だとすると、明日のお花見は無理かもしれないね。

2-3 理由を述べる

1) **なぜなら・なぜかというと**
   ① 近年、大学生が専門的な勉強に時間をかけられなくなっている。なぜなら、就職が年ごとに厳しくなり、就職活動のため3年生ぐらいからあまり大学に来られなくなるからだ。
   ② 仕事は9時からだが、私は8時までに会社に着くように出かける。なぜかというと、早い時間のほうが電車がすいていて快適だからだ。

2-4 逆接の関係に使う

1) **それなのに**
   ① 試験のためにアルバイトもやめて毎日遅くまで勉強した。それなのに、合格できなかった。
   ② 田中さんと山本さんは誰からもうらやましがられるカップルだった。それなのに、結婚し

てからはうまくいかなくて、2年後に離婚してしまった。

2-5 言い換える

1）要するに
① 渡辺さんは優秀な会社員で、英語と中国語がぺらぺらで、スポーツも料理もできる。要するに、万能の女性だ。

2）すなわち
① この学部では「スポーツ科学」は必修科目です。すなわち、この科目の単位を取らなければ卒業できないのです。
② 息子は西暦2000年、すなわち20世紀最後の年に生まれた。

3）いわば
① 韓国のチヂミという料理は、いわば日本のお好み焼きのようなものです。
② 昭和は大きく戦前と戦後に分けられる。いわば異なる2つの時代が1つの名前で呼ばれているようなものだ。

2-6 付け加える

1）しかも
① 山本先生のクラスでは毎回テストがある。しかも、毎回全員の点数が公表される。
② 卵は安くて調理が簡単な食材だ。しかも、栄養が豊富である。

2）そればかりでなく／そればかりか
① この地域は夏の間に数回大雨にあった。そればかりでなく、9月には台風によって大きな被害を受けた。
② 太郎君は小学1年生なのに家で留守番ができる。そればかりか、掃除や夕食の買い物までするそうだ。

2-7 補足する

1）もっとも
① 次回は校外学習の予定です。もっとも、雨が降ったら中止ですが。
② 大学に新しい寮をつくることになり、工事が始まっている。もっとも、完成するのは、私が卒業したあとだそうだ。

2）ただし
① 定休日は月曜日です。ただし、月曜日が祝日の場合、火曜日になります。
② 夕食まで自由時間です。ただし、外に出るときは必ず連絡してください。

3） なお
　① パーティーは7時から食堂で行いますので、お集まりください。なお、参加費は無料です。

2-8 選択する
1） それとも
　① 地下鉄で帰りますか。それとも、タクシーに乗りますか。
　② コーヒー、飲む？　それとも、お茶？

2-9 転換する
1） さて
　① 時間になりましたので、「留学生の集い」を始めます。最後までごゆっくりお楽しみください。さて、ここで問題です。この大学に留学生は何人いるでしょうか。
　② 今日予約している店は魚料理がおいしいんですよ。……さて、みなさん揃いましたね。そろそろ出かけましょうか。

2） それはそうと／それはさておき
　① 昨日はひどい天気だったね。せっかくの休みなのにどこへも行けなかったよ。それはそうと、今日、漢字のテストがあるんだっけ？

3） それにしても
　① 今日は道が込んでるね。…そうそう、宿題やった？　難しかったよね。半分以上分からなかった。…それにしても、込んでるね。今日は何かあるのかなあ。

3. 接尾語を使っていろいろな表現をする
1） ～がたい
　① 社長の意見は理解しがたいものばかりだ。
　② 気の弱い田中さんが会長になるなんて信じがたいことだ。

2） ～がちだ
　① この頃山本さんは授業を休みがちだ。それで、成績が下がってきているのだ。
　② 人のまねをして書いたレポートはおもしろくないものになりがちだ。

3） ～気味だ
　① コーヒー豆の価格が上がり気味だ。
　② 最近ちょっと太り気味なの。ダイエットしなくちゃ。

4) ~づらい
　① 忙しそうなので、手伝ってくださいとは言いづらかったんです。
　② 大量の数字は人間には扱いづらいので、計算を任せるためにコンピューターが開発されたのである。

5) ~だらけ
　① このカバンは傷だらけだ。
　② この部屋は長い間人が住んでいなかったため、部屋の隅がほこりだらけだ。
　③ 政府が出した改革案は問題だらけだ。

6) ~っぽい
　① 今朝から熱っぽい。
　② もう大人なんだから、子どもっぽい話し方はやめなさい。

7) ~向きだ／向きに／向きの
　① 彼の性格は政治家向きだ。
　② この家は高齢者向きに作られている。

8) ~向けだ／向けに／向けの
　① 吉田さんは放送局で子ども向けの番組を制作している。
　② このパンフレットは外国人向けに、分かりやすい日本語で書かれています。

4．発話するときの主観的態度、心持ちを表現する

4-1 誘いかけ、提案をする

1) ~（よ）うではないか
　① どの会社もやらないなら仕方がない。わが社が引き受けようではないか。
　② まず、彼の言うことを聞こうではないか。

4-2 断定を避け、部分的に否定する

1) ~とは限らない
　① お金持ちが幸せだとは限らない。
　② どの学習者にも日本語の発音がやさしいとは限らない。

2) ~ないとも限らない
　① 世界的な食糧危機が起こらないとも限らない。
　② いい就職先が見つからないとも限らないから、まじめに努力を続けるべきだ。

3）〜なくはない／〜ないことはない
① この計画に問題があると考えられなくはない。
② この漫才コンビはおもしろくなくはない。しかし、他にもっとおもしろいコンビがいる。
③ 彼女の料理はおいしくないことはない。

4－3 一部を明確に否定する

1）〜のではない
① A：彼が財布を盗んだのですか。(「誰かが財布を盗んだ」ことは分かっている)
   B：いいえ、彼が財布を盗んだのではありません。他の人が盗んだのです。

2）〜はしない
① その本を買いはしなかったが、おもしろそうだったので、図書館で借りて読んだ。
② 彼女はあまり多くのことを話しはしないが、話し方は上手だ。

4－4 強い否定を表す

1）〜わけがない
① こんないい天気なのだから、雨が降るわけがない。
② ケーキが大好きな洋子さんが、この店のこのケーキのことを知らないわけがない。
③ この問題はかなり難しい。彼女には解けっこないよ。

2）〜ようがない
① 断水になると、料理のしようがない。
② 毎日10km歩いて学校に通っている彼はすごいとしか言いようがない。

3）〜どころではない
① 今日はパーティーの準備で忙しくて、美容院に行くどころではなかった。
② A：今晩一緒にご飯食べない？
   B：ごめんね。明日試験があって、それどころじゃないのよ。

4－5 たいしたことではないという気持ちを表す

1）〜にすぎない
① 私は一人の学生にすぎませんが、一応専門的な知識は持っています。
② 今回明らかになったのは問題全体の一部にすぎない。

4－6 可能性を述べる

1）〜かねない
① 今回の首相の発言は外国に誤解を与えかねない。
② これ以上景気が悪くなると、失業者が大量に生まれかねない。

2） 〜かねる
　　① 彼女の言うことは理解しかねる。
　　② ご依頼の件はお引き受けしかねます。

4－7 心境を強く述べる

1） 〜ずにはいられない／ないではいられない
　　① お酒を飲んで楽しくなって、歌を歌わずにはいられなかった。
　　② ダイエット中でも、おいしそうなケーキを見ると食べないではいられない。

2） 〜てしょうがない／てしかたがない
　　① のどが渇いて、水が飲みたくてしょうがなかった。
　　② 冷房が壊れているので、暑くてしかたがない。

3） 〜てならない
　　① ふるさとのことが思い出されてならない。
　　② 彼の言っていることには嘘があるような気がしてならない。

4） 〜ほかない
　　① 締切りまで時間がないので、とにかく今、分かっていることを論文に書くほかない。
　　② 今は手術が無事に終わることを祈るほかありません。

4－8 疑問の気持ちを表す

1） 〜かしら
　　① 今日は道路が込んでるわね。バス、時間通りに来るかしら。
　　② あれ、財布がない。どこに置いたのかしら。

4－9 判断基準とともに述べる

1） 〜からいうと・〜からして／からすると／からすれば・〜からみると／みれば／みて／みても
　　① 立地条件からいうと、この家は最高だ。
　　② 彼は服装からして、学校の先生には見えない。
　　③ 子どもの立場からすると学校の週休二日制はいいことだが、親にとってはそうではない。
　　④ 国家的非常事態の際の日本政府の対応は、先進国の基準からみて、かなり劣っていると言える。

4－10 様相、様態について述べる

1） 〜かのようだ
　　① この辺りの道は複雑で、迷路に入ってしまったかのようだ。
　　② 一面にひまわりの花が咲いていて、その部分が燃えているかのようだ。

2）〜ものがある
　　① 彼の絵には見る人の心を強く動かすものがある。
　　② 2、3歳の子どもの成長の早さには目を見張るものがある。

3）〜一方だ
　　① 今のライフスタイルを変えないかぎり、ごみは増える一方だ。
　　② 経済のグローバル化にともない、企業同士の競争は激しくなる一方である。

4－11 確信をもって述べる

1）〜にきまっている
　　① 山本さん、得意先からまだ帰ってこないの？　遅いね。
　　　…またどこかでコーヒーでも飲んでるにきまってるよ。

2）〜に相違ない
　　① 環境破壊は人間の身勝手な行動の結果に相違ない。

4－12 必要・不要、義務の判断を述べる

1）〜ことだ
　　① 自分が悪かったと思うなら、まず素直に謝ることだ。
　　② 料理上手になるためには、とにかくおいしいものを食べて味を覚えることだ。

2）〜ことはない
　　① 今日の試合に負けたからって、がっかりすることはないよ。次で頑張ればいいんだから。

3）〜必要がある／〜必要はない
　　① 多くの野菜は水だけではうまく育たない。定期的に肥料を与える必要がある。
　　② この時計は太陽電池で動いていますので、電池を交換する必要はありません。
　　③ 手術の必要がありますか。
　　　…いいえ、その必要はありません。薬で治療できます。

4）〜には及ばない
　　① お忙しいでしょうから、わざわざ来ていただくには及びません。
　　② この本は高いので買うには及びません。必要なところをコピーしてください。

4－13 強く抱く感情、感覚を伝える

1）〜かぎりだ
　　① 渡辺さんは夏休みに夫婦でヨーロッパへでかけるらしい。うらやましいかぎりだ。
　　② 楽しみにしていた同窓会が地震の影響で中止になってしまった。残念なかぎりだ。

2）～といったらない
① 恋人と結婚式を挙げたときの感激といったらなかった。
② 大勢の人がいるところで転んでしまった。恥ずかしいといったらなかった。

3）～ことか
① あなたと再会できる日をどんなに待ったことか。
② 漢字が書けるようになるまでに、何度練習したことか。

4－14 確認・認識を要求する

1）～じゃないか
① 太郎、水道の水が出しっぱなしじゃないか。早く止めなさい。
② 田中さん、顔色が悪いじゃないですか。だいじょうぶですか。

5．ある動作や現象が時間の経過の中でどのような状態にあるかを述べる

1）～かける
① 電話がかかってきたとき、私は眠りかけていた。
② 彼は何か言いかけたが、何も言わなかった。

2）～かけの～
① 机の上に食べかけのリンゴが置いてあった。
② 机の上のリンゴは食べかけだ。

3）～つつある
① 池の氷が溶けつつある。
② 日本の人口は少しずつ減少しつつある。

4）～ぬく
① 仕事を引き受けたら、最後までやりぬくことが必要だ。
② 彼は政治犯として逮捕され、つらい生活を強いられたが、見事にその生活に耐えぬいた。

5）～つくす
① 彼女は会社の不満を言いつくして退職した。
② 弟は親が残してくれた800万円を半年で使いつくしてしまった。

6）～ている最中
① 今、旅行の準備をしている最中だ。
② 晩ご飯を作っている最中に彼女から電話がかかってきた。

新出語索引

- 課末聴解問題で提出された新出語の頁は赤で示した。
- *は「文法 プラスアルファ」で提出されていることを示す

－ あ －

		課	頁
あいけん	愛犬	20	108
あいこうしゃ	愛好者	20	100
あいじょう	愛情	23	150
あいしょうく	愛唱句	22	129
アイス		20	111
あいづち		14	19
あいよう［する］	愛用［する］	24	157
あう（ふぶきに～）	遭う（吹雪に～）	17	66
あおぐ	仰ぐ	22	129
あおりたてる		21	114
あかじ	赤字	19	96
あがる（じゅうりょうに～）	上がる（十両に～）	20	104
あがる（みゃくはくが～）	上がる（脈拍が～）	15	30
あきかん	空き缶	20	112
あきらか［な］	明らか［な］	23	143
あきる		13	12
あきれる		17	67
アゲハチョウ		24	168
あげる（せいかを～）	(成果を～)	15	34
あげる（りえきを～）	上げる（利益を～）	23	142
あこがれる		21	114
あしあと	足跡	17	66
あたま（～につく）	頭（～に付く）	13	2
あたま［が］いたい	頭［が］痛い	16	48
あたまにいれる	頭に入れる	13	2
あたまにくる	頭にくる	13	13
～あたり（ひとり～）	～当たり（一人～）	16	55
あたりまえ		18	72
あたる（ほうそくが～）	当たる（法則が～）	15	30
あつかう	扱う	19	97
あつさ	厚さ	14	16
あっさり		20	100
あっというま	あっという間	15	41
アップ［する］		20	108
あつまり	集まり	19	85
～あて（ゆうじん～）	～宛（友人～）	16	55
アドレナリン		15	30
あなうめ	穴埋め	14	16
アニメーション		14	16
アピール［する］		19	89
あぶら	油	16	50
あふれる		13	10
アフロヘアー		20	100
あまい（かんりたいせいが～）	甘い（管理体制が～）	19	93
あまえる（おことばに～）	甘える（お言葉に～）	15	35
あまえんぼう	甘えん坊	17	69
あまとう	甘党	13	7
あままみず	雨水	21	114
あまやかす	甘やかす	22	138
～あまり（260ねん～）	～余り（260年～）	14	25
あみ	網	24	168
アミノさん	アミノ酸	24	160
あやうく	危うく	16	48
あやまる	誤る	16	50
あらざるもの		24	156
あらすじ		14	22
あらそう	争う	*	184
あらた［な］	新た［な］	15	30
あらためる	改める	16	51
あらゆる		21	126
あらわれる	現れる	23	142

ありかた	在り方	20	100
ありがたい		17	67
ありきたり［の］		19	90
ありゅう	亜流	14	16
あるいは		13	2
あれる	荒れる	23	143
あん	案	*	187
あんい［な］	安易［な］	22	134
あんざん［する］	暗算［する］	*	183
あんずるよりうむがやすし	案ずるより産むがやすし	13	14
あんぜんきじゅん	安全基準	21	123
あんてい［する］	安定［する］	16	55

― い ―

いいあてる	言い当てる	*	181
いいあらわす	言い表す	16	47
いいおわる	言い終わる	*	181
いいかえす	言い返す	18	71
いいかえる	言い換える	13	8
いいわけ	言い訳	13	13
イエス		23	151
いがい［な］	意外［な］	18	73
いかす	生かす	19	90
いかん	遺憾	16	44
いき	息	22	140
いぎ	意義	22	130
いきいき［する］	生き生き［する］	14	27
いきがい	生きがい	22	138
いくじ	育児	22	132
いくじきゅうか	育児休暇	22	132
いける		20	104
いけんこうかん	意見交換	22	134
いご	以後	13	2
いこう	以降	13	2
いこつ	遺骨	22	129
いさん	遺産	21	123

いし	医師	20	106
いし	意思	22	131
いし	意志	24	159
いじ［する］	維持［する］	18	81
いしのうえにもさんねん	石の上にも三年	13	8
イジメ		22	132
いしょ	遺書	22	129
いしょう	衣装	19	90
いぜん	以前	19	97
いぜん	依然	21	118
イソギンチャク		15	41
いぞく	遺族	22	129
いそん［する］	依存［する］	22	137
いだい［なる～］	偉大［なる～］	15	30
いだく	抱く	22	128
いたむ	痛む	20	111
いちおう	一応	*	188
イチゴ		21	126
いちじるしい	著しい	21	117
いちぶじょうじょう	一部上場	13	2
いちめん	一面	*	189
いちりゅう	一流	20	110
～いっか（おんがく～）	～一家（音楽～）	15	39
いっけん	一見	15	30
いつしか		24	167
いっしゅん	一瞬	13	2
いっしん［する］	一新［する］	17	58
いっしんいったい	一進一退	13	2
いっそ		22	128
いったい	一体	13	2
いったいかん	一体感	19	97
いっち［する］	一致［する］	20	108
いってい	一定	17	58
いっとき	一時	13	7
いっぺん	一片	24	156

いっぽうてき［な］	一方的［な］	21	114
いてん［する］	移転［する］	22	135
いと	糸	24	156
いと［する］	意図［する］	22	128
いどう［する］	移動［する］	15	42
いとこ		13	11
いとめをつけない（かねに～）	糸目をつけない（金に～）	21	114
いな		13	2
いのる	祈る	*	189
いはい	遺灰	22	129
イベント		17	66
いまどき	今どき	17	62
いみん［する］	移民［する］	*	176
いや		13	2
いやくひん	医薬品	24	160
いやし		20	100
いよく	意欲	22	139
いらい	以来	13	2
いらい［する］	依頼［する］	22	130
いらいじょう	依頼状	22	127
いらいら［する］		18	75
イラスト		20	102
いりょう	医療	19	93
いりょうかつどう	医療活動	19	93
いるい	衣類	24	156
いろはにおへどちりぬるを	色は匂へ(え)ど散りぬるを	22	129
いわば		18	83
いわゆる		19	90
インスタント		13	12
インスタントしょくひん	インスタント食品	13	12
インスタントラーメン		21	125
インストール［する］		14	26
インストラクター		24	161
いんたい［する］	引退［する］	20	108
いんねん	因縁	22	129

― う ―

ウィンウィン［な］	win-win［な］	24	160
ウェブサイト		16	55
ウォーター		24	163
うかぶ	浮かぶ	13	2
うけいれる	受け入れる	22	137
うけつぐ	受け継ぐ	19	90
うけとめる	受け止める	13	14
うけとる	受け取る	16	44
うける（アニメが～）	受ける	14	15
うごきまわる	動き回る	15	30
うしなう	失う	16	55
うしろすがた	後ろ姿	14	26
うすぎたない	薄汚い	18	72
うすれる（かなしみが～）	薄れる（悲しみが～）	23	150
うたう		21	114
うち（こころの～）	内（心の～）	18	71
うちあわせ	打ち合わせ	22	139
うちゅうせん	宇宙船	14	20
うちゅうれっしゃ	宇宙列車	14	20
うちよせる	打ち寄せる	23	147
うつ（あいづちを～）	打つ	14	19
うつす	移す	17	65
うったえる	訴える	22	140
うで（たいこの～）	腕（太鼓の～）	15	33
うながす	促す	14	15
うぶゆ	産湯	21	114
うまくいく		16	50
うまれかわる	生まれ変わる	20	105
うまれる（こいのぼりが～）	生まれる（鯉のぼりが～）	17	70
うみだす	生み出す	14	16
うむ	産む	22	132
うむ	生む	22	139

うむ	有無	24	162
うもう	羽毛	23	146
うらない	占い	16	54
うらやましい		18	74
うらやむ		24	156
うりあげ	売上げ	13	11
うるうどし	閏年	17	58
うるさい	五月蠅い	13	4
うんえい［する］	運営［する］	24	167
うんちん	運賃	21	114
うんてんめんきょしょう	運転免許証	22	135
うんどうしんけい	運動神経	20	110

― え ―

えいえん	永遠	14	19
えいぎょうマン	営業マン	15	33
えいぞう	映像	14	20
えいやく［する］	英訳［する］	21	115
えいよ	栄誉	15	39
えいようぶん	栄養分	23	153
エーティーエム	ATM	16	51
えがく	描く	14	16
エコー		20	112
エコロジー		22	136
エヌジーオー	NGO	14	25
エネルギー		15	42
える	得る	21	121
エルイーディーでんきゅう	LED電球	15	37
えんげき	演劇	14	27
えんじょ［する］	援助［する］	22	138
えんそうか	演奏家	20	107
エンターテイメント		14	16
えんちょう［する］	延長［する］	20	108
えんちょうせん	延長戦	20	108
エンド		13	2
えんぴつけずり	鉛筆削り	18	71
えんやす	円安	21	119
えんりょがち	遠慮がち	22	131
えんるい	塩類	23	142

― お ―

おいで		17	62
おいはらう	追い払う	17	62
おう	追う	16	52
おうえん［する］	応援［する］	20	105
おうこく	王国	17	69
おうさま	王様	22	137
おうじょう［する］	往生［する］	22	129
おうじる	応じる	16	44
おうたい［する］	応対［する］	17	67
おうだん［する］	横断［する］	13	2
おうよう［する］	応用［する］	24	160
おえる	終える	20	103
おおいかくす	覆い隠す	22	129
おおがた	大型	20	112
おおげさ［な］	大げさ［な］	14	17
オーナー		13	2
おおはば［な］	大幅［な］	＊	178
おおや	大家	13	13
おかまい		17	62
おきて	掟	23	142
おぎなう	補う	17	58
おく	置く	18	81
おこす（こうどうを～）	起こす（行動を～）	24	165
おこす（じこを～）	起こす（事故を～）	16	48
おこのみやき	お好み焼き	13	5
おこる	起こる	14	16
おごる		16	48
おさない	幼い	22	137
おさめる	収める	24	168
おしきる	押し切る	24	166

195

おじさん（こどもに むかっての）	（子どもに向かっての）	17	63
おしゃれ［な］		18	82
おじょうさん	お嬢さん	15	37
おせん［する］	汚染［する］	23	141
おそう	襲う	14	20
おそらく	恐らく	18	72
オゾンそう	オゾン層	23	141
おだやか［な］		19	86
おちこむ	落ち込む	16	47
おちる（うりあげが～）	落ちる（売上げが～）	13	11
おちる（のうりつが～）	落ちる（能率が～）	15	30
おとす（しつを～）	落とす（質を～）	21	114
おとな	大人	13	1
おどり	踊り	15	35
おとる	劣る	*	189
おにいちゃん	お兄ちゃん	17	57
おひさしぶり	お久しぶり	17	62
おひとよし	お人よし	19	92
おふくろ		14	24
おぼえ（みに～がない）	覚え（身に～がない）	16	44
おぼれる		17	66
おまけに		18	77
おめん	お面	17	62
おもい（びょうきが～）	重い（病気が～）	20	109
おもいうかべる	思い浮かべる	15	40
おもいおこす	思い起こす	19	96
おもいきる	思い切る	18	76
おもいこむ	思い込む	13	2
おもいしる	思い知る	21	126
おもいちがい	思い違い	13	5
おもいで	思い出	18	76
おもに		19	93
おもわず	思わず	16	53
おやこ	親子	17	63
おやゆび	親指	20	111
およそ		21	125
およぶ	及ぶ	16	44
おりおり（しき～）	折々（四季～）	17	62
オリジナリティー		14	28
おりまぜる	織りまぜる	23	142
おりもの	織物	15	34
オリンピック		16	52
おれ	俺	16	50
おわび		16	44
おんけい	恩恵	22	132
おんしゃ	御社	24	160
おんせんりょかん	温泉旅館	14	28
おんだんか	温暖化	15	37
おんちゅう	御中	22	130
おんど	温度	23	144
おんどせってい	温度設定	23	144
オンラインゲーム		22	134

― か ―

～か	～化	14	20
カード		16	43
かいけい	会計	17	58
かいけつさく	解決策	23	142
がいこうかん	外交官	21	123
かいごロボット	介護ロボット	19	85
かいさい［する］	開催［する］	22	130
かいしゃく［する］	解釈［する］	18	71
かいしゅう［する］	回収［する］	19	97
がいしゅつ［する］	外出［する］	14	23
かいしょう［する］	解消［する］	22	132
がいしょく［する］	外食［する］	14	24
かいせつ［する］	解説［する］	14	15
かいせつぶん	解説文	14	15
かいぜん［する］	改善［する］	14	25

かいたく［する］	開拓［する］	15	34
がいてき［な］	外的［な］	21	120
かいてん［する］	開店［する］	24	163
かいとう［する］	回答［する］	21	118
かいどく［する］	解読［する］	13	2
かいとり	買い取り	＊	183
かいはつ［する］	開発［する］	16	51
かいひ［する］	回避［する］	17	59
かいひん	海浜	23	142
がいぶ	外部	13	14
がいぶか	外部化	21	118
かいふく［する］	回復［する］	14	26
かいよう	海洋	23	142
がいよう	概要	16	43
かいれき［する］	改暦［する］	17	58
かおいろ	顔色	＊	191
かおまけ	顔負け	15	34
かおり	香り	24	160
かかえる（もんだいを～）	抱える（問題を～）	17	58
かかく	価格	14	25
かがくぎじゅつ	科学技術	24	160
かかげる	掲げる	＊	183
かかす	欠かす	14	24
かかる（ひようが～）	（費用が～）	13	14
カキ		23	153
カギ（もんだいをかいけつする～）	（問題を解決する～）	22	133
かきいれる	書き入れる	13	3
かきとめる	書き留める	13	3
かぎる	限る	16	48
かく（あせを～）	（汗を～）	15	39
～がく（ひがい～）	～額（被害～）	16	55
がくい	学位	17	68
かくかぞく	核家族	22	132
かくご［する］	覚悟［する］	19	90
かくじつ［な］	確実［な］	21	114
がくしゃ	学者	17	69
かくだい［する］	拡大［する］	23	146
かくち	各地	20	111
かくど	角度	18	74
かくとく［する］	獲得［する］	24	158
がくひ	学費	20	107
がくぶ	学部	＊	183
かくほ［する］	確保［する］	24	160
かくりつ	確率	23	143
がくりょく	学力	23	149
かけあい	掛け合い	20	111
かける	欠ける	19	86
かける（カップが～）	欠ける	18	76
かける（こえを～）	（声を～）	17	63
かける（ヤスリを～）		19	86
かこう	河口	23	153
かこむ（しょくたくを～）	囲む（食卓を～）	21	118
かさい	火災	23	151
かしこい	賢い	15	42
かしょ	箇所	19	86
かじょう［な］	過剰［な］	14	16
かしわもち		14	23
かせい	火星	17	69
かせぐ	稼ぐ	17	67
かぜとおし	風通し	23	154
かせん	河川	23	142
かぞえあげる	数えあげる	23	142
かぞえきれない	数え切れない	13	13
かぞくかんけい	家族関係	15	37
かた	型	24	155
かだい	課題	19	86
かたくるしい	堅苦しい	＊	183
かたる	語る	14	16
かちかん	価値観	18	74
カツオ		21	125
かっき	活気	14	27

がっき	楽器	15	39
かつぐ	担ぐ	15	30
かっこ［う］よい	格好良い	20	111
かっこく	各国	15	37
かって［な］	勝手［な］	*	190
かつどう［する］	活動［する］	14	25
カップめん	カップ麺	24	160
カップラーメン		14	27
カップル		22	133
かつやく［する］	活躍［する］	18	81
かつよう［する］	活用［する］	19	86
かつりょく	活力	16	51
かど	門	13	6
かなう		18	80
かなでる	奏でる	20	111
かにゅう［する］	加入［する］	16	44
かね	鉦	17	69
かね	鐘	24	157
かねて		22	129
かねもうけ	金儲け	15	41
かねもち	金持ち	*	187
かのうせい	可能性	16	44
カバー		16	48
かぶしきがいしゃ	株式会社	13	1
かまえる	構える	24	168
かまわない		13	3
がまん［する］	我慢［する］	13	9
がまんづよい	我慢強い	13	9
かみ	神	24	163
かみあわせる		18	72
ガムテープ		19	86
かもく	科目	22	139
かゆいところにてがとどく	かゆい所に手が届く	19	92
かよう（ちが〜）	通う（血が〜）	14	20
がらくた		20	112
ガラスだま	ガラス球	14	20

からとう	辛党	13	6
からみあう	絡みあう	23	146
からむ		15	30
カリキュラム		16	51
かれら	彼ら	14	20
かわく	渇く	*	189
かわる	代わる	*	182
〜かん（リズム〜）	〜感	15	34
かんがい	灌漑	23	142
かんがっき	管楽器	20	99
かんきゃく	観客	*	179
かんきょうもんだい	環境問題	15	37
がんぐ	玩具	22	140
かんけい（おんがく〜）	関係（音楽〜）	13	11
かんげい［する］	歓迎［する］	16	52
かんけいしゃ	関係者	14	24
かんげき［する］	感激［する］	20	112
かんこう	観光	13	2
かんこうぶっさんかん	観光物産館	13	2
かんしゅう	慣習	20	105
かんしょう［する］	鑑賞［する］	22	140
がんせき	岩石	21	114
かんそう	感想	14	15
かんそく［する］	観測［する］	17	69
かんだん［する］	歓談［する］	17	61
かんちがい［する］	勘違い［する］	13	1
かんとく	監督	18	79
かんばん	看板	13	2
かんめい［する］	感銘［する］	24	160
かんよう	慣用	13	2
かんり［する］	管理［する］	16	44
かんれき	還暦	22	130
かんれん［する］	関連［する］	13	7

— き —

き	気	*	186

きがあう	気が合う	19	95
きかいか［する］	機械化［する］	14	20
きがえる	着替える	17	68
きがおけない	気が置けない	13	13
きかく［する］	企画［する］	22	130
きかくしょ	企画書	22	139
きがない	気がない	18	77
きかんし	機関誌	20	104
きき	機器	23	150
ききかん	危機感	21	114
ききなれる	聞きなれる	21	118
きぎょう［する］	起業［する］	＊	182
きぎょうひみつ	企業秘密	20	111
きく（くちを～）	（口を～）	18	79
きぐ［する］	危ぐ［する］	23	146
きげき	喜劇	19	91
きけつ	帰結	24	167
きげん	機嫌	22	136
きご	季語	21	125
きごう	記号	23	143
きこくせいと	帰国生徒	15	39
きざむ	刻む	20	111
きさらぎ	如月	17	58
きじゅつ［する］	記述［する］	22	128
きじゅん	基準	17	68
きずきあげる	築きあげる	21	115
きずく	築く	16	55
きずだらけ	傷だらけ	＊	187
きずつきやすい	傷つきやすい	＊	178
きずつく	傷つく	13	13
きずな		21	123
ぎせい［になる］	犠牲［になる］	14	20
きせつはずれ	季節外れ	21	126
きそ	基礎	18	81
きたい［する］	期待［する］	14	16
ぎだい	議題	22	132
きちょう［な］	貴重［な］	20	105
きつつき	啄木鳥	23	146
きっての		15	34
きにいる	気に入る	18	75
きにかける	気にかける	13	13
きになる	気になる	21	118
きのぼり	木登り	13	8
きぶんてんかん	気分転換	16	55
きぼ	規模	23	142
きほん	基本	21	122
ぎむ（～づける）	義務	23	151
きめつける	決めつける	21	114
ぎもん	疑問	20	100
きゃくほん	脚本	15	30
きゃっかんてき［な］	客観的［な］	22	128
キャラクター		14	28
キャンペーン		21	119
きゅうか	休暇	13	11
きゅうかん	休館	＊	177
きゅうげき［な］	急激［な］	16	51
きゅうしょく	給食	22	132
きゅうぞう［する］	急増［する］	22	139
きゅうそく［な］	急速［な］	20	100
きゅうピッチ	急ピッチ	＊	182
きゅうよ	給与	24	167
きゅうれき	旧暦	17	58
きよう［な］	器用［な］	15	39
きょうかい	協会	22	139
ぎょうかい	業界	16	51
きょうかん［する］	共感［する］	13	8
きょうぎ［する］	競技［する］	19	86
ぎょうぎ	行儀	19	94
ぎょうぎさほう	行儀作法	19	94
きょうくん	教訓	23	142
ぎょうじ	行事	17	61
ぎょうせい［する］	共生［する］	15	41
ぎょうせき	業績	22	128
きょうそうげんり	競争原理	14	16

きょうつう［する］	共通［する］	21	116
きょうどう	共同	20	107
きょうふ	恐怖	24	166
きょうみぶかい	興味深い	21	118
きょうみほんい	興味本位	22	128
きょうゆう［する］	共有［する］	22	135
きょうゆうち	共有地	23	142
きょうりょく［する］	協力［する］	24	163
ぎょうれつ	行列	15	30
ギョーザ		14	24
ぎょくろ	玉露	21	114
きょじゅう〜（〜かんきょう）	居住〜（〜環境）	22	133
きょだい	巨大	14	16
ぎょっこう	玉稿	22	128
きょとんと〜		16	54
きょひ（げこう〜）	拒否（下校〜）	19	87
きり（〜がない）		23	142
きりあげる	切り上げる	15	29
きりかえす	切り返す	24	161
きりかえる	切り替える	17	58
きりさく	切りさく	24	156
きりそこねる	切り損ねる	16	48
きる（えんを〜）	切る（縁を〜）	21	114
きる（ハンドルを〜）	切る	16	48
きろ	岐路	24	167
ぎろん［する］	議論［する］	14	24
きをつかう	気を使う	13	13
ぎんが	銀河	14	19
きんきゅう	緊急	15	41
きんせい	金星	17	69
きんせん	金銭	16	55
きんぞく	金属	18	72
きんにく	筋肉	19	90
きんねん	近年	21	118
ぎんみ［する］	吟味［する］	21	114

― く ―

ぐうぜん	偶然	23	146
くうそう	空想	19	91
くさる	腐る	21	126
くずれる	崩れる	21	115
くせ	癖	18	83
ぐたいれい	具体例	14	18
くちがわるい	口が悪い	21	122
くちぐせ	口癖	18	84
くちにあう	口に合う	17	62
くちにだす	口に出す	13	9
クッキー		17	65
クヌギ		21	114
くふう［する］	工夫［する］	20	102
クマゲラ		23	145
くみこむ	組み込む	23	142
くむ（チームを〜）	組む	19	86
くむ（みずを〜）	（水を〜）	21	114
くやしい	悔しい	14	26
くよくよ［する］		16	48
くら	蔵	21	126
グラウンド		24	164
くらがり	暗がり	24	168
クリスマスケーキ		21	126
クリニック		＊	177
クレーム		13	14
グローバル［な］		14	25
くわわる	加わる	20	111

― け ―

けい〜	計〜	17	59
けいい	経緯	23	145
けいえい［する］	経営［する］	15	37
けいえいしゃ	経営者	20	105
けいか［する］	経過［する］	13	1
けいぐ	敬具	22	128
けいこうとう	蛍光灯	23	154

けいさい［する］	掲載［する］	20	103
けいざいてき［な］	経済的［な］	20	107
けいさつかん	警察官	19	92
けいせき	形跡	16	55
けいたい	形態	21	118
けいひ	経費	19	86
けいやく［する］	契約［する］	13	2
けいやくしゃいん	契約社員	16	55
ケータイ		18	77
けしょうひん	化粧品	24	160
けずりかす	削りかす	18	72
けずる	削る	19	86
げた	下駄	24	165
けち［な］		21	121
けつい［する］	決意［する］	23	145
げっかんし	月刊誌	14	16
けっこう（〜おおい）	結構（〜多い）	13	6
けっしょう	決勝	16	47
けっしょうせん	決勝戦	16	52
けっせき［する］	欠席［する］	*	176
けつだん［する］	決断［する］	17	59
けっとばす		24	157
けつまつ	結末	14	19
けはい	気配	16	52
〜けん	〜件	16	44
〜けん（しゅつじょう〜）	〜権（出場〜）	16	52
げんかく	幻覚	14	20
げんがっき	弦楽器	20	112
げんこう	原稿	16	46
けんこうしょくひん	健康食品	24	160
げんざいりょう	原材料	20	111
げんさく	原作	14	16
げんじてん	現時点	22	129
［ご］けんしょう	［ご］健勝	22	128
げんしょう	現象	15	32
げんしょう［する］	減少［する］	21	117
げんじょう	現状	23	147
げんせいりん	原生林	23	146
けんせつ［する］	建設［する］	14	24
けんそん［する］	謙遜［する］	15	29
げんち	現地	20	111
けんとう［する］	検討［する］	15	37
けんとう	見当	18	72
けんめい［に］	懸命［に］	16	45
げんり	原理	14	16

― こ ―

ご	語	13	2
〜ご（なんにち〜）	〜後（何日〜）	14	22
こい	鯉	17	70
こいのぼり	鯉のぼり	17	70
〜ごう（たいふう〜）	〜号（台風〜）	19	94
こうい	好意	15	35
こうい	行為	18	74
こううん	幸運	18	71
こうえい	光栄	20	104
こうか	効果	19	86
こうかい［する］	後悔［する］	16	47
こうがいがくしゅう	校外学習	*	185
こうがく	高額	*	183
こうがくぶ	工学部	13	11
こうかん［する］	交換［する］	14	23
こうきしん	好奇心	24	155
こうぎょう	工業	23	143
こうきょうけん	公共圏	23	142
こうけい	光景	14	16
ごうけい	合計	*	184
こうけん［する］	貢献［する］	21	124
こうげん［する］	公言［する］	22	129
こうざ	口座	16	44
こうざん	鉱山	14	21
こうして		15	41

こうしょう［する］	交渉［する］	20	108
こうじょう［する］	向上［する］	19	86
こうしん［する］	更新［する］	16	44
こうずい	洪水	23	153
こうずる	講ずる	16	44
こうせい［する］	構成［する］	15	30
こうせい	後世	24	157
こうせき	功績	22	130
こうせん	高専	19	86
こうそくどうろ	高速道路	16	52
こうたい［する］	交代［する］	15	39
ごうとう	強盗	16	55
こうにゅう［する］	購入［する］	21	123
こうはい	後輩	15	36
こうはい［する］	荒廃［する］	23	142
こうひょう［する］	公表［する］	*	185
こうふん［する］	興奮［する］	24	166
こうへい［な］	公平［な］	22	139
こうほう（〜し）	広報（〜誌）	20	103
こうもく	項目	16	44
こうりつ	効率	24	167
こうれい	高齢	16	52
こうれいか	高齢化	16	51
こえる	超える	18	84
コーヒーショップ		14	20
コーヒーまめ	コーヒー豆	*	186
こおり	氷	*	191
こおる	凍る	22	137
こきょう	故郷	23	147
ごく		18	72
こくごじてん	国語辞典	13	2
ごくじょうの	極上の	21	114
こくせき	国籍	20	101
こくない	国内	23	149
こくみんえいよしょう	国民栄誉賞	15	39
こくりつだいがく	国立大学	20	107
こくれん	国連	22	135
こころえ	心得	22	129
こころみはじめる	試み始める	23	142
こころみる	試みる	23	142
こしょう	呼称	17	57
こしょく	個食	21	117
こじんじょうほう	個人情報	16	43
コスト		17	65
こそだて	子育て	22	132
ごぞんじ	ご存じ	15	30
こだい	古代	17	69
こだち	木立	24	168
こだわり		21	113
こだわる		22	133
こっか	国家	*	189
こっかしけん	国家試験	19	95
こっせつ［する］	骨折［する］	16	50
こつづみ	小鼓	20	99
こてん	古典	20	100
こと	琴	20	99
〜ごと（つき〜）	（月〜）	13	2
〜ごと（なかみ〜）	（中身〜）	19	96
〜ごとく		14	16
ことなる	異なる	18	74
ことわざ		13	5
こなごな	粉々	14	20
こねこ	子猫	20	110
このは	木の葉	17	58
このむ	好む	17	65
こばなし	小噺	19	90
ごふく	呉服	21	126
ごぶさた［する］	ご無沙汰［する］	17	62
こべつ	個別	19	97
コミュニケーション		18	82
ゴム		19	86
こめる（いみを〜）	込める（意味を〜）	15	41
こもる		19	91
コモンズ		23	141

こよう［する］	雇用［する］	22	139
こよみ	暦	17	57
ごらんください	ご覧ください	21	118
こりる	懲りる	23	142
ゴルフじょう	ゴルフ場	21	114
コレクター		18	72
コレステロール		21	124
ころばぬさきのつえ	転ばぬ先の杖	23	149
こんがらかる		24	156
こんきょ	根拠	21	113
こんざつ［する］	混雑［する］	＊	178
こんちゅう	昆虫	24	167
こんちゅうさいしゅう	昆虫採集	24	167
こんなん	困難	17	70
コンパ		13	7
コンパス		19	91
コンビ		＊	188
コンピューターシステム		16	44
こんらん［する］	混乱［する］	15	38

－ さ －

～さ（おもしろ～）		14	16
サークル		19	90
～さい	～際	14	16
～さい	～祭	19	90
さい～（～ゆうしゅうしょう）	最～（～優秀賞）	20	103
さいかい［する］	再会［する］	22	140
さいがいじ	災害時	21	123
さいご	最期	22	129
ざいさん	財産	20	101
ざいじゅう［する］	在住［する］	16	55
さいしんしき	最新式	18	72
ざいせい	財政	17	59
ざいせいなん	財政難	17	59
さいた	最多	21	119
さいてい	最低	＊	176
サイト		16	44
ざいにち	在日	13	2
さいのう	才能	15	35
さいりよう［する］	再利用［する］	19	86
さいわい	幸い	16	43
さかさま［な］	逆さま［な］	13	8
さがしもの	捜し物	18	76
さからう	逆らう	17	70
さかん［な］	盛ん［な］	17	65
さぎ	詐欺	19	92
さきだつ	先立つ	＊	182
さくせい［する］	作成［する］	17	60
さくばん	昨晩	＊	178
さくひん	作品	14	16
さくや	昨夜	18	83
さくらぜんせん	桜前線	19	95
サケ		23	153
ささえ	支え	23	142
ささえる	支える	14	16
ささやか［な］		19	90
さすがに		15	30
さずかる（ごうを～）	授かる（号を～）	20	100
させつ［する］	左折［する］	16	48
さぞ		20	104
さそいみず	誘い水	21	115
さだか［な］	定か［な］	22	129
さっきゅう［な］	早急［な］	16	44
ざっくばらん［な］		＊	183
ざつぜん	雑然	18	72
ざつだん［する］	雑談［する］	13	1
さて		19	86
さとる	悟る	22	129
さばく	砂漠	14	23
さびつく	錆びつく	18	72
さびる	錆びる	18	72
さべつ［する］	差別［する］	14	20

さほう	作法	19	94
サポート［する］		19	98
さまがわり	様変わり	21	118
さめる	冷める	14	23
さゆう［する］	左右［する］	22	135
さらす		22	128
さらなる		20	105
ざらに		18	72
さるもきからおちる	猿も木から落ちる	13	8
さんぎょうようロボット	産業用ロボット	19	85
さんこうしりょう	参考資料	15	32
さんこつ	散骨	22	129
さんざん		*	183
ざんしん［な］	斬新［な］	20	100
さんせいう	酸性雨	23	141
さんそ	酸素	23	142
さんぷ［する］	散布［する］	22	129
サンマ		21	125
さんむしゅぎ	三無主義	22	129
さんりん	山林	23	142

－ し －

～し	～誌	14	16
し	死	22	128
し	氏	22	129
しあげる	仕上げる	19	86
しいく［する］	飼育［する］	19	97
シーズン		13	11
しいる	強いる	*	191
シール		18	72
シーン		14	16
シェアハウス		18	78
ジェー・ポップ	J-pop	24	163
シェフ		15	35
しえんしゃ	支援者	*	182
じかい	次回	*	185
しかた［が］ない	仕方［が］ない	22	134
しき	四季	17	62
じき	時期	16	52
しきしゃ	識者	23	142
しきたり		21	125
じぎょう	事業	24	160
しきん	資金	22	130
しくみ	仕組み	23	142
しぐれ	時雨	13	4
しげき［する］	刺激［する］	22	138
しこう［する］	思考［する］	13	2
じこう	時候	22	130
しこうさくご	試行錯誤	13	2
じこく	自国	23	148
じこしょうかい	自己紹介	19	89
しごとば	仕事場	24	167
しこな	四股名	20	104
じさく	自作	20	112
しさくひん	試作品	20	111
じじつ（～かんけい）	事実（～関係）	16	43
じしゅう	次週	14	16
ししゅつ［する］	支出［する］	17	59
ししょう	師匠	20	104
しじょう	市場	13	2
じしょう	事象	23	143
しじょうかいたく	市場開拓	15	34
じしん	自信	19	97
じすい［する］	自炊［する］	24	160
システム		16	44
じせい	辞世	22	128
しせいかん	死生観	22	127
～しせつ（ほいく～）	～施設（保育～）	22	132
しせん	視線	18	72
しぜんいさん	自然遺産	23	146
しぜんエネルギー	自然エネルギー	14	25
しぜんかがく	自然科学	23	142
しそう	思想	22	136

じぞく［する］	持続［する］	23	146
しだい	次第	22	128
じたい	事態	16	44
じたい	自体	21	114
したがう	従う	16	51
したづみ	下積み	19	90
したてる	仕立てる	21	114
しつ	質	21	114
じっか	実家	20	104
しっかり		17	68
しつぎょう［する］	失業［する］	20	108
じっこう［する］	実行［する］	13	14
じっこういいん	実行委員	15	36
じっし［する］	実施［する］	17	59
じっしゃ［する］	実写［する］	14	27
じっせき	実績	24	160
じったい	実態	16	44
しったかぶり	知ったかぶり	13	7
じっと		18	74
しっぱいさく	失敗作	20	111
しっぴつ［する］	執筆［する］	22	128
しっぽ		23	146
しつれん［する］	失恋［する］	24	166
じつわ	実話	＊	182
してい［する］	指定［する］	16	44
してき［する］	指摘［する］	13	13
じてん	辞典	13	2
じどう	児童	22	138
じどうこうえん	児童公園	22	138
しな	品	23	150
しない	市内	＊	179
シナリオ		18	74
じなん	次男	＊	184
しにせ	老舗	15	33
しのばせる	忍ばせる	13	2
しのぶ		24	157
しはい［する］	支配［する］	17	69
しはらい	支払い	16	44
じばらをきる	自腹を切る	20	111
しばりあげる	しばり上げる	24	156
しばる	縛る	22	132
じぶんじしん	自分自身	13	5
しぼう［する］	死亡［する］	22	127
しぼう［する］	志望［する］	24	159
しぼうきじ	死亡記事	22	127
しぼうどうき	志望動機	24	159
しぼうりつ	死亡率	22	135
しぼる		13	9
しまいこむ	しまい込む	18	76
じまんばなし	自慢話	19	85
しみこむ	しみ込む	21	114
しみじみ		15	41
シミュレーション		13	13
しめい	氏名	16	44
しめい［かん］	使命［感］	19	93
しめきり［び］	締切［日］	16	49
しめす（きょうみを〜）	示す（興味を〜）	15	33
しめる	占める	17	59
じめん	地面	22	137
じもと	地元	15	33
しゃかいか	社会科	23	152
しゃかいかがく	社会科学	15	41
しゃかいこうけん	社会貢献	21	124
しゃかいじん	社会人	24	157
しゃかいほしょう	社会保障	22	139
しゃかいめん	社会面	16	43
じゃがいも		17	65
しゃくはち	尺八	20	99
しゃこう	社交	13	1
しゃしゅ	車種	＊	183
ジャズダンス		14	25
じゃま［する］	邪魔［する］	17	62
しゃみせん	三味線	20	99
しゃめい	社名	15	34

しゃりん	車輪	19	86
ジャングル		14	22
ジャンル		24	163
～しゅ	～種（絶滅危ぐ～） (ぜつめつきぐ～)	23	146
しゅうい	周囲	*	181
しゅうかんし	週刊誌	14	16
しゅうきゅう	週休	*	189
しゅうきょう	宗教	22	129
じゅうし［する］	重視［する］	20	100
じゅうじ［する］	従事［する］	24	167
じゅうじつ［する］	充実［する］	22	132
しゅうしょくかつどう	就職活動	24	167
しゅうしょくしけん	就職試験	24	155
しゅうせき［する］	集積［する］	23	142
しゅうだん	集団	15	30
じゅうたん	絨毯	15	34
シュート［する］		19	98
ジュードー		23	152
しゅうとく［する］	習得［する］	18	84
じゅうにん	住人	16	52
しゅうふく［する］	修復［する］	18	71
しゅうへん	周辺	21	115
じゅうみん	住民	14	26
しゅうやく［する］	集約［する］	22	128
じゅうよう［な］	重要［な］	14	24
しゅうりや	修理屋	18	72
じゅうりょう	十両	20	103
しゅうろう［する］	就労［する］	21	119
しゅぎ	主義	22	129
しゅぎょう［する］	修業［する］	20	100
じゅくご	熟語	13	2
しゅくしょう［する］	縮小［する］	23	142
じゅけんせい	受験生	13	10
じゅこう［する］	受講［する］	21	118
しゅさい［する］	主催［する］	20	103
しゅし	趣旨	22	130
しゅじゅ	種々	23	144
じゅしょう［する］	受賞［する］	19	94
じゅしょうしゃ	受賞者	14	23
しゅしょく	主食	21	114
しゅじんこう	主人公	14	16
しゅだん	手段	22	127
しゅちょう［する］	主張［する］	20	101
しゅっこく［する］	出国［する］	16	55
しゅっさん［する］	出産［する］	21	122
しゅつじょう［する］	出場［する］	16	52
しゅつじょうけん	出場権	16	52
しゅっしんしゃ	出身者	14	23
しゅっせきりつ	出席率	22	135
しゅっちょうじょ	出張所	15	34
しゅどうしき	手動式	18	72
ジュニア		20	104
しゅほう	手法	14	16
じゅみょう	寿命	15	37
じゅよう	需要	16	51
しゅりゅう	主流	21	114
しゅりょう	狩猟	14	20
しゅるい	種類	14	16
しゅん	旬	21	125
じゅんかん［する］	循環［する］	23	153
じゅんけっしょう	準決勝	19	91
じゅんぷうまんぱん	順風満帆	20	104
しょ（～がいこく）	諸（～外国）	17	58
しょう	笙	20	99
～しょう	～賞	20	100
しよう［する］	使用［する］	14	23
しょうがい	障害	21	124
しょうがい	生涯	22	129
じょうきょう	状況	14	18
しょうげきてき［な］	衝撃的［な］	24	160
しょうさい［な］	詳細［な］	22	139
じょうじ	常時	21	114
しょうしか	少子化	16	51

しょうしこうれいか	少子高齢化	**16**	51
しょうしつ［する］	消失［する］	**23**	142
しょうしゃ	小社	**22**	128
じょうじゅん	上旬	**16**	44
しょうしょう	少々	**23**	142
じょうしょう［する］	上昇［する］	**21**	119
じょうじょう［する］	上場［する］	**13**	2
しょうじょまんが	少女マンガ	**14**	27
しょうじる	生じる	**17**	58
しょうしん［する］	昇進［する］	**20**	104
じょうすい	上水	**21**	114
じょうたい	状態	**19**	98
しょうだく［する］	承諾［する］	**22**	139
じょうたつ［する］	上達［する］	**16**	52
しょうち［する］	承知［する］	**22**	128
しょうにん	小人	**13**	1
じょうはつ［する］	蒸発［する］	**23**	153
じょうはんしん	上半身	**20**	111
しょうひ［する］	消費［する］	**23**	154
しょうひぜい	消費税	**16**	51
しょうひりょう	消費量	**21**	125
しょうひんかいはつ	商品開発	**20**	111
じょうほうかんり	情報管理	**16**	44
しょうめいきぐ	照明器具	**23**	154
しょうめいしょ	証明書	**16**	53
しょうゆさし		**18**	72
じょうりく［する］	上陸［する］	**19**	94
じょうりゅう	上流	**21**	114
しようりょう	使用量	**21**	121
しょえん［する］	初演［する］	**20**	100
しょかい	初回	**19**	97
しょくいく	食育	**21**	118
しょくえん	食塩	**18**	72
しょくぎょう	職業	**16**	44
しょくざい	食材	**21**	118
しょくしゅ	職種	**24**	160
しょくせいかつ	食生活	**＊**	182
しょくそう	食草	**24**	168
しょくどうしゃ	食堂車	**14**	20
しょくば	職場	**＊**	178
しょくひん	食品	**13**	12
しょくぶつ	植物	**23**	143
しょくもつ	食物	**23**	152
しょくりょう	食料	**22**	138
しょくりょう	食糧	**23**	147
しょじゅん	初旬	**17**	58
じょじょに	徐々に	**15**	30
しょしんしゃ	初心者	**20**	100
しょたいめん	初対面	**20**	103
しょちょう	所長	**15**	34
しょっちゅう		**18**	76
ショップ		**14**	20
しょめん	書面	**16**	44
しらせ	知らせ	**20**	104
しりあい	知り合い	**13**	8
シリーズ		**14**	16
しりつだいがく	私立大学	**20**	107
しるす	記す	**22**	129
しるよしもない	知る由もない	**18**	72
じれい	事例	**23**	148
ジレンマ		**23**	142
しろうと	素人	**17**	67
しん	芯	**19**	86
〜しん（しんせつ〜）	〜心（親切〜）	**13**	13
しんがく［する］	進学［する］	**20**	107
しんがくりつ	進学率	**21**	120
しんがた	新型	**21**	119
しんぎ	真偽	**23**	151
しんきゅう［する］	進級［する］	**20**	100
じんけん	人権	**＊**	176
じんけんひ	人件費	**17**	59
しんこう［する］	進行［する］	**15**	36
〜じんこう（しゃくはち〜）	〜人口（尺八〜）	**20**	100

じんこうえいせい	人工衛星	24	163
しんこく［な］	深刻［な］	22	139
しんこん	新婚	18	76
じんざい	人材	15	30
しんさく	新作	14	16
しんじょう	心情	13	1
しんじん	新人	16	51
じんしん	人心	17	58
じんしんじこ	人身事故	16	48
しんせい［する］	申請［する］	*	181
しんせいけん	新政権	17	59
しんせいど	新制度	17	59
じんせき	人跡	24	155
しんぞく	親族	*	182
しんにゅうしゃいん	新入社員	17	68
しんにゅうせい	新入生	17	67
しんにゅうぶいん	新入部員	19	89
しんねん	信念	22	136
しんの	真の	17	59
しんぴてき［な］	神秘的［な］	14	20
しんぴん	新品	18	72
じんぶつ	人物	22	128
じんぶんかがく	人文科学	23	142
しんぶんきじ	新聞記事	16	43
じんめいじてん	人名事典	22	128
しんゆう	親友	23	152
しんよう［する］	信用［する］	13	13
しんらい［する］	信頼［する］	15	40
しんらいせい	信頼性	21	120
しんりょうか	診療科	*	177
しんれき	新暦	17	58
しんわ	神話	23	142

― す ―

ず	図	21	117
すいい［する］	推移［する］	21	119
すいさつ［する］	推察［する］	22	128
すいじゅん	水準	14	16
すいせい	水星	17	69
すいせん［する］	推薦［する］	24	167
すいそく［する］	推測［する］	18	79
すいぞくかん	水族館	17	64
ずいひつ	随筆	13	1
すいみん	睡眠	14	24
すがた	姿	20	106
すぎ	杉	21	114
～ずき（たいこ～）	～好き（太鼓～）	15	34
すぐれる	優れる	15	33
スケッチ［する］		23	146
すすむ	進む	21	117
すすむ（しらべが～）	進む（調べが～）	23	150
すすめる（ちょうさを～）	進める（調査を～）	16	44
スター		13	11
スタート［する］		15	30
スタープレイヤー		15	30
スタイル		17	57
ズタズタに		24	156
すづくり	巣作り	23	146
ずっと（ずうっと）		18	83
すてさる	捨て去る	23	142
すでに	既に	16	44
ストーリー		14	19
ストーリーテリング		14	15
ストッパー		19	90
ストレス		22	136
すとんと～		16	54
すなお［な］	素直［な］	18	83
すなはま	砂浜	23	147
すばやい		16	43
スピード		*	183
ずひょう	図表	21	113
スプリンクラー		23	151
すべ		22	129

すべて		15	37
すべらす	滑らす	16	47
すべりだい	滑り台	22	138
スポーツジム		14	25
〜ずみ（ちょうり〜）	〜済み（調理〜）	21	118
すみなれる	住み慣れる	13	8
すむ	棲む	23	146
すめばみやこ	住めば都	13	8
すもうべや	相撲部屋	20	103
スライド［する］		22	134
スリップ［する］		16	48
するどい	鋭い	18	72
ずれる		17	58
すわりこむ	座り込む	24	163
すんなり		20	101

－ せ －

せい	生	22	128
〜せい	〜制	*	189
〜せい（にんげん〜）	〜性（人間〜）	13	13
せいいく［する］	生育［する］	23	143
せいえん［する］	声援［する］	*	182
せいか	成果	15	34
せいかつしゅうかんびょう	生活習慣病	17	65
せいきゅう［する］	請求［する］	16	44
せいきゅうきんがく	請求金額	16	44
せいきゅうしょ	請求書	16	44
せいぎょ［する］	制御［する］	23	142
せいけん	政権	17	59
せいげん［する］	制限［する］	*	176
せいさく［する］	製作［する］	19	86
せいさく［する］	制作［する］	22	129
せいさくいと	制作意図	22	129
せいさくがいしゃ	制作会社	24	159
せいさん	生産	14	26
せいじはん	政治犯	*	191
せいしんてき［な］	精神的［な］	19	87
せいじんびょう	成人病	*	182
せいぜい		21	126
せいぜん	生前	22	129
せいそう［する］	清掃［する］	19	97
せいそくち	生息地	23	145
ぜいたく［な］	贅沢［な］	24	160
せいちょう	清聴	23	147
せいねんがっぴ	生年月日	16	44
せいび［する］	整備［する］	22	137
せいぶつ	生物	23	141
せいめい	生命	19	86
せいめいたい	生命体	22	135
せいよう	西洋	17	58
せいれつ	清冽	21	114
せかいしぜんいさん	世界自然遺産	23	146
せかいせんしゅけんたいかい	世界選手権大会	20	104
せかいてき［な］	世界的［な］	13	11
せきとり	関取	20	104
せきにん	責任	21	123
せきばらい	咳払い	18	83
せたい	世帯	21	120
せたけ	背丈	20	111
せっきょくてき［な］	積極的［な］	22	132
せっく	節句	17	70
せつじつ［な］	切実［な］	24	156
せっする	接する	20	100
せっち［する］	設置［する］	23	151
せってい［する］	設定［する］	23	144
せつでん［する］	節電［する］	21	121
せっとく［する］	説得［する］	20	112
せつぶん	節分	17	61
セツブンソウ		19	94
せつめいぶん	説明文	15	29
ぜつめつ［する］	絶滅［する］	23	141
せつやく［する］	節約［する］	19	86

209

せばめる	狭める	**23**	146
せめて		**22**	132
せん	栓	**18**	76
ぜん〜（〜ねんど）	前〜（〜年度）	**19**	86
せんきょ［する］	選挙［する］	**15**	38
せんこう［する］	専攻［する］	**24**	160
せんぜん	戦前	*	185
〜ぜんせん（さくら〜）	〜前線（桜〜）	**19**	95
せんたく［する］	選択［する］	**24**	167
せんちゃ	煎茶	**21**	114
せんでん［する］	宣伝［する］	**14**	24
せんとう	先頭	**19**	86
せんとう	銭湯	**24**	165
せんにゅうかん	先入観	**20**	100
ぜんぶん	全文	**13**	2
ぜんぽう	前方	**24**	164
せんもんせい	専門性	**24**	160
ぜんりょく	全力	**24**	167

－ そ －

そう	層	**14**	16
そう〜（〜しょうひりょう）	総〜（〜消費量）	**21**	125
ぞうか［する］	増加［する］	**20**	100
そうかといって		**24**	156
ぞうげん［する］	増減［する］	**21**	120
そうごうびょういん	総合病院	*	177
そうごさよう	相互作用	**23**	142
そうざい	惣菜	**21**	118
そうさく［する］	創作［する］	**16**	55
そうじき	掃除機	**13**	9
そうした		**22**	137
そうしゃ	奏者	**20**	100
そうしん［する］	送信［する］	**16**	55
そうぞう［する］	創造［する］	**19**	86
そうち	装置	**19**	90

そうとう［な］	相当［な］	**17**	67
そくせき	即席	**19**	85
そこで		**15**	30
そざい	素材	**20**	112
そしき［する］	組織［する］	**15**	30
そっきょう	即興	**20**	111
そっきょうえんそう	即興演奏	**20**	111
そっちょく［な］	率直［な］	**22**	134
そっと		**19**	97
そつろん	卒論	**24**	160
そなえる	備える	**16**	51
そのうち		**13**	2
〜そのもの		**20**	100
そまる	染まる	**23**	150
そもそも		**18**	76
それなり		**21**	122
そろう	揃う	**19**	91
そんざい［する］	存在［する］	**14**	16
そんなに		**18**	77
ぞんめい［ちゅう］	存命［中］	**22**	128

－ た －

だい〜（〜いち）	第〜（〜一）	**19**	86
〜だい(1960ねん〜)	〜代(1960年〜)	**14**	16
たいいん［する］	退院［する］	*	179
たいいんたいようれき	太陰太陽暦	**17**	57
たいいんれき	太陰暦	**17**	57
たいき	大気	**23**	141
たいきおせん	大気汚染	**23**	141
だいきん	代金	**21**	114
たいけん［する］	体験［する］	**19**	97
たいこ	太鼓	**15**	33
たいさく	対策	**14**	25
たいせい	体制	**17**	58
だいだい	代々	**15**	36
たいはん	大半	**21**	114
ダイビング		**21**	124

タイプ		18	72
たいほ［する］	逮捕［する］	＊	191
だいめい	題名	15	38
タイヤ		19	90
ダイヤ		＊	178
たいようれき	太陽暦	17	57
たいりょう	大量	16	56
ダイレクトメール		14	24
たうえ	田植え	20	107
タウンニュース		16	46
たえる	絶える	24	156
たかまる（きんちょうが～）	高まる（緊張が～）	23	150
たかみのけんぶつ	高みの見物	13	13
たから	宝	20	101
たき	滝	17	70
だきしめる	抱きしめる	＊	181
たく	炊く	21	114
たくわえる	蓄える	23	153
タコ		17	58
だしあう	出しあう	14	22
たしなみ		24	157
たしゅたよう［な］	多種多様［な］	23	146
だしわすれる	出し忘れる	18	83
だす（おとを～）	出す（音を～）	20	100
たずさわる	携わる	24	160
たずねる	訪ねる	23	151
ただ		13	2
ただの		14	24
たちあげる	立ち上げる	16	52
たちば	立場	14	24
たちむかう	立ち向かう	17	70
たつ（じかんが～）	経つ（時間が～）	15	30
たっせい［する］	達成［する］	19	86
たっせいかん	達成感	19	86
たった		16	54
だって		18	76
たっぷり		21	114
たとえ		13	9
たにん	他人	22	136
たび	旅	14	15
たびじ	旅路	24	167
たびたび		23	147
たべかけ	食べかけ	＊	191
たま	球	14	20
だます		16	44
たまねぎ	玉ねぎ	17	65
たまる（ごみが～）		13	10
たまる(ストレスが～)		22	136
たまわる		22	128
ためいき	ため息	13	10
ためす	試す	18	83
ためらう		22	132
たもつ	保つ	＊	181
たより		24	156
たよる	頼る	20	106
～たる（しゃかいじん～）	（社会人～）	24	156
たんい	単位	＊	185
だんかい	段階	23	143
たんご	単語	21	116
たんこうぼん	単行本	14	16
たんごのせっく	端午の節句	17	70
だんじき［する］	断食［する］	22	129
たんじゅん［な］	単純［な］	19	86
たんしょ	短所	24	162
だんたい	団体	22	130
たんに		19	86
たんのう［な］	堪能［な］	21	115
たんぺんしょうせつ	短編小説	18	73

- ち -

ち	血	14	20

〜ち（コレステロール〜）	〜値	21	124
ちいきしゃかい	地域社会	14	25
チーズ		24	163
チーム		15	30
チームメイト		19	98
チームワーク		19	86
ちえ	知恵	14	22
チェックイン［する］		14	23
チェックシート		23	144
ちかすい	地下水	21	114
ちかづく（りきゅうへ〜）	近づく（利休へ〜）	24	157
ちから（いきる〜）	力（生きる〜）	19	97
ちからづよい	力強い	20	104
ちきゅうおんだんか	地球温暖化	15	37
ちきゅうしみん	地球市民	23	141
ちくせき［する］	蓄積［する］	14	16
ちしき	知識	15	34
ちじん	知人	16	45
チヂミ		*	185
ちどうせつ	地動説	22	136
ちほう	地方	17	65
ちまき		14	23
ちゃくよう［する］	着用［する］	22	135
ちゃしゃく	茶杓	24	156
ちゃづけ	茶漬け	21	114
ちゃんこなべ	ちゃんこ鍋	20	104
チャンス		16	55
ちゆう	知友	22	129
ちゅうじつ［な］	忠実［な］	22	129
ちゅうしん	中心	*	183
ちゅうだん［する］	中断［する］	18	77
ちゅうねん	中年	15	40
ちゅうもく［する］	注目［する］	13	2
ちゅうもん［する］	注文［する］	15	39
ちゅうりゃく	中略	22	128
〜ちょう（アドレス〜）	〜帳	16	55
ちょう〜（〜たんぺんしょうせつ）	超〜（〜短編小説）	18	72
ちょうき	長期	16	52
ちょうじかん	長時間	20	108
ちょうしょ	長所	24	162
ちょうじょう	頂上	17	66
ちょうせい［する］	調整［する］	15	38
ちょうせん［する］	挑戦［する］	16	51
ちょうたつ［する］	調達［する］	24	160
ちょうど		15	42
ちょうどう	蝶道	24	167
ちょうなん	長男	*	184
ちょうり［する］	調理［する］	21	118
ちょうるい	鳥類	23	145
ちょうれいぼかい	朝令暮改	23	150
ちょくぜん	直前	14	16
ちょくやく［する］	直訳［する］	13	6
ちょしゃ	著者	17	65
ちょしょ	著書	20	100
ちょっけつ［する］	直結［する］	23	142
ちょっこうびん	直行便	*	179
ちらかす	散らかす	18	78
ちらしずし	ちらし寿司	14	24
ちらちら		18	72
ちらばる		18	72
ちり	地理	23	152
ちりょう［する］	治療［する］	*	182
ちる	散る	14	20
ちんたい	賃貸	*	183
ちんもく	沈黙	24	166

- つ -

ついていく（じゅぎょうに〜）	（授業に〜）	24	160
ついでに		*	181

つうがく［する］	通学［する］	23	151
つうきん［ラッシュ］	通勤［ラッシュ］	19	95
つうこう［する］	通行［する］	24	167
つうしん［する］	通信［する］	16	44
つうじん	通人	21	114
つうしんしゅだん	通信手段	22	127
つうやく［する］	通訳［する］	22	135
つえ	杖	23	149
つかいみち	使い道	23	146
つかまる	捕まる	16	56
つきあう	付き合う	13	13
つきぎめ	月極/月決め	13	2
つきひ	月日	13	2
つく	突く	22	136
つく（けんとうが〜）	(見当が〜)	18	72
つく（しごとに〜）	就く（仕事に〜)	24	160
つく（ひが〜）	(火が〜)	16	50
つくだに	佃煮	13	2
つくりあげる	作り上げる	14	16
つけ		23	143
つけね	付け根	20	111
つけもの	漬物	21	114
つげる	告げる	24	159
〜づける（げんき〜)	(元気〜)	16	43
つたわる	伝わる	13	14
つっこむ	突っ込む	24	161
つっぱしる	突っ走る	13	2
つどい	集い	*	186
つとめる	努める	19	86
つねに	常に	19	96
つみかさねる	積み重ねる	21	122
つむ（けいけんを〜)	積む（経験を〜)	24	161
つめる	詰める	13	2
つゆ	梅雨	19	95
つらい	辛い	14	27
〜づれ	〜連れ	17	64

－ て －

であい	出会い	24	160
であう	出遭う/出会う	14	20
ティーピーオー	TPO	24	155
ていぎ［する］	定義［する］	13	2
ていきてき［な］	定期的［な］	*	190
ていきゅうび	定休日	*	185
ていきょう［する］	提供［する］	15	40
ていげん［する］	提言［する］	19	85
ていしゅつ［する］	提出［する］	16	53
ていしょう［する］	提唱［する］	19	86
ディスカッション		22	127
ていたい［する］	停滞［する］	*	183
〜ていど	〜程度	13	4
ていねん	定年	19	93
でかい		15	41
てがみぶん	手紙文	22	127
てがる［な］	手軽［な］	21	118
てき	敵	19	98
てきかく［な］	的確［な］	19	85
てきせい	適性	24	162
てきせつ［な］	適切［な］	13	2
てきど［な］	適度［な］	13	2
でぐちちょうさ	出口調査	17	65
テクニック		14	16
でくわす	出くわす	13	2
てじゅん	手順	20	99
てづくり	手作り	20	106
でっちあげる	でっち上げる	24	157
てっていてき［な］	徹底的［な］	20	100
てつどう	鉄道	14	19
てっぺん		18	72
てにいれる	手に入れる	18	72
てにする	手にする	16	52
てにとる	手にとる	18	72
てにはいる	手に入る	24	160
てばなす	手放す	19	91

213

でまわる	出回る	21	125
てみやげ	手土産	13	13
てもと	手元	19	97
てらす	照らす	17	67
でる（けつろんが〜）	出る（結論が〜）	24	164
でる（せんきょに〜）	出る（選挙に〜）	15	38
テレビアニメ		14	15
てん	天	22	137
てん（という〜）	点	22	128
でんか［する］	電化［する］	19	97
てんかい［する］	展開［する］	15	40
でんかせいひん	電化製品	23	154
てんかん［する］	転換［する］	22	133
でんき	伝記	22	130
でんきゅう	電球	15	37
でんきりょうきん	電気料金	16	53
てんさい	天才	24	156
てんじ［する］	展示［する］	22	139
てんじひん	展示品	17	63
てんしょく［する］	転職［する］	15	37
てんじる	転じる	17	58
でんせつ	伝説	17	70
でんたく	電卓	19	91
てんとう［する］	転倒［する］	16	47
でんとう	伝統	19	90
でんとうぶんか	伝統文化	20	102
てんねんきねんぶつ	天然記念物	23	146
てんぷ［する］	添付［する］	19	86
てんもん	天文	17	69
でんりょく	電力	23	154

― と ―

とい	問い	13	2
といあわせる	問い合わせる	16	53
とう	問う	*	183
とうこう［する］	投稿［する］	23	142
とうこうきょひ	登校拒否	19	87
どうさ	動作	14	16
とうじ	当時	17	59
〜どうし（いとこ〜）	〜同士	13	11
どうじ	同時	20	111
どうじしんこう［する］	同時進行［する］	20	111
とうじつ	当日	*	176
とうしゃ	当社	24	160
どうしゃ	同社	16	44
とうじょう［する］	登場［する］	15	30
とうじょうじんぶつ	登場人物	18	71
どうしょくぶつ	動植物	23	146
とうぜん	当然	16	52
とうてん	当店	24	163
とうとう		20	108
どうとく	道徳	23	142
とうとつ［な］	唐突［な］	17	59
どうにか		13	6
どうにゅう［する］	導入［する］	17	59
とうの	当の	22	128
とうはいごう	統廃合	*	182
とうばん	当番	15	39
とうふ	豆腐	19	97
どうやら		13	2
どうよう［な］	同様［な］	16	44
とうろくユーザー	登録ユーザー	16	55
とうろん［する］	討論［する］	22	131
どうわ	童話	22	138
トーイック	ＴＯＥＩＣ	24	167
とおざける	遠ざける	13	6
とおす	通す	22	129
トーナメント		19	86
とおまわり	遠回り	24	167
とおりすぎる	通り過ぎる	14	27
とかく		24	156
ドキュメンタリー		20	106
とく［な］	得［な］	14	24
どく	毒	20	107

とくい［な］	得意［な］	15	34
どくがく［する］	独学［する］	17	67
とくぎ	特技	24	167
とくさんひん	特産品	17	65
どくじ［な］	独自［な］	21	115
とくしゅ［な］	特殊［な］	20	104
どくせん［する］	独占［する］	13	2
どくそうりょく	独創力	19	86
とくてい［する］	特定［する］	17	69
とくてん	得点	19	97
どくへび	毒ヘビ	20	107
とくめい	特命	15	30
どくりつ［する］	独立［する］	20	111
とけいまわり	時計回り	19	90
とける	溶ける	14	24
とける	解ける	*	188
とじこめる	閉じ込める	14	21
としせいび	都市整備	*	182
どじょう	土壌	23	142
としん	都心	13	10
どせい	土星	14	20
とっこうやく	特効薬	19	87
とつぜん	突然	16	52
トップブランド		14	17
とどうふけん	都道府県	17	65
とどまる		16	51
とどめる		24	157
となえる	唱える	22	129
とびきりの		21	114
とびだす	飛び出す	16	48
とぶ	跳ぶ	18	79
とぼしい	乏しい	21	125
とまどう	戸惑う	17	59
ともに	共に	15	41
トラブル		16	44
とりあえず		13	2
とりあげる	取り上げる	14	18
ドリアン		23	152
とりくむ	取り組む	19	85
とりこむ	取り込む	23	153
とりちがえる	取り違える	13	5
とりのこす	取り残す	14	20
とりひきさき	取引先	15	34
とりもどす	取り戻す	19	94
どりょくか	努力家	23	149
とる（しょくじを～）	（食事を～）	21	117
とる（すもうを～）	取る（相撲を～）	20	99
とる（ばしょを～）	（場所を～）	18	76
トロンボーン		20	100

－ な －

な	名	15	34
ないがい（くにの～）	内外（国の～）	20	100
ないし		16	44
ないぶ	内部	16	44
なおさら		13	14
ながいめ	長い目	24	167
ながしだい	流し台	18	72
ながつき	長月	17	58
なかなおり［する］	仲直り［する］	18	75
ながねん	長年	17	58
ながれ（かわの～）	流れ（川の～）	17	70
ながれ（ぶんしょうの～）	流れ（文章の～）	13	4
ながれる（コマーシャルが～）	流れる	24	160
なぐさめる	慰める	16	43
なげだす（みを～）	投げ出す（身を～）	14	20
なこうど	仲人	23	153
なさけはひとのためならず	情けは人のためならず	13	5
なぞ	謎	14	15
なづける	名づける	17	58
なっとう	納豆	20	104

215

なっとく [する]	納得 [する]	17	66
なつび	夏日	14	25
〜など		13	8
なにげない	何気ない	13	14
なにごと	何事	*	184
なにしろ	何しろ	15	34
なにひとつない	何ひとつない	18	72
なにもの	何者	16	45
ナビゲーター		19	91
なまけもの	怠け者	15	42
ナマケモノ		15	42
なまみ	生身	14	20
なやむ	悩む	20	108
ならう	倣う	17	58
ならびじゅん	並び順	17	70
なるほど		18	83
なれしたしむ	慣れ親しむ	17	58
〜なん（ざいせい〜）	〜難（財政〜）	17	59
なんといおうと		24	156
なんとかなる	何とかなる	24	164
なんとなく		13	2
なんみんキャンプ	難民キャンプ	19	93

ー に ー

にがい（〜たいけん）	苦い（〜体験）	16	43
にくたい	肉体	24	156
にこにこ [する]		22	136
にせもの	偽物	20	109
にちじょう [てき]	日常 [的]	13	1
ニックネーム		20	104
にっしょう	日照	24	168
にってい	日程	22	139
にのくもつげない	二の句もつげない	21	114
にほんれっとう	日本列島	19	95
にゅうえんりょう	入園料	13	1
にゅうかい [する]	入会 [する]	19	89
にゅうしゃ [する]	入社 [する]	13	9
にゅうしゅ [する]	入手 [する]	21	120
にゅうぶ [する]	入部 [する]	19	90
にゅうもん [する]	入門 [する]	20	104
にゅうようじ	乳幼児	22	135
にゅうりょく [する]	入力 [する]	16	50
ニンジャ		23	152
にんたい [りょく]	忍耐 [力]	24	155
〜にんちゅう〜にん	〜人中〜人	21	118

ー ぬ ー

ぬく（せんを〜）	抜く（栓を〜）	18	76
ぬく（ひとを〜）	抜く（人を〜）	17	63

ー ね ー

ねあげ	値上げ	22	133
ねいろ	音色	20	100
ネーミング		13	2
ねぐら		23	146
ネクロロジー		22	128
ねじ		24	163
ねつい	熱意	22	140
ねっしん [な]	熱心 [な]	24	166
ねったいうりん	熱帯雨林	23	141
ねつっぽい	熱っぽい	*	187
ネット		16	53
ねばりづよい	粘り強い	22	140
ねぶそく	寝不足	*	178
ねらい		17	59
ねんきん	年金	22	133
ねんきんせいかつ [しゃ]	年金生活 [者]	22	133
ねんげつ	年月	14	16
ねんざ [する]	捻挫 [する]	16	47
ねんど	年度	17	58
ねんまつ	年末	16	52
ねんりょう	燃料	*	182
ねんりん	年輪	21	122

- の -

[お] のう	[お] 能	24	155
のうか	農家	23	153
のうこう	農耕	23	142
のうさんぶつ	農産物	24	160
のうそん	農村	*	178
のうち	農地	23	146
ノウハウ		14	16
のうりつ	能率	15	30
のこす(こうせいへ〜)	残す(後世へ〜)	24	157
のぞく		18	77
のちの	後の	24	157
のぼる(てんに〜)	昇る(天に〜)	17	70
〜のみ		14	16
のみかい	飲み会	24	167
のみこむ		13	2
のみみず	飲み水	21	113
のりこえる	乗り越える	15	41
ノンフィクション		20	100

- は -

は	刃	18	72
パーキング		13	2
はあく [する]	把握 [する]	19	85
ハープ		20	111
ばい	倍	22	135
バイオリン		17	68
はいく	俳句	21	121
はいぐうしゃ	配偶者	24	162
はいけい	拝啓	22	128
はいけい	背景	22	133
はいざい	廃材	19	86
はいすい	排水	18	72
はいすいぱいぷ	排水パイプ	18	72
はいぞく [する]	配属 [する]	24	162
ばいばい [する]	売買 [する]	16	56
はいひん	廃品	19	86
はいひんかいしゅう	廃品回収	19	97
はいりこむ	入り込む	21	114
はいりなおす	入り直す	13	11
はいる (せいめいが〜)	入る(生命が〜)	19	86
ハウス		21	125
バカ		16	50
はかい [する]	破壊 [する]	21	114
はく	掃く	19	97
はくしゅ [する]	拍手 [する]	20	110
はくしょ	白書	21	118
ばくだい [な]	莫大 [な]	21	124
ばくはつ [する]	爆発 [する]	22	139
はげしい	激しい	14	17
はげます	励ます	16	47
はげむ	励む	24	166
はじ	恥	13	7
はじく		20	111
はしらせる (しせんを〜)	走らせる(視線を〜)	18	72
はしりこむ	走りこむ	19	98
はしりまわる	走り回る	15	40
パス		19	98
パスコース		19	98
パスワード		16	55
はたして		22	129
はっかっけい	八角形	17	58
はづき	葉月	17	58
はつげん [する]	発言 [する]	13	13
はっこう [する]	発行 [する]	14	25
ばっさい [する]	伐採 [する]	21	114
はっそう [する]	発想 [する]	22	133
はったつ [する]	発達 [する]	22	136
パッと		13	2
はつどひょう	初土俵	20	104
はつばい [する]	発売 [する]	14	16
はっぽうごむ	発泡ゴム	19	86

バトン		19	90
はなしあいて	話相手	24	156
はなして	話し手	14	19
はなす（めを〜）	離す（目を〜）	16	49
はなやか［な］	華やか［な］	19	90
はなよめ	花嫁	18	80
はなれる（こきょうを〜）	離れる（故郷を〜）	20	104
バネ		20	112
はねる（ひとを〜）	（人を〜）	16	48
ははおや	母親	17	64
はまる（アニメに〜）		14	20
はまる（かたに〜）	（型に〜）	24	155
ばめん	場面	14	22
はやおき	早起き	14	25
はやおきはさんもんのとく	早起きは三文の得	14	25
はやびきゃく	早飛脚	21	114
はやる		*	178
はらがたつ	腹が立つ	20	107
バリアフリー		21	124
はる（げんを〜）	張る（弦を〜）	20	111
はるかに		17	66
はんい	範囲	13	2
ばんぐみ	番組	14	16
ばんぐみせいさく	番組制作	20	111
はんこう	犯行	16	45
はんこう［する］	反抗［する］	19	93
ばんこん	晩婚	22	133
はんする	反する	*	183
はんせい	半生	20	100
パンダ		14	23
はんだん［する］	判断［する］	21	123
バンド		20	111
ばんとう	番頭	21	126
ハンドバッグ		*	178
ハンドル		16	48
はんのう［する］	反応［する］	13	14
ばんのう	万能	*	185
はんばい［する］	販売［する］	16	44
はんめい［する］	判明［する］	16	44

― ひ ―

〜ひ（じんけん〜）	〜費（人件〜）	17	59
ピアニスト		15	39
ピーシー	PC	14	23
ひが	彼我	24	167
ひがい	被害	14	24
ひがいがく	被害額	16	55
ひがいしゃ	被害者	16	45
ぴかぴか［な］		18	72
ひかりかがやく	光り輝く	17	70
ひきあげる	引き上げる	16	54
ひきかえす	引き返す	17	66
ひきこもり	引きこもり	19	91
ひきさげる	引き下げる	16	52
ひきしめる	引き締める	19	91
ひきだす	引き出す	16	44
ひきつぐ	引き継ぐ	19	91
ひきとる（いきを〜）	引き取る（息を〜）	22	140
ひきよせる	引き寄せる	23	148
びけい	美形	14	21
ひげき	悲劇	23	141
ひごろ	日頃	22	134
ひざ		16	48
びじょ	美女	14	15
ひじょうじ	非常時	23	149
ひじょうべる	非常ベル	14	27
ひじょうよう	非常用	24	164
ひだりて	左手	16	54
ひっくりかえす	ひっくり返す	16	50
ひっくりかえる	ひっくり返る	16	48
ひづけ	日付	16	45
ひっし［に］	必死［に］	16	54

ひつじ	羊	23	142
ひっしゅう	必修	*	185
ひっしゅうかもく	必修科目	*	185
ぴったり		13	6
ピッチャー		14	16
ヒット［する］		14	16
ヒットさくひん	ヒット作品	14	16
ひっぱりあげる	ひっぱり上げる	16	54
ひっぱる	引っ張る	23	150
ひていてき［な］	否定的［な］	24	162
ひどい		16	50
ひとがら	人柄	24	167
ひとこと	一言	14	19
ひとづくり	人づくり	19	85
ひとにぎり	一握り	22	129
ひとりぐらし	一人暮らし	*	179
ひなにんぎょう	ひな人形	17	64
ひなまつり	ひな祭り	17	64
ひなん［する］	避難［する］	16	52
ひなん［する］	非難［する］	18	75
ひにく	皮肉	18	75
ひはん［する］	批判［する］	*	180
ひび	日々	13	3
ひびき	響き	20	104
ひびく	響く	22	140
ひへい［する］	疲弊［する］	15	30
ひまわり	向日葵	13	4
ひみつ	秘密	15	39
びみょう［に］	微妙［に］	18	72
ひゃくやく	百薬	*	179
びょう	秒	14	16
ひょうか［する］	評価［する］	19	85
ひょうご	標語	19	87
ひょうし／びょうし	拍子	20	111
びょうじょう	病状	*	177
ひょうばん	評判	19	95
ひょうめい［する］	表明［する］	21	113
ひょうろんか	評論家	21	122
ひょっとして		13	2
ひりつ	比率	15	30
ひりょう	肥料	*	190
ひろう［する］	披露［する］	19	91
ひろがる	広がる	13	2
ひろげる（はなしを～）	広げる（話を～）	13	7
ひろまる（せかいじゅうに～）	広まる（世界中に～）	19	87
ひんこん	貧困	22	139
ヒント		20	111

― ふ ―

ふ～（～ゆかい）	不～（～愉快）	13	13
～ぶ	～分	21	114
～ぶ（えんげき～）	～部（演劇～）	14	27
～ぶ（すうせんまん～）	～部（数千万～）	14	16
ファッション		21	116
ぶいん	部員	19	89
ふうけい	風景	14	27
フェア		22	130
フェスタ		22	139
ぶか	部下	15	36
ふかけつ［な］	不可欠［な］	23	143
ふかさ（かかわりの～）	深さ（関わりの～）	21	114
ぶかつどう	部活動	19	89
ふかまる（りかいが～）	深まる（理解が～）	19	94
ふかめる	深める	21	123
ふきゅう［する］	普及［する］	19	86
ぶきよう［な］	不器用［な］	21	121
ふきんしん	不謹慎	22	128
ふく	福	13	6
ふく	吹く	20	100
ふくしょく	副食	21	114
ふくすう	複数	17	66
ふくそう	服装	24	155

219

ふくめる	含める	20	102
ふこう［な］	不幸［な］	16	43
ふこうへい［かん］	不公平［感］	22	132
ふさ	房	21	126
ふさわしい		18	82
ぶじ	無事	16	54
ふじゆう［な］	不自由［な］	24	156
ぶしょ	部署	14	25
ふしん［に］	不審［に］	16	44
ふせいしよう	不正使用	16	55
ふせぐ	防ぐ	19	92
ふそく［する］	不足［する］	17	59
ぶたい	舞台	19	90
ぶたいそうち	舞台装置	19	90
ふたご	双子	13	10
ふたしか［な］	不確か［な］	22	138
ふたたび	再び	21	118
ぶっこしゃ	物故者	22	128
ぶつり	物理	19	94
ふと		20	111
ブナ		23	146
フナずし		23	152
ふび	不備	17	58
ぶひん	部品	19	86
ふぶき	吹雪	17	66
ふへい	不平	18	80
ふへんか	普遍化	23	142
ふまん	不満	18	75
ふめい［な］	不明［な］	16	55
ぶもん	部門	20	103
ふよう［な］	不要［な］	16	53
プライド		*	178
プライベート［な］		15	33
ぶらさがる	ぶら下がる	15	42
ブランコ		22	138
ブランド		21	124
ふり		13	13

フリーメール		16	55
ふりかえる	振り返る	22	130
ふりこむ	振り込む	16	44
プリントアウト［する］		16	50
フルート		20	100
ふるくさい	古臭い	20	100
ふるまい		19	86
ブレイクダンス		15	35
プレイヤー		15	30
ふれる（てに～）	触れる（手に～）	14	19
プロ		14	16
プロジェクト		15	30
プロフィール		20	99
ふんいき	雰囲気	20	111
ぶんかい［する］	分解［する］	19	86
ぶんかめん （しんぶんの～）	文化面（新聞の～）	20	99
ぶんしん	分身	19	86
ぶんせき［する］	分析［する］	14	25
ぶんたん［する］	分担［する］	15	30
ぶんぷ［する］	分布［する］	19	94
ぶんまつ	文末	22	131
ぶんや	分野	15	41

― へ ―

へいき［な］	平気［な］	18	77
へいし	兵士	14	22
へいしゃ	弊社	24	160
へいてん［する］	閉店［する］	23	149
ベジタリアン		15	38
ベストセラー		13	7
へだてる	隔てる	22	128
べつ	別	17	58
べっさつ	別冊	14	17
ペットロボット		19	85
べつもんだい	別問題	22	128
べとべと		16	50

ぺらぺら		*	185
へる	経る	14	16
へんか［する］	変化［する］	13	1
へんさん［する］	編纂［する］	22	128
へんしん［する］	変身［する］	17	70
へんせい［する］	編成［する］	14	16
へんどう［する］	変動［する］	23	146

― ほ ―

ほいくしせつ	保育施設	22	132
ほいくしょ	保育所	22	132
ほうえい［する］	放映［する］	14	16
ほうがく	邦楽	20	99
ほうき［する］	放棄［する］	22	132
ぼうけん	冒険	17	65
ほうこうおんち	方向音痴	19	92
ほうこく［する］	報告［する］	17	60
ほうしき	方式	*	181
ほうしん	方針	17	66
ほうせき	宝石	*	181
ほうそうきょく	放送局	*	187
ほうそく	法則	15	30
ほうてい	法廷	*	184
ほうどう［する］	報道［する］	21	122
ほうにち［する］	訪日［する］	21	119
ほうふ	抱負	20	103
ほうふ［な］	豊富［な］	21	114
ほうもん［する］	訪問［する］	16	52
ホームカミングデイ		15	36
ホームパーティー		13	6
ボールひろい	ボール拾い	19	90
ほくじょう［する］	北上［する］	19	95
ぼくそう	牧草	23	142
ほけつ	補欠	19	90
ほご［する］	保護［する］	23	146
ぼご	母語	21	124
ぼこう	母校	20	109
ほこり	誇り	19	90
ほじゅう［する］	補充［する］	17	59
ほしょう［する］	保証［する］	14	16
ホストファミリー		23	152
ぼち	墓地	*	184
ホッとする		20	107
ポテトチップス		13	12
ボトム・アップほうしき	ボトム・アップ方式	*	181
ぼひめい	墓碑銘	22	128
ポピュラー［な］		19	96
ほめたたえる	褒めたたえる	22	140
ほゆうだいすう	保有台数	21	120
ボランティアかつどう	ボランティア活動	14	25
ほりさげる	掘り下げる	23	142
ほれこむ	ほれ込む	20	111
ほろびる	滅びる	24	157
ほんしょ	本書	22	128
ぼんじん	凡人	24	158
ほんてん	本店	23	149
ほんと		24	157
ほんにん	本人	22	128
ほんば	本場	20	111
ほんらい	本来	17	58

― ま ―

まいかい	毎回	14	16
まいる		16	50
まかせきる		24	156
まかせる	任せる	22	132
まぎらわす		24	156
まく	巻く	19	86
まく（まめを～）	（豆を～）	17	62
まけずぎらい	負けず嫌い	17	68
まけるがかち	負けるが勝ち	14	24
まごころ	真心	*	184
まさか		16	55

221

まさに（〜そのとき）	（〜その時）	17	70
まじめ［に］		15	42
まじる	交じる	20	111
まじわり	交わり	22	134
まずい		14	23
まずしい	貧しい	22	138
まち	街	13	2
まちあいしつ	待合室	*	178
まちかまえる	待ち構える	24	168
まちどおしい	待ち遠しい	20	111
まちなみ	街並み	23	147
まちのぞむ	待ち望む	22	136
まつ	松	21	114
まつご	末期	21	114
マッサージ		14	25
マット		16	50
まつわる		17	58
まとまる		19	85
まとめやく	まとめ役	22	134
まとめる		20	106
マナー		15	39
マニアック［な］		18	72
マニフェスト		*	183
まね		*	186
まめ	豆	*	186
まもなく		22	137
まもる（やくそくを〜）	守る（約束を〜）	24	155
マンガか	マンガ家	14	16
まんげつ	満月	22	129
まんざい	漫才	*	188
まんせき	満席	16	53
まんぞく［する］	満足［する］	18	74
まんねん〜	万年〜	19	90

― み ―

み	身	14	20
み	実	15	34
み〜（〜けいけん）	未〜（〜経験）	19	97
みあたる	見当たる	21	114
みがく	磨く	15	34
みかた	見方	16	50
みかた	味方	18	84
みがって［な］	身勝手［な］	*	190
みぎて	右手	16	49
みぎにでる	右に出る	15	29
みごと［に］	見事［に］	*	191
みこみ	見込み	19	94
みこん	未婚	22	133
みずいらず	水入らず	21	115
みずかけろん	水かけ論	21	115
みずから	自ら	20	100
みずしげん	水資源	23	142
みずぶそく	水不足	*	176
みする	魅する	15	34
みずをさす	水を差す	21	115
みずをむける	水を向ける	21	115
みせいねん	未成年	*	179
ミソしる	ミソ汁	21	114
みだし	見出し	16	46
みたす	満たす	22	140
みため	見た目	19	95
みだれる	乱れる	*	178
みち（ぶつりの〜）	道（物理の〜）	19	94
みぢか	身近	17	64
みちすがら		22	129
みちすじ	道筋	24	167
みつ	満つ	14	16
みっちゃく［する］	密着［する］	21	115
みつめる	見つめる	18	74
みな		*	176
みなおす	見直す	16	51
みなさま	皆様	22	135
みなれる	見慣れる	13	2
みにつく	身につく	19	86

みにつける	身につける	19	94
みのり	実り	23	149
みはらい［きん］	未払い［金］	16	44
みはる	見張る	*	190
みぶん	身分	16	53
みぶんしょうめいしょ	身分証明書	16	53
みまもる	見守る	23	153
みみにする	耳にする	15	41
みゃくはく	脈拍	15	30
みやこ	都	13	8
みょうじ	苗字	13	2
みわたす	見渡す	24	156
みんしゅしゅぎ	民主主義	20	110
みんぞく［おんがく］	民族［音楽］	20	100

― む ―

ムーン		13	2
むかえる（かんれきを～）	迎える（還暦を～）	22	130
むかしばなし	昔話	14	19
むかしむかし	昔々	24	166
むきりょく	無気力	22	140
むくいる	報いる	20	105
むくち［な］	無口［な］	*	177
むし［する］	無視［する］	14	16
むしあみ	虫網	24	168
むしゃしゅぎょう	武者修行	20	111
むしゃにんぎょう	武者人形	17	70
むしょう	無償	22	132
むじんたんさロボット	無人探査ロボット	19	85
むすうの	無数の	23	142
むすびつく	結びつく	19	86
むすぶ	結ぶ	15	34
むそう［する］	夢想［する］	22	129
むだづかい	無駄遣い	22	134
むだん	無断	22	140
むちゅう	夢中	14	16
むつき	睦月	17	58
むね（ははおやの～）	胸（母親の～）	24	163
むよう［な］	無用［な］	19	97
むりょうか［する］	無料化［する］	16	52

― め ―

めいい	名医	21	121
めいかく［な］	明確［な］	23	143
めいがらまい	銘柄米	21	114
めいすい	名水	21	114
めいにち	命日	20	104
めいろ	迷路	*	189
めぐる		*	184
めし	飯	21	114
めした	目下	13	13
メス		24	168
めだつ	目立つ	21	114
めったに		22	136
めにする	目にする	13	13
めにはいる	目に入る	13	2
めのいろ	目の色	20	101
めをとめる	目をとめる	18	72
めん	麺	21	125
めん（しゃかい～）	面（社会～）	16	44
めんじょ［する］	免除［する］	*	183
めんせつ［する］	面接［する］	24	155
めんど［う］くさい	面倒くさい	24	156
メンバー		15	35

― も ―

もえうつる	燃え移る	16	53
モーター		19	90
もくざい	木材	23	146
もくせい	木星	17	69
もくろむ		17	59

223

モダン [な]		15	34
もちあじ	持ち味	20	111
もちあるく	持ち歩く	18	72
もちいる	用いる	15	37
もちだす	持ち出す	20	110
もちぬし	持ち主	18	79
もつ（ぎもんを〜）	持つ（疑問を〜）	20	100
もつ（こどもを〜）	持つ（子どもを〜）	17	67
もっか	目下	22	128
もと（そうけの〜）	（宗家の〜）	20	100
もと（まちがいの〜）	（間違いの〜）	24	157
もどす	戻す	13	5
もとづく	基づく	21	113
もとに	基に	21	113
もとめる	求める	16	44
〜もの／もん（はやい〜）	（早い〜）	17	62
ものがたり	物語	23	142
ものごと	物事	14	15
ものすごい		18	83
ものづくり		19	85
もより	最寄り	24	167
もれる	漏れる	16	43

― や ―

やぎにゅう	やぎ乳	24	163
やきゅうたいかい	野球大会	14	26
やきゅうぶ	野球部	19	89
やく〜	約〜	13	11
やくしゃ	役者	19	89
やくす	訳す	21	115
やくそくごと	約束事	24	155
やくだてる	役立てる	19	89
やくにん	役人	17	59
やしなう	養う	19	86
ヤスリ		19	86
〜やつ（いい〜）	〜奴	13	13
やっかい [な]	厄介 [な]	20	100
ヤドカリ		15	41
やぶる（かたを〜）	破る（型を〜）	24	156
やま（ほんの〜）	山（本の〜）	18	71
やまありたにあり	山あり谷あり	22	130
やまおく	山奥	24	156
やむ	止む	*	179
やよい	弥生	17	58
やりとげる		19	85
やりなおし	やり直し	16	50
やりぬく		*	191
やわらかい（あたまが〜）	柔らかい（頭が〜）	20	110

― ゆ ―

ゆいいつ	唯一	24	157
ゆいごん	遺言	14	20
ゆうが [な]	優雅 [な]	20	111
ゆうかん	夕刊	14	25
ゆうしょく	夕食	*	185
ユース		17	63
ゆうすう	有数	21	114
ゆうせん [する]	優先 [する]	24	167
ゆうそう [する]	郵送 [する]	14	24
ゆうびんばんごう	郵便番号	16	44
ゆうりょう（〜サイト）	有料	16	44
ゆうわく [する]	誘惑 [する]	22	134
ゆえ	故	21	114
ゆきき [する]	行き来 [する]	15	30
ゆきどけみず	雪どけ水	21	114
ゆだん [する]	油断 [する]	19	97
ユニーク [な]		19	91
ゆめみる	夢みる	22	130
ゆらす	揺らす	20	111
ゆるす	許す	24	163
ゆれる	揺れる	14	24

－ よ －

よあけ	夜明け	20	111
よいん	余音	24	157
よういん	要因	21	120
ようきゅう［する］	要求［する］	16	51
ようけん	用件	22	139
ようご	用語	15	41
ようし	用紙	19	86
ようじ	幼児	19	93
ようしょく［する］	養殖［する］	21	125
ようする	要する	13	2
ようするに	要するに	18	72
ようそ	要素	16	46
ようやく		20	108
よか	余暇	20	106
ヨガ		14	25
よきん（〜こうざ）	預金（〜口座）	16	44
よくじつ	翌日	17	59
よくねん	翌年	17	59
よこになる	横になる	*	180
よこばい	横ばい	21	117
よこめ	横目	15	30
よごれる（ちかすいが〜）	汚れる（地下水が〜）	21	115
よさん	予算	16	52
よしあし		21	121
よじじゅくご	四字熟語	13	2
よせる	寄せる	16	44
よそう［する］	予想［する］	17	66
よそく［する］	予測［する］	16	52
よそみ	よそ見	16	49
よっぽど／よほど		17	62
よびかける	呼びかける	16	52
よびな	呼び名	17	58
よぼうせっしゅ	予防接種	22	138
よほど		22	136
よみちがえる	読み違える	13	2
よりそう	寄り添う	20	106

－ ら －

ライト		16	48
らいにち［する］	来日［する］	13	2
ライフスタイル		*	190
らっかんてき［な］	楽観的［な］	*	178
ラテンおんがく	ラテン音楽	20	111
らんざつ	乱雑	18	78

－ り －

リーダー		15	35
リード［する］		20	111
りえき	利益	15	41
りかい［する］	理解［する］	20	99
りきし	力士	20	104
りくつ	理屈	24	168
りけい	理系	*	183
リストラ		16	55
リズム		15	34
りそうてき［な］	理想的［な］	15	32
リゾートかいはつ	リゾート開発	21	114
りっしゅん	立春	17	58
りっち（〜じょうけん）	立地（〜条件）	*	189
リビングルーム		17	62
りゅう	竜	17	70
りゅうこう［する］	流行［する］	19	93
りゅうしつ	流失	16	44
りゅうしゅつ［する］	流出［する］	16	43
〜りょう	〜両	21	114
〜りょうきん	〜料金	16	53
りょうけ	両家	*	182
りょうし	漁師	23	153
りょうしつ	良質	21	114
りょうしょう［する］	了承［する］	24	165
りょうほう	両方	14	24

りょかん	旅館	14	28
リレー		17	64
りんどう	林道	23	145

－ る －

るい	類	22	128
ルーズ［な］		13	11
ルーツ		17	69
ルート		24	167

－ れ －

レイアウト		20	102
れいがい	例外	19	87
れいとう	冷凍	21	125
レギュラー		19	90
れつ	列	21	122
れっしゃ	列車	14	20
レトルトしょくひん	レトルト食品	24	160
レベル		22	133
れんあい［する］	恋愛［する］	17	65

－ ろ －

ろうどう	労働	22	137
ろうどうしゃ	労働者	22	137
ろうどうじょうけん	労働条件	22	137
ろうどうりょく	労働力	22	137
ロボットコンテスト		19	85
ろんぶん	論文	15	38

－ わ －

わ	和	19	94
ワールドカップ		23	149
わいわい		13	6
ワイングラス		18	76
わえいじてん	和英辞典	13	2
わがし	和菓子	＊	177
わがしゃ	わが社	＊	187
わかだんな	若だんな	21	126
わかちあう	分かち合う	15	41
わがまま［な］		20	104
わかれ（えいえんの～）	別れ（永遠の～）	24	163
わきおこる	湧き起こる	20	110
わきやく	脇役	15	30
わく	枠	20	111
わく	沸く	21	114
わくぐみ	枠組み	14	22
わざ	技	21	125
ワサビ		＊	183
わざわい	災い	13	6
わずか［な］		20	104
わだい	話題	13	5
わたくしども	私ども	22	139
わたりあるく	渡り歩く	20	108
わたる（げんちに～）	渡る（現地に～）	20	111
わり	割	13	11
わりあい	割合	15	30
わりびき（～りょうきん）	割引（～料金）	＊	177
わりふる	割り振る	17	69

会話 表現 索引

*「話す・聞く」の「5. 練習しよう」で扱っている表現

― あ ―

		課	頁
あーあ。～ばよかった		16	49
いえ、それほどでも		15	35
いじょうから、……ことがおわかりいただけるとおもいます	以上から、……ことがお分かりいただけると思います	21	120
いわゆる～です		19	91
おいそがしいところ、おじかんをいただきありがとうございます。～ともうします	お忙しいところ、お時間をいただきありがとうございます。～と申します	20	105
おことばにあまえて、……	お言葉に甘えて、……	15	36
おたがいさまなんじゃない？	お互いさまなんじゃない？	18	77

― か ―

		課	頁
くよくよしないで		16	49
(かなしい) ことに、……	(悲しい) ことに、……	23	147
……ことにかんめいをうけ、ぜひおんしゃではたらきたいとおもいました	……ことに感銘を受け、ぜひ御社で働きたいと思いました	24	161
ごめん。……ちょっといいすぎたみたいだね	ごめん。……ちょっと言い過ぎたみたいだね	18	77
これは～をしめす～です	これは～を示す～です	21	119

― さ ―

		課	頁
さて、～ではどうでしょうか		23	147
～さんのみぎにでるひとはいない	～さんの右に出る人はいない	15	35
しゅじんこうは～と（って）いう～。	主人公は～と（って）いう～。	14	21
しょっちゅう……ね		18	77
そのとおりです	その通りです	22	134
それがきっかけで……ようになりました		23	147
それにしても、……		20	106
それもそうですね		22	134
そんなたいしたものじゃありません	そんな大したものじゃありません	15	35
そんなにいわなくたっていいじゃない	そんなに言わなくたっていいじゃない	18	77

― た ―

		課	頁
だいたい～は……んだ		18	77
……だけでもよかったじゃない。ふこうちゅうのさいわいだよ	……だけでもよかったじゃない。不幸中の幸いだよ	16	49
たしかに……。しかし、……	確かに……。しかし、……	24	161
たしかに……ことってよくあるよね	確かに……ことってよくあるよね	13	8

ただ、じぶんでいうのもなんですが、……	ただ、自分で言うのもなんですが、……	15	35
……たとおもえばいいじゃないですか	……たと思えばいいじゃないですか	16	50
ちょっとじまんばなしになりますが、……	ちょっと自慢話になりますが、……	19	91
〜っていうはなし	〜っていう話	14	21
つまり、……ってことです		13	8
で、どうなったの？　けっきょく	で、どうなったの？　結局	14	22
〜でおもいだしたんだけど	〜で思い出したんだけど	13	7
ですが、〜さん		22	134
では、きょうのぎだい、〜についてはなしあいたいとおもいます	では、今日の議題、〜について話し合いたいと思います	22	133
ではそろそろいけんをまとめたいとおもいます	ではそろそろ意見をまとめたいと思います	22	134
……という（って）はなし、しってる？	……という（って）話、知ってる？	14	21
……といえるのではないでしょうか	……と言えるのではないでしょうか	21	120
ところで、〜のことだけど、……んだって？		13	7

— な —

なきたいきぶんだよ	泣きたい気分だよ	16	49
なにかひとことおねがいできますでしょうか	何か一言お願いできますでしょうか	20	106
……なんじゃないでしょうか		22	134
〜にしょうかいさせていただきたいとおもいます	〜に紹介させていただきたいと思います	20	105
〜にみられるように……	〜に見られるように……	21	119
〜のけいけんを〜にいかせたらいいなとおもいます	〜の経験を〜に生かせたらいいなと思います	19	91
……のではなく、まず、……べきだとおもいます	……のではなく、まず、……べきだと思います	22	134

— ま —

まず、うかがいたいんですが、……	まず、伺いたいんですが、……	20	105
ますますのごかつやくをきたいしております	ますますのご活躍を期待しております	20	106
ものはかんがえようですよ	ものは考えようですよ	16	50

— や —

〜より〜を〜べきじゃないでしょうか		22	133-4

— わ —

わたしこそ、〜て、ごめん	私こそ、〜て、ごめん	18	76
わたしは〜にはんたいです	私は〜に反対です	22	133
……んじゃない？		18	77

漢字索引

*▲音読み、△訓読みを表す
*赤字の音訓は、特別なもの、または用法のごく狭いもの

初出課	漢字	音訓 提出語	提出語の読み	提出課
13課	株	△かぶ		
		株式会社	かぶしきがいしゃ	13
	佃	△つくだ		
		佃煮	つくだに	13
	煮	▲シャ △にる にえる にやす		
		佃煮	つくだに	13
	降	▲コウ △おりる おろす ふる		
		以降	いこう	13
		降水量	こうすいりょう	21
	熟	▲ジュク △うれる		
		熟語	じゅくご	13
	覚	▲カク △おぼえる さます さめる		
		覚える	おぼえる	13
		覚え	おぼえ	16
	退	▲タイ △しりぞく しりぞける		
		一進一退	いっしんいったい	13
	錯	▲サク		
		試行錯誤	しこうさくご	13
	誤	▲ゴ △あやまる		
		試行錯誤	しこうさくご	13
	極	▲キョク ゴク △きわめる きわまる きわみ		
		月極め	つきぎめ	13
		極上	ごくじょう	21
	頃	△ころ		
		〜の頃	〜のころ	13
		その頃	そのころ	13
	辞	▲ジ △やめる		
		辞書	じしょ	13

	漢字	音訓 提出語	提出語の読み	提出課
		辞典	じてん	13・22
	詰	▲キツ △つめる つまる つむ		
		詰める	つめる	13
	看	▲カン		
		看板	かんばん	13
	駐	▲チュウ		
		駐車場	ちゅうしゃじょう	13
	典	▲テン		
		辞典	じてん	13・22
	苗	▲ビョウ ミョウ △なえ なわ		
		苗字	みょうじ	13
	範	▲ハン		
		範囲	はんい	13
	囲	▲イ △かこむ かこう		
		範囲	はんい	13
	横	▲オウ △よこ		
		横断	おうだん	13
		横目	よこめ	18
	企	▲キ △くわだてる		
		企業	きぎょう	13
	独	▲ドク △ひとり		
		独占	どくせん	13
		独創力	どくそうりょく	19
		独自	どくじ	21
	占	▲セン △しめる うらなう		
		独占	どくせん	13
		占める	しめる	17
	込	△こむ こめる		

		思い込む	おもいこむ	13
		振り込む	ふりこむ	16
		しみ込む	しみこむ	21
		入り込む	はいりこむ	21
		組み込む	くみこむ	23
	突	▲トツ △つく		
		突っ走る	つっぱしる	13
		突然	とつぜん	17
		唐突な	とうとつな	17
	港	▲コウ △みなと		
		港	みなと	13
	和	▲ワ オ △やわらぐ やわらげる なごむ なごやか		
		和英	わえい	13
		英和	えいわ	13
	忍	▲ニン △しのぶ しのばせる		
		忍ばせる	しのばせる	13
	約	▲ヤク		
		約束	やくそく	13・24
		契約	けいやく	13
		節約	せつやく	19
	束	▲ソク △たば		
		約束	やくそく	13・24
	契	▲ケイ △ちぎる		
		契約	けいやく	13
	定	▲テイ ジョウ △さだめる さだまる さだか		
		定義	ていぎ	13
		指定する	していする	16
		一定	いってい	17
		安定する	あんていする	21
		定か	さだか	22
	義	▲ギ		
		定義	ていぎ	13

		主義	しゅぎ	22
	換	▲カン △かえる かわる		
		書き換える	かきかえる	13
		気分転換	きぶんてんかん	18
14課	輸	▲ユ		
		輸出する	ゆしゅつする	14
	編	▲ヘン △あむ		
		編成		14
		編纂中	へんさんちゅう	22
		編集部	へんしゅうぶ	22
	穴	▲ケツ △あな		
		穴埋め	あなうめ	14
	埋	▲マイ △うめる うまる うもれる		
		穴埋め	あなうめ	14
	増	▲ゾウ △ます ふえる ふやす		
		増える	ふえる	14
		増加する	ぞうかする	20
	存	▲ソン ゾン		
		存在	そんざい	14
		ご存じ	ごぞんじ	15
		存じます	ぞんじます	22
		存命中	ぞんめいちゅう	22
	魅	▲ミ		
		魅力	みりょく	14
		魅する	みする	20
	視	▲シ		
		無視する	むしする	14
		視線	しせん	18
		重視する	じゅうしする	20
	支	▲シ △ささえる		
		支える	ささえる	14
		支払い	しはらい	16・17

		支出	ししゅつ	17
		支え	ささえ	23
厚	▲コウ △あつい			
		厚さ	あつさ	14
専	▲セン △もっぱら			
		専門	せんもん	14
		高専	こうせん	19
刊	▲カン			
		週刊誌	しゅうかんし	14
種	▲シュ △たね			
		種類	しゅるい	14
類	▲ルイ △**たぐい**			
		種類	しゅるい	14
		人類	じんるい	20
		類	るい	22
		塩類	えんるい	23
		衣類	いるい	24
巨	▲キョ			
		巨大	きょだい	14
証	▲ショウ			
		保証	ほしょう	14
		暗証番号	あんしょうばんごう	16
剰	▲ジョウ			
		過剰	かじょう	14
情	▲ジョウ **セイ** △なさけ			
		感情	かんじょう	14
		情報	じょうほう	16
		苦情	くじょう	16
法	▲ホウ **ハッ ホッ**			
		表現法	ひょうげんほう	14
		手法	しゅほう	14
		法則	ほうそく	15

		法師	ほうし	22
		法律	ほうりつ	24
投	▲トウ △な**げる**			
		投げる	なげる	14
		投稿する	とうこうする	23
秒	▲ビョウ			
		1秒	いちびょう	14
満	▲マン △み**ちる** み**たす**			
		満たない	みたない	14
		満足感	まんぞくかん	19
		満月	まんげつ	22
公	▲コウ △おおやけ			
		主人公	しゅじんこう	14
		公言する	こうげんする	22
		公共圏	こうきょうけん	23
描	▲ビョウ △えが**く** か**く**			
		描かれる	えがかれる	14
蓄	▲チク △たくわ**える**			
		蓄積する	ちくせきする	14
積	▲セキ △つ**む** つ**もる**			
		蓄積する	ちくせきする	14
		集積	しゅうせき	23
亜	▲ア			
		亜流	ありゅう	14
流	▲リュウ ル △なが**れる** なが**す**			
		亜流	ありゅう	14
		流出	りゅうしゅつ	16
		流し台	ながしだい	18
		上流	じょうりゅう	21
		主流	しゅりゅう	21
		流される	ながされる	22
15課	列	▲レツ		

	行列	ぎょうれつ	15
沿	▲エン △そう		
	沿う	そう	15
担	▲タン △かつぐ　になう		
	担ぐ	かつぐ	15
	分担する	ぶんたんする	15
割	▲カツ △わる　わり　われる　さく		
	2割	にわり	15
	割合	わりあい	15
織	▲ショク　シキ △おる		
	組織	そしき	15・20
	織りまぜる	おりまぜる	23
率	▲ソツ　リツ △ひきいる		
	比率	ひりつ	15
	能率	のうりつ	15
	確率	かくりつ	23
能	▲ノウ		
	能率	のうりつ	15
	可能性	かのうせい	16・23
	堪能な	たんのうな	21
	（お）能	（お）のう	24
落	▲ラク △おちる　おとす		
	落ちる	おちる	15
	落とす	おとす	21
優	▲ユウ △やさしい　すぐれる		
	優勝	ゆうしょう	15
	優れる	すぐれる	20
勝	▲ショウ △かつ　まさる		
	優勝	ゆうしょう	15
	勝つ	かつ	19
	ご健勝	ごけんしょう	22
則	▲ソク		

	法則	ほうそく	15
脇	▲わき		
	脇役	わきやく	15
脚	▲キャク　キャ △あし		
	脚本	きゃくほん	15
	飛脚	ひきゃく	21
偉	▲イ △えらい		
	偉大	いだい	15
脈	▲ミャク		
	脈拍	みゃくはく	15
拍	▲ハク　ヒョウ		
	脈拍	みゃくはく	15
徐	▲ジョ		
	徐々に	じょじょに	15
疲	▲ヒ △つかれる　つからす		
	疲弊する	ひへいする	15
弊	▲ヘイ		
	疲弊する	ひへいする	15
16課 報	▲ホウ △むくいる		
	情報	じょうほう	16
可	▲カ		
	可能性	かのうせい	16・23
	不可欠	ふかけつ	23
警	▲ケイ		
	警察	けいさつ	16
被	▲ヒ △こうむる		
	被害	ひがい	16
害	▲ガイ		
	被害	ひがい	16
態	▲タイ		
	実態	じったい	16
	事態	じたい	16

	状態	じょうたい	21
氏	▲シ △うじ		
	氏名	しめい	16
	氏	し	22
預	▲ヨ △あずける　あずかる		
	預金	よきん	16
職	▲ショク		
	職業	しょくぎょう	16
項	▲コウ		
	項目	こうもく	16
及	▲キュウ △およぶ　および　およぼす		
	及ぶ	およぶ	16・23
	普及	ふきゅう	19
旬	▲ジュン		
	上旬	じょうじゅん	16
	初旬	しょじゅん	17
未	▲ミ		
	未払い金	みはらいきん	16
請	▲セイ　シン △こう　うける		
	請求書	せいきゅうしょ	16
	請求する	せいきゅうする	21
求	▲キュウ △もとめる		
	請求書	せいきゅうしょ	16
	求める	求める	16
	請求する	せいきゅうする	21
判	▲ハン　バン		
	判明する	はんめいする	16・22
既	▲キ △すでに		
	既に	すでに	16
応	▲オウ		
	応じる	おうじる	16
	反応	はんのう	20

憾	▲カン		
	遺憾	いかん	16
連	▲レン △つらなる　つらねる　つれる		
	関連	かんれん	16
更	▲コウ △さら　ふける　ふかす		
	更新	こうしん	16
策	▲サク		
	対策	たいさく	16
	解決策	かいけつさく	23
講	▲コウ		
	講ずる	こうずる	16
段	▲ダン		
	普段	ふだん	16
振	▲シン △ふる　ふるう		
	振り込む	ふりこむ	16
審	▲シン		
	不審	ふしん	16
17課	暦	▲レキ △こよみ	
	暦	こよみ	17
	太陰太陽暦	たいいんたいようれき	17
	改暦	かいれき	17
	旧暦	きゅうれき	17
	新暦	しんれき	17
	太陽暦	たいようれき	17
	欠	▲ケツ △かける　かく	
	欠く	かく	17
	欠ける	かける	19
	不可欠	ふかけつ	23
	角	▲カク △かど　つの	
	八角形	はっかくけい	17
	補	▲ホ △おぎなう	
	補う	おぎなう	17

		補充する	ほじゅうする	17			制御	せいぎょ	23
陰	▲イン △かげ　かげる				閏	▲ジュン △うるう			
		太陰太陽暦	たいいんたいようれき	17			閏年	うるうどし	17
改	▲カイ △あらためる　あらたまる				整	▲セイ △ととのえる　ととのう			
		改暦	かいれき	17			調整	ちょうせい	17
旧	▲キュウ				抱	▲ホウ △だく　いだく　かかえる			
		旧暦	きゅうれき	17			抱える	かかえる	17
睦	▲ボク						抱く	いだく	22
		睦月	むつき	17	府	▲フ			
如	▲ジョ　ニョ						政府	せいふ	17
		如月	きさらぎ	17	諸	▲ショ			
弥	△や						諸外国	しょがいこく	17
		弥生	やよい	17	施	▲シ　セ △ほどこす			
葉	▲ヨウ △は						実施する	じっしする	17
		木の葉	このは	17	唐	▲トウ △から			
		葉月	はづき	17			唐突な	とうとつな	17
		言葉	ことば	20・24	述	▲ジュツ △のべる			
美	▲ビ △うつくしい						述べる	のべる	17
		美しい	うつくしい	17・24			記述	きじゅつ	22
替	▲タイ △かえる　かわる				予	▲ヨ			
		切り替える	きりかえる	17			予算	よさん	17
挙	▲キョ △あげる　あがる						予測する	よそくする	23
		挙げる	あげる	17	算	▲サン			
政	▲セイ　ショウ △まつりごと						予算	よさん	17
		政治	せいじ	17	導	▲ドウ △みちびく			
		政府	せいふ	17			導入	どうにゅう	17
		財政	ざいせい	17	充	▲ジュウ △あてる			
		政権	せいけん	17			補充する	ほじゅうする	17
		政治的	せいじてき	23	得	▲トク △える　うる			
制	▲セイ						～（せ）ざるを得ない	～（せ）ざるをえない	17
		体制	たいせい	17					
		制度	せいど	17			心得	こころえ	22

235

		得る	える	23
	翌	▲ヨク		
		翌日	よくじつ	17
		翌年	よくねん	17・19
	給	▲キュウ		
		給料	きゅうりょう	17
18課	鉛	▲エン △なまり		
		鉛筆	えんぴつ	18
	筆	▲ヒツ △ふで		
		鉛筆	えんぴつ	18
		執筆	しっぴつ	22
	削	▲サク △けずる		
		鉛筆削り	えんぴつけずり	18
		削りかす	けずりかす	18
		削る	けずる	19
	薄	▲ハク △うすい うす**める** うす**まる** うす**らぐ** うす**れる**		
		薄汚い	うすぎたない	18
	汚	▲オ △けが**す** けが**れる** けが**らわしい** よご**す** よご**れる** きたない		
		薄汚い	うすぎたない	18
		汚い	きたない	18
		汚れ	よごれ	21
		汚れる	よごれる	21
		汚れ始める	よごれはじめる	21
	塩	▲エン △しお		
		食塩	しょくえん	18
		塩類	えんるい	23
	瓶	▲ビン		
		瓶	びん	18
	排	▲ハイ		
		排水	はいすい	18

	鋭	▲エイ △するど**い**		
		鋭い	するどい	18
	線	▲セン		
		視線	しせん	18
	他	▲タ △ほか		
		他のもの	ほかのもの	18
	属	▲ゾク		
		金属	きんぞく	18
	錆	▲ショウ セイ △さび さ**びる**		
		錆びる	さびる	18
	腕	▲ワン △うで		
		鉄腕アトム	てつわんあとむ	18
	貼	▲テン チョウ △は**る**		
		貼る	はる	18
	微	▲ビ		
		微妙	びみょう	18
	妙	▲ミョウ		
		微妙	びみょう	18
19課	提	▲テイ △さ**げる**		
		提唱する	ていしょうする	19・22
	唱	▲ショウ △とな**える**		
		提唱する	ていしょうする	19・22
		唱える	となえる	22
		愛唱句	あいしょうく	22
	課	▲カ		
		課題	かだい	19
	設	▲セツ △もう**ける**		
		設計する	せっけいする	19
		建設	けんせつ	21
	授	▲ジュ △さず**ける** さず**かる**		
		授業	じゅぎょう	19

育	▲イク △そだつ そだてる		
	育てる	そだてる	19・20
	教育	きょういく	19・24
効	▲コウ △きく		
	効果	こうか	19
	特効薬	とっこうやく	19
第	▲ダイ		
	第一に	だいいちに	19
	第二	だいに	19
	第三	だいさん	19
	次第	しだい	22
徒	▲ト		
	生徒	せいと	19
創	▲ソウ		
	創造的	そうぞうてき	19
	創作する	そうさくする	19
	独創力	どくそうりょく	19
添	▲テン △そえる そう		
	添付する	てんぷする	19
従	▲ジュウ ショウ ジュ △したがう したがえる		
	～に従って	～にしたがって	19
	従う	したがう	20
純	▲ジュン		
	単純な	たんじゅんな	19
絞	▲コウ △しぼる しめる しまる		
	絞りだす	しぼりだす	19
養	▲ヨウ △やしなう		
	養う	やしなう	19
資	▲シ		
	資源	しげん	19
	資料	しりょう	22

	源	▲ゲン △みなもと		
		資源	しげん	19
	廃	▲ハイ △すたれる すたる		
		廃品	はいひん	19
		廃材	はいざい	19
		荒廃する	こうはいする	23
	再	▲サイ サ △ふたたび		
		再利用する	さいりようする	19
	輪	▲リン △わ		
		車輪	しゃりん	19
	巻	▲カン △まく まき		
		巻く	まく	19
	芯	▲シン		
		芯	しん	19
	泡	▲ホウ △あわ		
		発泡ゴム	はっぽうごむ	19
	越	▲エツ △こす こえる		
		乗り越える	のりこえる	19
	精	▲セイ ショウ		
		精神的	せいしんてき	19
		精神	せいしん	24
	神	▲シン △かみ		
		精神的	せいしんてき	19
		神話	しんわ	23
		精神	せいしん	24
	拒	▲キョ △こばむ		
		登校拒否	とうこうきょひ	19
	否	▲ヒ △いな		
		登校拒否	とうこうきょひ	19
	標	▲ヒョウ		
		標語	ひょうご	19
20課	尺	▲シャク		

	尺八	しゃくはち	20
宗	▲シュウ ソウ		
	宗家	そうけ	20
	宗教	しゅうきょう	22・24
厄	▲ヤク		
	厄介	やっかい	20
器	▲キ △うつわ		
	楽器	がっき	20
	食器	しょっき	24
吹	▲スイ △ふく		
	吹く	ふく	20
戸	▲コ △と		
	戸惑う	とまどう	20
惑	▲ワク △まどう		
	戸惑う	とまどう	20
級	▲キュウ		
	進級	しんきゅう	20
卒	▲ソツ		
	卒業	そつぎょう	20
容	▲ヨウ		
	内容	ないよう	20
疑	▲ギ △うたがう		
	疑問	ぎもん	20・22
	疑う	うたがう	21
末	▲マツ バツ △すえ		
	〜の末	〜のすえ	20
	末期	まつご	21
徹	▲テツ		
	徹底的な	てっていてきな	20
底	▲テイ △そこ		
	徹底的な	てっていてきな	20
愛	▲アイ		

	愛好者	あいこうしゃ	20
	愛唱句	あいしょうく	22
臭	▲シュウ △くさい		
	古臭い	ふるくさい	20
斬	▲ザン △きる		
	斬新な	ざんしんな	20
若	▲ジャク ニャク △わかい もしくは		
	若者	わかもの	20
	若い	わかい	24
邦	▲ホウ		
	邦楽	ほうがく	20
示	▲ジ シ △しめす		
	示す	しめす	20
籍	▲セキ		
	国籍	こくせき	20
超	▲チョウ △こえる こす		
	超える	こえる	20
21課 守	▲シュ ス △まもる もり		
	守る	まもる	21・22・23
糸	▲シ △いと		
	糸目	いとめ	21
	糸	いと	24
漬	△つける つかる		
	茶漬け	ちゃづけ	21
	漬物	つけもの	21
煎	▲セン △いる		
	煎茶	せんちゃ	21
両	▲リョウ		
	一両	いちりょう	21
吟	▲ギン		
	吟味する	ぎんみする	21
賃	▲チン		

訳	運賃	うんちん	21
	▲ヤク △わけ		
	言い訳	いいわけ	21
	英訳する	えいやくする	21
	訳す	やくす	21
洌	▲レツ		
	清洌	せいれつ	21
較	▲カク		
	比較する	ひかくする	21
湯	▲トウ △ゆ		
	産湯	うぶゆ	21
縁	▲エン △ふち		
	縁	えん	21
	因縁	いんねん	22
沸	▲フツ △わく わかす		
	沸かす	わかす	21
炊	▲スイ △たく		
	炊く	たく	21
副	▲フク		
	副食	ふくしょく	21
汁	▲ジュウ △しる		
	ミソ汁	みそしる	21
我	▲ガ △われ わ		
	我々	われわれ	21・24
銘	▲メイ		
	銘柄米	めいがらまい	21
	墓碑銘	ぼひめい	22
柄	▲ヘイ △がら え		
	銘柄米	めいがらまい	21
	事柄	ことがら	23
玉	▲ギョク △たま		
	玉露	ぎょくろ	21

	玉稿	ぎょっこう	22
露	▲ロ ロウ		
	玉露	ぎょくろ	21
駄	▲ダ		
	駄目	だめ	21
良	▲リョウ △よい		
	良質	りょうしつ	21
均	▲キン		
	平均	へいきん	21
量	▲リョウ △はかる		
	降水量	こうすいりょう	21
倍	▲バイ		
	1.8倍	1.8ばい	21
富	▲フ フウ △とむ とみ		
	豊富な	ほうふな	21
杉	△すぎ		
	杉	すぎ	21
松	▲ショウ △まつ		
	松	まつ	21
湧	▲ユウ △わく		
	湧く	わく	21
岩	▲ガン △いわ		
	岩石	がんせき	21
石	▲セキ シャク コク △いし		
	岩石	がんせき	21
状	▲ジョウ		
	状態	じょうたい	21
舞	▲ブ △まう まい		
	舞台	ぶたい	21
伐	▲バツ		
	伐採	ばっさい	21
採	▲サイ △とる		

		伐採	ばっさい	21		執	▲シツ シュウ △とる		
	環	▲カン					執筆	しっぴつ	22
		環境	かんきょう	21・23		扱	△あつか**う**		
	境	▲キョウ ケイ △さかい					扱う	あつかう	22
		環境	かんきょう	21・23		績	▲セキ		
	破	▲ハ △やぶ**る** やぶ**れる**					業績	ぎょうせき	22
		破壊	はかい	21		墓	▲ボ △はか		
		破る	やぶる	24			墓碑銘	ぼひめい	22
	論	▲ロン				碑	▲ヒ		
		水かけ論	みずかけろん	21			墓碑銘	ぼひめい	22
		論文	ろんぶん	23		謹	▲キン △つつし**む**		
	誘	▲ユウ △さそ**う**					不謹慎	ふきんしん	22
		誘い水	さそいみず	21		慎	▲シン △つつし**む**		
	堪	▲カン タン △た**える**					不謹慎	ふきんしん	22
		堪能な	たんのうな	21		叱	▲シツ △しか**る**		
	周	▲シュウ △まわり					叱る	しかる	22
		周辺	しゅうへん	21		推	▲スイ △お**す**		
	密	▲ミツ					推察する	すいさつする	22
		密着	みっちゃく	21		評	▲ヒョウ		
	築	▲チク △きず**く**					評価	ひょうか	22
		築きあげる	きずきあげる	21		承	▲ショウ △うけたまわ**る**		
	崩	▲ホウ △くず**れる** くず**す**					承知する	しょうちする	22
		崩れる	くずれる	21		隔	▲カク △へだ**てる** へだ**たる**		
22課	拝	▲ハイ △おが**む**					隔てる	へだてる	22
		拝啓	はいけい	22		貴	▲キ △たっと**い** とうと**い** たっと**ぶ** とうと**ぶ**		
	啓	▲ケイ					貴重な	きちょうな	22
		拝啓	はいけい	22		願	▲ガン △ねが**う**		
	纂	▲サン					お願いする	おねがいする	22
		編纂中	へんさんちゅう	22		匂	△にお**う** にお**い**		
	稿	▲コウ					匂う	におう	22
		玉稿	ぎょっこう	22		散	▲サン △ち**る** ちら**す** ちらか**す** ちらか**る**		
		投稿する	とうこうする	23			散る	ちる	22

		散骨	さんこつ	22
		散布する	さんぷする	22
	骨	▲コツ △ほね		
		遺骨	いこつ	22
		散骨	さんこつ	22
	忠	▲チュウ		
		忠実	ちゅうじつ	22
	覆	▲フク △おお**う** くつがえ**す** くつがえ**る**		
		覆い隠す	おおいかくす	22
	隠	▲イン △かく**す** かく**れる**		
		覆い隠す	おおいかくす	22
	涯	▲ガイ		
		生涯	しょうがい	22
	桜	▲オウ △さくら		
		桜	さくら	22
	仰	▲ギョウ コウ △あお**ぐ** おお**せ**		
		仰ぐ	あおぐ	22
	迎	▲ゲイ △むか**える**		
		迎える	むかえる	22
	悟	▲ゴ △さと**る**		
		悟る	さとる	22
	往	▲オウ		
		往生	おうじょう	22
	握	▲アク △にぎ**る**		
		一握り	ひとにぎり	22
	灰	▲カイ △はい		
		遺灰	いはい	22
	誰	△だれ		
		誰も	だれも	23
23課	劇	▲ゲキ		
		悲劇	ひげき	23
	牧	▲ボク △まき		

		牧草	ぼくそう	23
	草	▲ソウ △くさ		
		牧草	ぼくそう	23
	羊	▲ヨウ △ひつじ		
		羊	ひつじ	23
	益	▲エキ　ヤク		
		利益	りえき	23
	荒	▲コウ △あら**い** あ**れる** あら**す**		
		荒廃する	こうはいする	23
	捨	▲シャ △す**てる**		
		捨て去る	すてさる	23
		捨てる	すてる	23
	基	▲キ △もと　もとい		
		基づく	もとづく	23
	恐	▲キョウ △おそ**れる** おそ**ろしい**		
		恐らく	おそらく	23
	懲	▲チョウ △こ**りる** こ**らす** こ**らしめる**		
		懲りる	こりる	23
	掟	△おきて		
		掟	おきて	23
	統	▲トウ △す**べる**		
		伝統的な	でんとうてきな	23
	規	▲キ		
		規模	きぼ	23
	模	▲モ　ボ		
		規模	きぼ	23
	直	▲チョク ジキ △ただ**ちに** なお**す** なお**る**		
		直結する	ちょっけつする	23
	遍	▲ヘン		
		普遍化する	ふへんかする	23
	圏	▲ケン		
		公共圏	こうきょうけん	23

河	▲カ △かわ			
	河川	かせん		23
湖	▲コ △みずうみ			
	湖	みずうみ		23
酸	▲サン △すい			
	酸素	さんそ		23
皆	▲カイ △みな			
	皆	みな		23
異	▲イ △こと			
	異なる	ことなる		23
徳	▲トク			
	道徳的	どうとくてき		23
御	▲ギョ ゴ △おん			
	制御	せいぎょ		23
互	▲ゴ △たがい			
	相互	そうご		23
耕	▲コウ △たがやす			
	農耕	のうこう		23
訓	▲クン			
	教訓	きょうくん		23
灌	▲カン			
	灌漑	かんがい		23
漑	▲ガイ			
	灌漑	かんがい		23
壌	▲ジョウ			
	土壌	どじょう		23
縮	▲シュク △ちぢむ ちぢまる ちぢめる ちぢれる ちぢらす			
	縮小	しゅくしょう		23
浜	▲ヒン △はま			
	海浜	かいひん		23
測	▲ソク △はかる			
	予測する	よそくする		23

24課	渡	▲ト △わたる わたす		
		見渡す	みわたす	24
	芸	▲ゲイ		
		芸術	げいじゅつ	24
	至	▲シ △いたる		
		至る	いたる	24
	衣	▲イ △ころも		
		衣類	いるい	24
	律	▲リツ リチ		
		法律	ほうりつ	24
	枠	△わく		
		枠	わく	24
	固	▲コ △かためる かたまる かたい		
		固く	かたく	24
	跡	▲セキ △あと		
		人跡	じんせき	24
	福	▲フク		
		幸福	こうふく	24
	才	▲サイ		
		天才	てんさい	24
	杓	△シャク		
		茶杓	ちゃしゃく	24
	竹	▲チク △たけ		
		竹	たけ	24
	片	▲ヘン △かた		
		一片	いっぺん	24
	碗	▲ワン		
		茶碗	ちゃわん	24
	緒	▲ショ チョ △お		
		一緒	いっしょ	24
	滅	▲メツ △ほろびる ほろぼす		
		滅びる	ほろびる	24

寺	▲ジ △てら		
	(お)寺	(お)てら	24
鐘	▲ショウ △かね		
	鐘	かね	24
余	▲ヨ △あま**る** あま**す**		
	余音	よいん	24
唯	▲ユイ　イ		
	唯一	ゆいいつ	24

『みんなの日本語中級』文法項目索引

＊:「文法 プラスアルファ」提出項目

ーあー

	課
あ〜・そ〜	5
〜あいだ、…	8
〜あいだに、…	8
〜あまりに	24
あんまり〜から	16
いかに〜か	21
〜以上（は）	24
いつ/どこ/何/だれ/どんなに〜ても	1
一方（で）	21
〜一方だ	＊
いわば	＊
〜うえ/うえに	＊
〜上で	23
〜うちに	14
〜うる	22
お〜ますです	9
…おかげで、…・…おかげだ	12
〜恐れのある/がある	23

ーかー

が/の	5
〜か〜ないかのうちに	＊
〜がきっかけで・〜をきっかけに	23
〜かぎりだ	＊
〜かけの〜	＊
〜かける	＊
〜かしら	＊
〜がたい	＊
〜がちだ	＊
…かな	7
〜かねない	＊
〜かねる	＊
…可能性がある	23
〜かのようだ	＊
髪/目/形をしている	8
…から、…てください	5
〜から〜に至るまで	24
〜から〜にかけて	19
〜からいうと、〜からして/からすると/からすれば、〜からみると/みれば/みて/みても	＊
〜からか	＊
〜からだ	＊
…からだ	8
〜からといって	20
〜からなる	17
〜からには	17
〜かわりに	＊
〜気味だ	＊
〜きる	24
〜くせに	＊
くらいだ	20
〜げ	14
決して〜ない	19
こ	6
こそ	18
…こと・…ということ	4
〜ことか	＊
…ことが/もある	10
〜ことから	17
〜ことだ	＊
〜ことだから	＊
〜ことなく	＊
〜ことに	23
…ことにしている	3
…ことにする	3
…ことになっている	3
…ことになる	3

～ことは/が/を	1	それにしても	*
～ことはない	*	そればかりでなく/そればかりか	*
この～	23	それはそうと/それはさておき	*

－ さ －　　　　　　　　　　　　　　　　　　　　－ た －

～際（さい）	14	～た	18
～さえ～ば	24	～た（か）と思（おも）うと/思（おも）ったら	*
～さえ…	*	～た～	8
～(さ)せてもらえませんか・～(さ)せていただけませんか・～(さ)せてもらえないでしょうか	3	～たあげく、…	*
		～たあと、…	3
～(さ)せられる・～される	4	～(た)がっている	4
～(さ)せられる・～される	7	～(た)がる	4
～(さ)せる	7	～だけあって	*
さて	*	…だけだ・［ただ］…だけでいい	7
～ざる～	24	～た結果（けっか）、…・～の結果（けっか）、…	10
～ざるをえない	17	～だけでなく	15
しかない	20	～だけに	*
しかも	*	～出（だ）す	10
～次第（しだい）	*	ただし	*
～次第（しだい）だ	22	だって	18
～次第（しだい）で	*	だって、…もの。	18
したがって	*	～たつもり・～ているつもり	6
～じゃないか	*	～たて	13
～じゃなくて、～	1	たとえ～ても	13
～上（じょう）	17	～たところ	16
～ず［に］…①	11	～たところで	18
～ず［に］…②	11	～たところに/で	5
すなわち	*	だとすると/だとすれば/だとしたら	*
～ずにはいられない/ないではいられない	*	～たとたん（に）	20
…せいで、…・…せいだ	12	～たびに	15
ぞ。	20	…ため［に］、…・…ためだ	9
そ～	5	～ためか	*
そう	20	～ためには	19
～そうな～・～そうに…	3	～たら、～た（①）	2
～そうもない	3	～たら、～た（②）	2
それとも	*	～たら/～ば、…た	9
それなのに	*	～たら［どう］？	11

〜だらけ	＊
〜たり〜たり	12
たりしない	13
…だろう・…だろうと思う	5
〜ちゃう・〜とく・〜てる	4
〜ついでに	＊
〜つくす	＊
…っけ？	14
〜ったら	17
〜つつ/つつも	＊
〜つつある	＊
〜って…	6
〜っぱなし	12
〜っぽい	＊
つまり、〜ということだ	13
〜つもりだった	6
〜つもりはない	6
〜づらい	＊
…て…・…って…	6
〜である	4
〜て以来	20
〜ている	11
〜ている最中	＊
〜てからでないと	＊
〜てからというもの	＊
〜てくる	6
〜てくる・〜ていく（①）	6
〜てくる・〜ていく（②）	11
…てくれ	7
〜でしょ	17
〜てしょうがない/てしかたがない/てたまらない	＊
〜てならない	＊
〜ては	＊
〜てばかりいる・〜ばかり〜ている	6
〜てはじめて	17
〜てほしい・〜ないでほしい	3
〜てみろ	＊
〜でも〜でも…	＊
〜てもかまわない	9
〜てもらえませんか・〜ていただけませんか・〜てもらえないでしょうか・〜ていただけないでしょうか	1
〜とあって…	＊
〜といい〜といい、…	＊
…という	15
〜という〜	1
…という〜	2
〜というのは〜のことだ・〜というのは…ということだ	2
…ということだ	4
〜ということになる	10
〜というような/といったような/といった…	＊
〜というより	22
〜といえども	21
〜といえば、…	15
〜と言える	21
〜といった	14
〜といったらない	＊
〜といっても	＊
〜と思ったら	＊
〜と思われる	22
…とか。	21
…とか…	6
〜ところ	2
〜どころか	＊
〜ところだった	16
〜どころではない	＊
〜としたら/とすれば/とすると	＊
〜として	11
〜として〜ない	24
〜としている	16
〜としては	17
〜としても	22
〜と違って…	＊
どちらかといえば、〜ほうだ	12

と同時に	20
〜とともに	16
〜との/での/からの/までの/への〜	5
〜とは	14
〜とはいうものの	*
〜とは限らない	*
〜とみられる	16

－ な －

〜ないかぎり	24
〜ないとも限らない	*
なお	*
ながら、〜	13
〜なくちゃ/なきゃ［いけない］	7
〜なくてはならない/いけない・〜なくてもかまわない	7
〜なくはない/〜ないことはない	*
〜なさそう	3
〜なしで	*
なぜなら/なぜかというと	*
…なら、…	7
〜ならぬ〜	24
〜なんか…	7
〜なんかどう？	11
…なんて…	7
何人も、何回も、何枚も	1
〜にあたって/にあたり	*
〜に言わせれば、	21
〜において	14
〜においては	22
〜に応じて	16
〜に及ぶ	23
〜に限って	16
〜に限らず	21
〜にかけては…	*
〜に代わって	*
〜に関する	15

〜にきまっている	*
〜に比べて	18
〜にこたえて	*
〜に際して	*
〜に先立って/に先立ち/に先立つ	*
〜にしたがって/にしたがい	*
〜にしたら/にすれば	*
〜にしては	17
〜にしても	*
〜にしても〜にしても/〜にしろ〜にしろ/〜にせよ…	*
〜にすぎない	*
〜に相違ない	*
〜に対して（は、も）/に対し	*
〜に違いない	18
〜につき	*
〜につけ/につけて/につけても…	*
〜につれて	23
〜にとって…	14
〜にともなって/にともない/にともなう	*
〜には及ばない	*
〜に反して/に反し	*
〜にほかならない	19
〜にもかかわらず	16
〜に基づいて	21
〜によって	16
〜によって…	8
〜により	17
〜にわたって	14
〜ぬきで / ぬきに / ぬきの、・〜をぬきにして(は)	*
〜ぬく	*
〜の〜	4
…の・…の？	4
〜のか	*
〜の末	20
…のだ・…のではない	1
〜のだ	15
〜のだから	*

247

…のだろうか	5
〜のであろう	22
〜のではない	*
〜のではないか	15
〜のではないだろうか	14
〜のに対して、…	*
〜のもとで	20
〜のようだ・からのような〜・〜のように…	1

－ は －

〜ば〜だけ	20
〜は〜にかぎる	*
〜ばかりでなく	19
〜ばかりに	*
〜はしない	*
〜始める・〜終わる・〜続ける	10
…はずが/はない	10
…はずだ	10
…はずだった	10
〜はともかく	19
〜はもちろん/はもとより〜も	*
〜反面	*
〜必要がある/〜必要はない	*
〜べきだ	22
〜ほかない	*
〜ほど	13
…ほど〜ない・…ほどではない	9
〜ほど〜はない/いない	9
〜ほどのものじゃない	15

－ ま －

…ましたら、…・…まして、…	4
〜ます、〜ます、…・〜くも、〜くも…	4
〜ます/ませんように	12
〜まで、…	8
〜までに、…	8
〜までもない	23
〜まま、…・〜のまま、…	8
〜みたいだ・〜みたいな〜・〜みたいに…	2
…みたいです	12
〜向きだ/向きに/向きの	*
〜向けだ/向けに/向けの	*
〜も…なら、〜も…	*
〜もかまわず	*
〜もせずに、	21
もっとも	*
…もの/もんだから	12
〜ものがある	*
〜ものだ・ものではない	18
〜ものなら	*
〜ものの	*

－ や －

〜やら〜やら	*
〜（よ）うとする	5
〜（よ）うとする/しない	5
〜ようがない	*
要するに	*
〜（よ）うではないか	*
…ように言う/注意する/伝える/頼む	2
〜（よ）うにも〜ない	22
〜よね。	13
よほど〜でも	21
…より…ほうが…	11

－ ら －

〜らしい	11
…らしい	11
〜（ら）れる（①）	12
〜（ら）れる（②）	12

－ わ －

〜わけがない	*
〜わけだ	14

〜わけではない	15
〜わけにはいかない/ゆかない	24
〜忘れる・〜合う・〜換える	10
〜わりに	22
〜を〜と言う	1
〜を契機に（して）/を契機として…	*
〜をこめて	20
〜を対象に	19
〜を中心に（して）/を中心として…	*
〜を通して	19
〜を問わず…	*
〜をはじめ	23
〜をめぐって…	*
〜をもって〜とする	22
〜をもとに（して）…	*

－ ん －

…んじゃない？	5
…んだって？	13

執筆協力（五十音順）

亀山稔史　澤田幸子　新内康子　関正昭　田中よね
鶴尾能子　藤嵜政子　牧野昭子　茂木真理

文法担当（五十音順）

庵功雄　高梨信乃　中西久実子　前田直子

音声監修

土岐哲　江崎哲也　岡田祥平

編集協力

石沢弘子

イラスト

佐藤夏枝　向井直子

声の出演（五十音順）

大山尚雄　北大輔　水沢有美　水原英里

本文デザイン

山田武

みんなの日本語中級Ⅱ　本冊

2012年 4 月11日　初版第 1 刷発行
2025年 1 月28日　第 12 刷 発 行

編著者　スリーエーネットワーク
発行者　藤嵜政子
発　行　株式会社　スリーエーネットワーク
　　　　〒102-0083　東京都千代田区麹町3丁目4番
　　　　　　　　　　トラスティ麹町ビル2F
　　　　電話　営業　03（5275）2722
　　　　　　　編集　03（5275）2726
　　　　https://www.3anet.co.jp/
印　刷　倉敷印刷株式会社

ISBN978-4-88319-590-9　C0081

落丁・乱丁本はお取り替えいたします。
本書の全部または一部を無断で複写複製（コピー）することは著作権法上での例外を除き、禁じられています。
「みんなの日本語」は株式会社スリーエーネットワークの登録商標です。

みんなの日本語シリーズ

みんなの日本語 初級Ⅰ 第2版

- 本冊（CD付） ………………… 2,750円（税込）
- 本冊 ローマ字版（CD付）…… 2,750円（税込）
- 翻訳・文法解説 ……………… 各2,200円（税込）
  英語版／ローマ字版【英語】／中国語版／韓国語版／
  ドイツ語版／スペイン語版／ポルトガル語版／
  ベトナム語版／イタリア語版／フランス語版／
  ロシア語版（新版）／タイ語版／インドネシア語版／
  ビルマ語版／シンハラ語版／ネパール語版
- 教え方の手引き ……………… 3,080円（税込）
- 初級で読めるトピック25 …… 1,540円（税込）
- 聴解タスク25 ………………… 2,200円（税込）
- 標準問題集 ……………………… 990円（税込）
- 漢字 英語版 ………………… 1,980円（税込）
- 漢字 ベトナム語版 ………… 1,980円（税込）
- 漢字練習帳 ……………………… 990円（税込）
- 書いて覚える文型練習帳 …… 1,430円（税込）
- 導入・練習イラスト集 ……… 2,420円（税込）
- CD 5枚セット ……………… 8,800円（税込）
- 会話DVD …………………… 8,800円（税込）
- 会話DVD　PAL方式 ……… 8,800円（税込）
- 絵教材CD-ROMブック ……… 3,300円（税込）

みんなの日本語 初級Ⅱ 第2版

- 本冊（CD付） ………………… 2,750円（税込）
- 翻訳・文法解説 ……………… 各2,200円（税込）
  英語版／中国語版／韓国語版／ドイツ語版／
  スペイン語版／ポルトガル語版／ベトナム語版／
  イタリア語版／フランス語版／ロシア語版（新版）／
  タイ語版／インドネシア語版／ビルマ語版／
  シンハラ語版／ネパール語版
- 教え方の手引き ……………… 3,080円（税込）
- 初級で読めるトピック25 …… 1,540円（税込）
- 聴解タスク25 ………………… 2,640円（税込）
- 標準問題集 ……………………… 990円（税込）
- 漢字 英語版 ………………… 1,980円（税込）
- 漢字 ベトナム語版 ………… 1,980円（税込）
- 漢字練習帳 …………………… 1,320円（税込）
- 書いて覚える文型練習帳 …… 1,430円（税込）
- 導入・練習イラスト集 ……… 2,640円（税込）
- CD 5枚セット ……………… 8,800円（税込）
- 会話DVD …………………… 8,800円（税込）
- 会話DVD　PAL方式 ……… 8,800円（税込）
- 絵教材CD-ROMブック ……… 3,300円（税込）

みんなの日本語 初級 第2版

- やさしい作文 ………………… 1,320円（税込）

みんなの日本語 中級Ⅰ

- 本冊（CD付） ………………… 3,080円（税込）
- 翻訳・文法解説 ……………… 各1,760円（税込）
  英語版／中国語版／韓国語版／ドイツ語版／
  スペイン語版／ポルトガル語版／フランス語版／
  ベトナム語版
- 教え方の手引き ……………… 2,750円（税込）
- 標準問題集 ……………………… 990円（税込）
- くり返して覚える単語帳 ……… 990円（税込）

みんなの日本語 中級Ⅱ

- 本冊（CD付） ………………… 3,080円（税込）
- 翻訳・文法解説 ……………… 各1,980円（税込）
  英語版／中国語版／韓国語版／ドイツ語版／
  スペイン語版／ポルトガル語版／フランス語版／
  ベトナム語版
- 教え方の手引き ……………… 2,750円（税込）
- 標準問題集 ……………………… 990円（税込）
- くり返して覚える単語帳 ……… 990円（税込）

- 小説 ミラーさん
  ―みんなの日本語初級シリーズ―
- 小説 ミラーさんⅡ
  ―みんなの日本語初級シリーズ―
  ………………………… 各1,100円（税込）

スリーエーネットワーク

ウェブサイトで新刊や日本語セミナーをご案内しております。
https://www.3anet.co.jp/

みんなの日本語

中級Ⅱ 本冊解答

1. 解答　 読む・書く 　 話す・聞く 　 文法・練習問題

2. 話す・聞く 　会話スクリプト

3. 課末聴解問題スクリプト

4. CDの内容

スリーエーネットワーク

目　次

1. 解答
    第13課 ･･･ 1
        読む・書く…1　　話す・聞く…1　　文法・練習…3　　問題…4
    第14課 ･･･ 5
        読む・書く…5　　話す・聞く…5　　文法・練習…7　　問題…8
    第15課 ･･･ 9
        読む・書く…9　　話す・聞く…9　　文法・練習…10　　問題…12
    第16課 ･･･ 13
        読む・書く…13　　話す・聞く…13　　文法・練習…15　　問題…16
    第17課 ･･･ 17
        読む・書く…17　　話す・聞く…17　　文法・練習…19　　問題…20
    第18課 ･･･ 21
        読む・書く…21　　話す・聞く…21　　文法・練習…23　　問題…24
    第19課 ･･･ 25
        読む・書く…25　　話す・聞く…25　　文法・練習…26　　問題…28
    第20課 ･･･ 29
        読む・書く…29　　話す・聞く…29　　文法・練習…30　　問題…32
    第21課 ･･･ 33
        読む・書く…33　　話す・聞く…33　　文法・練習…34　　問題…36
    第22課 ･･･ 37
        読む・書く…37　　話す・聞く…37　　文法・練習…38　　問題…40
    第23課 ･･･ 41
        読む・書く…41　　話す・聞く…41　　文法・練習…42　　問題…43
    第24課 ･･･ 44
        読む・書く…44　　話す・聞く…44　　文法・練習…45　　問題…46

2. 話す・聞く　会話スクリプト（第13課～第24課） ･････････････････････････････ 48

3. 課末聴解問題スクリプト（第13課～第24課） ･･･････････････････････････････････ 63

4. CDの内容 ･･ 81

1．解答

第13課

読む・書く

1．**考えてみよう** （省略）

3．**確かめよう**

　1）（4）（3）（1）（2）（5）

　2）①時間がかかる

　　　②辞書　　駐車場／パーキング

　　　③見つからなかった／出ていなかった

　　　④月決め　　目に入った

　　　⑤ゲッキョクとは読まない

　3）①たくさんあった

　　　②月極の本当の意味を知って、想像していたような大企業が存在しないことがわ
　　　　かった

　4）「月極」という言葉

4．**考えよう・話そう**

　1）（省略）

　2）セイ：生活，ショウ：一生，いきる：生きる，いかす：生かす，いける：生ける，
　　　うまれる：生まれる，うむ：生む，おう：生い立ち，はえる：生える，はやす：生やす，
　　　きじ：生地，なまやさい：生野菜

5．**チャレンジしよう** （省略）

話す・聞く

1．**やってみよう** （省略）

2．**聞いてみよう**

　1）①4つ

　　　②人に親切にしたら、あとでいいことが自分に返ってくる。親切は人のためだけ
　　　　じゃない。

　　　③「辛党」は「甘党」の反対だと思っていた。

　2）①ところでさっきの話だけど

　　　②ことわざで思いだしたけど、この前、太郎…

③まあ、確かに勘違いしていることってよくありますよね。私は…
④勘違いもいいとこですよね。

3. **もう一度聞こう**
   ①ところでさっきの話だけど
   ②つまり、歌って暮らせばいいことがいっぱいあるってことです
   ③ことわざで思い出したんだけど
   ④確かに勘違いしてることってよくありますよね
   ⑤勘違いもいいとこですよね

5. **練習しよう**
   1)（1）●来週、文法の試験があるね。
   　　　○そうだったね。難しいのかな。
   　　　　そうそう、試験で思い出したけど、今度の会話の試験、グループでするって知ってる？
   　　　●本当？　いつものように先生と二人でロールプレイするのかと、…。
   　　　　ところで、来週のワット先生の授業休みになったんだって？
   　　　○そうらしいね。
   　（2）●佐藤さんが横浜に転勤するそうですね。
   　　　○そうらしいですね。
   　　　　そうそう、佐藤さんで思い出したけど、転勤するだけじゃなくて、来月結婚もするって、知ってましたか？
   　　　●本当ですか？　好きな人がいるなんて聞いてなかったけど。
   　　　　ところで、金曜日の送別会、出ますか。
   　　　○出るつもりだけど。
   2)（1）●昨日彼女が来てね、久しぶりに料理を作ったら、塩と砂糖を間違えちゃったんだ。
   　　　○確かについうっかり失敗しちゃうってことよくあるよね。
   　（2）●部長が描かれた絵を「すばらしいですね」って申し上げたら、「逆さまに見ているよっ」て言われちゃったんだ。
   　　　○確かにどちらが上だかわからない絵ってよくあるよね。
   3)（1）○「住めば都」ってどういう意味なんですか。
   　　　●どんなところでも住み慣れれば、都のようにすばらしいところになるっていうことですよ。
   　　　○つまり、どんなところでも自分が住んでいるところがいちばん良い場所に

　　　　　　なるってことですか。
　　　　　●ええ、そういうことです。
　（2）○「猿も木から落ちる」ってどういう意味なんですか。
　　　　　●木登りの上手な猿も木から落ちることがあるっていうことですよ。
　　　　　○つまり、誰でも失敗することはあるっていうことですか。
　　　　　●ええ、そういうことです。

6．チャレンジしよう　（省略）

文法・練習

読む・書く

1．a

2．b

3．a

4．**練習1**

　1）彼女は、若いころ、ため息が出るほど美しかった。

　2）この歌手は人気があって、最近は寝る時間もないほど忙しいらしい。

　3）ごみ箱にごみがあふれるほどたまっているのに、誰も捨てようとしない。

　練習2

　1）初めてみんなの前でスピーチするときは、足が震えるほど緊張した。

　2）大好きなアイドルが引退すると発表したので、ご飯も食べられないほど悲しかった。

　3）彼の料理はびっくりするほどおいしかった。

話す・聞く

5．b

6．**練習1**

　1）兄は（いい車を持ってい）ながら、月に1回ぐらいしか運転しない。

　2）アトムは（ロボットであり）ながら、人の気持ちが分かる。

　3）この公園は（都心にあり）ながら、森の中のように静かだ。

　練習2

　1）たばこは体に悪いとわかっていながら、なかなかやめられない。

　2）あの人は世界的なスターでありながら、地域のボランティアにも積極的に参加している。

— 3 —

練習3　（省略）
7．**練習1**
　　1）つまり、<u>行けないということですね。</u>
　　2）つまり、<u>くびということですか。</u>
　　練習2　（省略）
8．**練習**　1）a　　2）a

問題

Ⅰ　1．1）③, ①
　　　　2）③, ②
　　2．1）○　　2）×　　3）×　　4）○　　5）×
Ⅱ　1．①ほど　　②どうやら　　③たとえ
　　2．①×　　②○　　③×　　④○　　⑤○
　　3．c

第14課

読む・書く

1. **考えてみよう** （省略）
3. **確かめよう**
    1) ①○
        ②○
        ③○
        ④×
        ⑤×
    2) ①テレビアニメシリーズになった作品の多くはマンガを原作にしているから
        ②実際には1秒にも満たない動作の間に主人公の頭に浮かんだ光景が10分間にもわたって描かれるということ
        ③毎回放映が終わる間際に、まるで大事件が起こったかのように見せておく方法
4. **考えよう・話そう** （省略）
5. **チャレンジしよう** （省略）

話す・聞く

1. **やってみよう** （省略）
2. **聞いてみよう**
    1) ①何気なくテレビをつけたときに放映していて、それを見たこと
        ②アンドロメダへ死なない体をもらいに行った
        ③「血の通った体になりたい」
        ④本当に幸せなのかどうか、疑問に思うようになった
    2) ①主人公は星野鉄郎っていう少年。彼が謎の美女メーテルと宇宙の旅に出るっていう話。
        ②それで。
        ③で、どうなるの、結局。
3. **もう一度聞こう**
    ①主人公は（星野鉄郎）っていう少年
    ②宇宙の旅に出るっていう話
    ③犠牲になったってわけ
    ④恐ろしい話だね

⑤例えば、どんな？
⑥かわいそう、それで
⑦やがて
⑧で、どうなるの、結局

5．**練習しよう**

1）（1）●マンガの『ワンピース』って、どんな話？

○『ワンピース』？　えーっと、主人公はルフィという元気な少年。

●へえ。元気な少年ね。

○そう。彼が海賊王を目指して次々と冒険をするという話。

（2）（省略）

2）（1）●戦争が終わった後も30年間一人でジャングルに住んでいた兵士の話、知ってる？

○え？　そう。どこで？　いつ？

●グアムで1972年に発見されたんだ。戦争が終わったことも知らなかったらしいよ。

○うわー、大変。

で、どうなったの？　結局。

●その年に帰国できて、82歳で亡くなるまで日本で生活したんだ。

○そう。よかったね。

（2）（省略）

3）①主人公は浦島太郎という真面目な漁師です。彼が、助けた亀に連れられて、竜宮城に行くという昔話です。

②昔々、浦島太郎という若い漁師がいました。太郎は子どもたちに捕まっていじめられている亀を助けてやりました。亀はお礼に太郎を竜宮城に連れて行きました。乙姫様に歓迎され、竜宮城で楽しい日々を過ごしましたが、親が気になって、帰ることにしました。乙姫様は、玉手箱という箱をくれましたが、「開けてはいけません」と言いました。

③もとの村に戻ると、知らないうちに長い年月が過ぎていて、親もいないし、知っている人もいなくなっていました。がっかりして、玉手箱を開けると、白い煙が出てきて、太郎はおじいさんになってしまいました。

6．**チャレンジしよう**　（省略）

文法・練習

読む・書く

1. b
2. a
3. a
4. 練習1

    1）何度もメールを交換しているうちに、彼女が好きになった。

    2）何年も住んでいるうちに、日本の常識が分かるようになってきた。

    3）食べずに息子を待っているうちに、料理が冷めてまずくなってしまった。

    練習2

    1）音楽を聞いているうちに、眠ってしまった。

    2）友達に説明しているうちに、自分でも分からなくなってきた。

5. 練習1

    1）夕方6時ごろは居酒屋の店員にとってもっとも暇な時間だ。

    2）ギョーザは中国のワンさんにとっておふくろの味だ。

    練習2

    1）子どもにとって、信頼できる大人がいることは幸せなことだ。

    2）私たちにとって、初めて会った公園は特別な場所だ。

    練習3

    1）＜日本語学校の校長・留学生の立場からの意見＞

    留学生にとって安心して住める寮は必要なものです。ですから、工事を続けたいと思います。

    2）＜お寺の立場からの意見＞

    寺にとって今の建物は大切なものです。ですから、工事を中止してほしいと思います。

6. 練習1

    1）ちらし寿司とは、いったいどんな寿司でしょうか。

    2）ダイレクトメールとは、商品の宣伝を個人に郵送するものだ。

    練習2

    1）「早起きは三文の得」とは、早起きするといいことがあるという意味だ。

    2）自然エネルギーとは、太陽熱のように継続的に自然から得られるエネルギーのことだ。

7．練習1
　　1）学生たちはその地域において求められているボランティア活動を行った。
　　2）インターネットは現代の生活において欠かせないものだ。
　　練習2
　　1）今日の集会は体育館において行うことになりましたので、12時半にお集まりください。
　　2）この調査において大切なのは、住民が意見を自分の言葉で記入することです。
8．練習1
　　1）彼女はNGOの仕事でブラジルに2年いた。考え方がグローバルなわけだ。
　　2）最高気温が25度以上の日を夏日と言う。昨日もおとといも夏日だったというわけだ。
　　練習2
　　1）ということは、傘を持っていったほうがいいというわけですね。
　　2）それで海産物を使う料理が多いわけです。
9．練習1
　　1）パソコンに何か問題があるのではないだろうか。
　　2）世界的に景気が悪いのではないだろうか。
　　練習2　（省略）

話す・聞く

10．a
11．a

問題

I　1．1）
　　2．1）○　2）×　3）×　4）×　5）×
II　1）①とは　②において　③にとって　④のではないだろうか
　　2）①○　②○　③×　④○
　　3）b

第15課

読む・書く

1. **考えてみよう** （省略）
3. **確かめよう**
    1) ①×
       ②○
       ③○
       ④×
    2) ①エサを担いでいるわけではないらしい
       ②よく働くアリ　20
       ③なぜかまた働かないアリが出てくる
       ④魅力　脇役たち　その組織
    3) ①助さん、格さん
       ②ネビル・ロングボトム
4. **考えよう・話そう** （省略）
5. **チャレンジしよう** （省略）

話す・聞く

1. **やってみよう** （省略）
2. **聞いてみよう**
    1) ①「オスマン絨毯」というトルコの老舗の織物会社
       ②絨毯に関する知識が豊富で、優秀な営業マン
       ③太鼓の演奏
    2) ①いえ、老舗といえるほどのものじゃありません。
       ②イスタンブール本社きっての営業マンでいらっしゃるんですよ。何しろ絨毯に関する知識ではイルワンさんの右に出る人はいないということですから。
       ③いやいや、そんな大したものではありません。来日して3か月になりますが、なかなか思うような成果はあげられていません。
       ④地元の人、顔負けなんですって。
       ⑤自分で言うのもなんですが、
3. **もう一度聞こう**
    ①お名前は中村から伺っております

②老舗といえるほどのものじゃありません

③右に出る人はいない

④そんな大したものではありません

⑤いえ、それほどでも

⑥自分で言うのもなんですが

⑦お言葉に甘えて

⑧話の途中ですが、ちょっと失礼いたします

5．練習しよう

1）（1）●こちら、○さんです。○さんは将棋が得意で、この町では○さんの右に出る人はいないと思います。

○いえ。そんな大したものじゃありません。

●プロも顔負けですよ。

○いえ、それほどでも。ただ、自分で言うのもなんですが、子どものころ、才能があるってプロの方から言われました。

（2）●こちら、○さんです。○さんは料理が得意で、この寮では○さんの右に出る人はいないと思います。

○いえ。そんな大したものじゃありません。

●三つ星レストランのシェフも顔負けですよ。

○いえ、それほどでも。ただ、自分で言うのもなんですが、子どものころ、才能があるってみんなから言われました。

2）（1）●今日は調子が悪そうですね。早退したらどうですか。

○ありがとうございます。では、お言葉に甘えて帰らせていただきます。

（2）●雨が降ってきましたね。傘、ありますか。古いけど、よかったらこれ使ってください。

○ありがとうございます。では、お言葉に甘えて、使わせてもらいます。

6．チャレンジしよう　（省略）

文法・練習
読む・書く

1．a

2．a

3．**練習1**

1）合格・不合格に関する電話でのお問い合わせはすべてお断りしています。

2）会議で各国の地球温暖化に関する問題点を整理した。

3）田中さんは現代日本文学の家族関係に関する表現を調べている。

練習2

1）卒業論文の題名は「外来語に関する意味の変化の研究」です。

2）東北地方の交通事情に関して調べた結果、現在ではほとんど震災前に戻ったということがわかった。

4．**練習1**　1）b　　2）a　　3）b

練習2

1）山本さんに会ったことがないわけではないが、たぶん偶然道で出合っても気がつかないと思う。

2）真っ赤なバラは嫌いなわけではないが、特別好きなわけでもない。どちらとも言えない。

5．**練習**

1）この国は物価が高いので、奨学金だけでは生活できないのではないかと思った。

2）島の中で起きた事件なので、犯人はまだここにいるのではないかと考えています。

3）スピーチを録音すると、それが気になって練習通りに話すことができないのではないかと思います。

6．**練習1**

1）なるほど。不便なんですね。

2）そう。外国で生活していたんだね。

3）山本さんは自分で家具が作れる。それに、電気製品の修理もできる。

4）つまり、正反対なのだ。

5）一言で言えば、いい店ではないのだ。

話す・聞く

7．b

8．b

9．**練習1**

1）徳島の阿波踊りというと、ブラジルのサンバに負けない魅力的な踊りだ。

2）動物園といえば、ふつうは人間が動物を見て楽しむ場所である。実は人間が動物に観察されているのではないだろうか。

練習2　（省略）

問題

I 1．b
　2．1) ○　2) ○　3) ×　4) ×
　3．1) ②　2) ①　3) ③

II 1．1) ①そこで　②つまり　③一方
　　2) (A) 違う種類の生物がお互いに利益を分かち合いながら生きること
　　　 (B) 様々な言語や文化・習慣を持った人々がその違いを乗り越えてお互いに理解し合い助け合いながら生きること
　2．1) ①といえば　②ほど　③のだ　④わけではない
　　2) 一日の生活のほとんどを木の枝にぶらさがって過ごし、動作も遅くて、いつも怠けているように見えるから。
　　3) 無駄なエネルギーを使わないように、森の中で自分の生き方にちょうど合った生活をしているから。

第16課

読む・書く

1. **考えてみよう** （省略）
3. **確かめよう**
    1）①氏名、カード番号、暗証番号、預金口座番号、住所、電話番号、性別、職業、生年月日の9項目
    ②まだはっきり分からない
    ③会員に、知らない会社から請求書が送られてきた
    ④会員カードの更新など
    2）①警察など
    ②管理
    ③身に覚えのない会社から未払い金の請求書が送られてきた
    ④インターネット　銀行　既に口座は閉じられていた
4. **考えよう・話そう** （省略）
5. **チャレンジしよう** （省略）

話す・聞く

1. **やってみよう** （省略）
2. **聞いてみよう**
    1）①ハンドルを切り損ねたから
    ②前のライトのカバーが割れた
    ③修理にお金がかかること
    2）①ひざを打ったんだけど、それは大したことないんだ。
    ②大けがをしなかっただけでも不幸中の幸いだよ。もし人をはねたりしてたら、大変だったじゃない。
    ③2万円ぐらいで済めば安いものじゃない。「何でもものは考えよう」だよ。
    ④あーあ、バスで行っとけばよかったなあ。
    ⑤くよくよしないで。今日、お昼ご飯、いっしょに食べようよ。私がおごるから。
3. **もう一度聞こう**
    ①大したことない
    ②泣きたい気分
    ③大けがをしなかっただけでも不幸中の幸いだよ

④ほんと、頭痛いよ
⑤済めば安いもの
⑥ものは考えよう
⑦行っとけばよかったなあ
⑧くよくよしないで

5. **練習しよう**

1）（1）●どうしたの？　何かあったの？
　　　　○うん……。市民マラソン大会に出られなくなっちゃったんだ。出るつもりでずっと練習してたんだけど、今週締切りだと思って申し込みに行ったら、先週までだったんだ。
　　　　●そうだったの。
　　　　○あーあ、先に申し込んどけばよかった。すっごく楽しみにしてたのに。ほんと、泣きたい気分だよ。
　（2）●どうしたの、その手？
　　　　○うん……。やけどしちゃったんだ。昨日、カップラーメンを作ってたんだけど、お湯を入れるとき、ついよそ見をしていて。それで、手にお湯がかかっちゃって。
　　　　●そうだったの。
　　　　○あーあ、もっと気をつけてればよかった。右手が使えなくて、何をするんでも不便なんだ。ほんと泣きたい気分だよ。

2）（1）●俺ってほんとにバカ。午前中の仕事が全部無駄になっちゃったよ。あーあ。また最初からやり直しだ。泣きたい気分だよ。
　　　　○くよくよしないで。プリントアウトしたものがあるだけでもよかったじゃない。
　（2）●このマット、新しいのよ。結構高かったし。洗ってもだめだろうな。あーあ。
　　　　○くよくよしないで。ガスの火がついていなかっただけでもよかったじゃない。不幸中の幸いだよ。

3）（1）●2年間も付き合っていたんだよ。日曜日にはデート、誕生日にはプレゼント。うまくいってると思ってたのになあ……。
　　　　○新しい恋のチャンスだと思えばいいじゃないですか。ものは考えようですよ。
　（2）●まいったなあ。どうしよう。

○仕事がきついって言ってたし、転職のいい機会だと思えばいいじゃないですか。ものは考えようですよ。

6．チャレンジしよう　（省略）

文法・練習
読む・書く

1．a

2．a

3．a

4．a

5．練習1

1）雨にもかかわらず、試合は予定通り行われる。

2）突然の訪問にもかかわらず、先生は私を歓迎してくれた。

練習2

1）<u>毎日練習している</u>にもかかわらず、なかなか上達しない。

2）小川さんは、高齢にもかかわらず、<u>毎年海外旅行を楽しんでいる。</u>

練習3　（省略）

6．練習

1）彼は結婚するとともに、3人の子の父親になった。

2）彼女はワールドカップで優勝するとともに、オリンピックへの出場権を手にした。

7．練習1

1）道を尋ねようと思って交番に入ったところ、ロボットの警官がいてびっくりした。

2）飛行機をネットで予約しようとしたところ、満席でキャンセル待ちだった。

練習2

1）大きな音がしたので、外に出てみたところ、<u>パンクした車が止まっていた。</u>

2）締切りの日にレポートを提出したところ、<u>クラスで私が最後だった。</u>

話す・聞く

8．b

9．練習1

1）妻が車で送ってくれなければ、<u>会議に遅刻するところだった。</u>

2）信号が故障したのが郊外でよかった。町のまん中だったら、<u>大事故になるところだった。</u>

3）けがをしたのが左手でよかった。右手だったら、仕事でも食事でももっと大変だった。

練習2 （省略）

10. **練習1**

1）まじめな人に限って、占いとか宗教とかにはまりやすい。

2）健康な人に限って、無理をして大きい病気になりやすい。

練習2

1）運動会や試験の日に限って、お腹が痛くなる。

2）冷蔵庫に何も入っていないときに限って、友達が遊びに来る。

練習3 （省略）

> **問題**

Ⅰ 1．1）会社をリストラされたから

2）①大変だったね　②くよくよしないで　③ものは考えよう　④気分転換になるよ

3）①○　②○　③×　④×　⑤×

2．①東京ビジネス社　②13　③名前やメールアドレス　④数千円

Ⅱ 1．1）①ところ　②という　③とみられ　④に応じて

2）①フリーメールのパスワードを盗まれ、知人ら約1000人に金銭を要求するメールを送られるという事件にあった。

②友人からの電話で気づいた。

③まだ捕まっていない。

④パスワードはネット上で売買され、大量送信されたことがわかった。

第17課

読む・書く

1. **考えてみよう** （省略）

3. **確かめよう**

    1）①古代ローマの暦は1年が10か月で、現在の3月から始まっていた。そのため、10月は8番目の月で「October」と呼ばれていた。その後、新たに2か月を加えた暦ができたが、月の呼び名はそのままだったため、10月が「October」になった。

    ②日本の旧暦の月名と現在の月の間の季節のずれ

    2）①太陰太陽暦

    ②明治6年（1873年）

    ③中国

    ④1月、2月、3月

    ⑤長月

    ⑥立春前後

    3）①気持ちや考え

    ②西洋先進国

    ③外交

    ④閏年の調整の問題

    ⑤財政的　⑥人件費　⑦12月　⑧2か月

4. **考えよう・話そう** （省略）

5. **チャレンジしよう** （省略）

話す・聞く

1. **やってみよう** （省略）

2. **聞いてみよう**

    1）①節分の鬼のお面

    ②「鬼は外」と言いながら豆をまいて、病気や悪いことを追い払う行事

    ③日本に住んでいるからには日本の行事を知らないといけないと思って勉強しているから

    ④サッカーの練習

    2）（1）①こんにちは。ご無沙汰しています。

    ②これ、お口に合うかどうか分かりませんが、皆さんでどうぞ。

　　　　　③おじさん

　　（２）①丁寧な話し方

　　　　　②親しい感じの友達同士の話し方

　　　　　③大人と小さい子どもとの話し方

３．もう一度聞こう

　　①ご無沙汰しています

　　②お口に合うかどうかわかりませんが

　　③お休みのところ

　　④何のおかまいもできません

　　⑤お父さんのお友達

　　⑥お兄ちゃん

　　⑦あのね

　　⑧お父さんが鬼なの

　　⑨おじさん

５．練習しよう

　１）（１）○おはようございます。お出かけですか。

　　　　　　●ええ、今日はこの子の運動会なんです。

　　　　　　○へえ。運動会なんだ。いいねえ。

　　　　　　●うん。

　　　（２）○大変混雑しておりますので、お子様の手を離さないようにお願いします。

　　　　　　●はい。

　　　　　　○人が多いから、お父さんの手を離さないでね。

　　　　　　●はーい。

　２）（１）●お父さんがカレーライス作ってくれたんだよ。おいしいよ。

　　　　　　○へえ。お母さんも食べたいなあ。

　　　（２）●これ、ポケモン。知ってる？

　　　　　　○うん。でも、おじさんが子どものころはなかったなあ。

　３）（１）●運動会のリレーで１番になったんだよ。

　　　　　　○へえ、リレーで１番になったの。

　　　（２）●夏休みに家族みんなでハワイへ行くの。

　　　　　　○へえ、みんなでハワイへ行くんだ。

６．**チャレンジしよう**　（省略）

文法・練習

読む・書く

1．a

2．a

3．b

4．b

5．練習1

1）複数の足跡が残されていたことから、犯人は一人ではないと考えられる。

2）道がぬれていることから、昨日の晩雨が降ったことがわかった。

3）毎日夜になっても電気がつかないことから、この家には誰も住んでいないと考えられる。

練習2

1）京都より東だったことから、「東京」と名付けられたと思います。

2）松の木の下に家があったことから、「松下」という姓になったと思います。

6．練習1

1）残念だが、予定を変更せざるを得ない。

2）この建物は歴史があるのだが、古くなって危険なので壊さざるを得ない。

3）経営が苦しくなったため、社員を減らさざるを得ない。

練習2

1）父が入院して、私が店の仕事をしなければならないので、留学をあきらめざるを得ない。

2）突然会場が使えなくなったので、新入生の歓迎会を中止せざるを得ない。

話す・聞く

7．a

8．a

9．練習1

1）彼の発表は、1か月も準備したにしては良くなかった。

2）このマンションは30年も経っているにしてはきれいだ。

3）あの人は日本に5年以上住んでいるにしては日本のことをあまり知らない。

練習2　（省略）

10．練習1

1）・しっかり勉強しなくては。

2）・最後までやる責任がある。

3）・何とか解決しなければならない。

練習2

1）北海道まで来たからには、<u>名物料理をいろいろ味わいたい</u>。

2）<u>始めたからには</u>、成功するまであきらめるべきじゃない。

3）日本に留学したからには、<u>自然な日本語が話せるようになりたい</u>。

11．**練習**

1）危ないだろう／でしょ。こっちへ来なさい。

2）明日テストだろう／でしょ。少し勉強したら。

3）授業中だろう／でしょ。メールなんてだめだよ。

問題

I　1．1）②　　2）②　　3）②

　　2．1）案内所に連れていった。

　　　　2）いいえ、実際に見たことはなかった。

　　　　3）お祭り（天神祭）の鉦の音が聞こえてくるとき。

　　　　4）お父さんとお風呂に入る。

II　1．1）①からなっている　　②として

　　　　2）③木星　　　　　　④金星

　　　　3）火星

　　　　4）①×　　②○　　③×

　　2．1）ことから

　　　　2）男の子のいる家庭で武者人形を飾り、鯉のぼりを立ててお祝いをする行事だった。

　　　　3）①×　　②○　　③○

第18課

読む・書く

1. **考えてみよう** （省略）

3. **確かめよう**

    1）①古い鉛筆削りと新しい鉛筆削り

    　　②排水パイプの修理を頼んだ人と修理屋

    　　③渡辺昇のおかげでぴかぴかの新品の鉛筆削りを手に入れることができたこと

    2）①A　②A　③B　④B　⑤B　⑥A　⑦B　⑧B

    3）①b　②c

4. **考えよう・話そう** （省略）

5. **チャレンジしよう** （省略）

話す・聞く

1. **やってみよう** （省略）

2. **聞いてみよう**

    1）①ワットさん　食器が多すぎること

    　　②思い出の品物だから

    　　③ワットさんは、使わないものは捨てたほうがいいと考えている。いずみさんは、思い出のあるものは大事だし、置いておけば役に立つかもしれないと考えている。

    　　④ワットさんが本をたくさん積んでいること

    　　⑤仲直りした

    2）①また捜し物？　しょっちゅう何か捜してるね。

    　　②ちょっと食器、多すぎるんじゃないの？　こんなにたくさん要らないだろう。

    　　③あなたこそあの本の山はいったい何なの！　お互いさまなんじゃない？

    　　④ごめん、ちょっと言い過ぎたみたい。いずみが物を大事にするってことはよくわかってるよ。

    　　⑤私こそ、ごめん。あなたの言うとおり、上手に捨てるってことも確かに必要かもね。

3. **もう一度聞こう**

    　　①しょっちゅう何か捜してるね

    　　②ちょっと食器、多すぎるんじゃないの

③だって
④もの
⑤だいたい食器だけじゃなくて
⑥何だよ
⑦あなたこそ
⑧いったい何なの
⑨お互いさまなんじゃない
⑩だいたい君は整理が下手なんだ
⑪そんなに言わなくたっていいじゃない
⑫ごめん、ちょっと言い過ぎたみたい
⑬私こそ、ごめん

5. **練習しよう**

1）（1）〈場面1〉 ○いつまでケータイ触ってるつもり？ しょっちゅうケータイ、のぞいてるって失礼だよ。
●いや、メールが来るかもしれないし。
○そんな緊急のメールなんて来るの？ だいたい、私よりメールのほうが大事なんだ。
●そんなに言わなくたっていいじゃないか。君こそ、友達からって言って、話の途中でも長電話することがよくあるじゃないか。お互い様なんじゃない？

〈場面2〉 ○ごめん。…ちょっと言い過ぎたみたいだね。一緒の時間にもっと話したいなって思って。
●うん、僕こそごめん。メールなんてあとでも見られるよね。
○ところで、今日は何、食べようか。
●そうだね。何がいいかな。

（2）〈場面1〉 ○ちょっと、このかばんいつも置きっぱなしだけど、片づけてくれない。
●だって、ここで使うものだから。
○これも、それにあれも今使ってないじゃない。だいたい居間はみんなで使う場所だって君は分かってないんだ。
●そんなに言わなくたっていいじゃない。○だって、廊下の本や雑誌は何なの？ 通るのにいつも邪魔だよ。お互い様なんじゃない？

〈場面２〉 ○ごめん。…ちょっと言い過ぎたみたいだね。●の物を居間で使わせてもらってみんな便利なのもわかってるよ。
　　　　●うん、こっちこそごめん。やっぱり、もう少し整理したほうがいいよね。
　　　　○あ、そろそろ７時だ。ドラマが始まるよ。
　　　　●ほんとだ。一緒に見よう。

6．チャレンジしよう （省略）

文法・練習
読む・書く

1．練習１
　1）誰かが間違えたに違いない。
　2）よほどおいしいに違いない。
　3）あの大学の学生ならきっと優秀に違いない。

　練習２
　1）まだ怒っているに違いない。
　2）来週の運動会では活躍するに違いない。

　練習３ （省略）

2．練習１
　1）週末は平日に比べると朝の電車が空いている。
　2）私の国は日本に比べて食べ物が安い。
　3）スーパーはデパートに比べると、近くに住んでいる客が多い。

　練習２ （省略）

3．練習１
　1）孫は子どもよりかわいいものだ。
　2）経済成長は永遠に続くものではない。
　3）病気になると健康の大切さが分かるものだ。
　4）都合も聞かずに人のうちを訪問するものではない。

　練習２
　1）女友達の結婚式に白いドレスで行くものではない。
　2）「夢は必ずかなう」なんて言うけど、そんなに簡単なもんじゃないよね。
　3）「人のうわさも75日」と言って、人はすぐ興味をなくすものだ。

　練習３ （省略）

話す・聞く

4．a

5．a

6．a

7．練習1

1) 大人だってときどき仕事を休みたくなる。

2) 日本ではコンビニで携帯料金だけでなく税金だって払うことができる。

3) 太郎君はスポーツだって得意だし、勉強だって頑張っている。

練習2

1) 携帯電話で<u>電車の乗り換え</u>だって調べることができる。

2) ニューヨークやロンドンみたいに、東京にだって、<u>質の高いバレエの公演がある。</u>

8．練習

1) この人こそノーベル賞をもらうのにふさわしい人だ。

2) 技術においてこそ世界一にならないと、日本の将来は暗い。

3) あなたのことを愛しているからこそうるさく言うんです。

問題

I　1．①と③

　　2．1) ○　　2) ×　　3) ○　　4) ×

II　1．1) ①

　　　2) ③

　　　3) ①×　　②○　　③×

　　2．①と比べて　　②ものだ

第19課

> **読む・書く**

1. **考えてみよう** （省略）
3. **確かめよう**
    1) ①与えられた課題を達成するロボットを設計し、製作し、競技を行うというもの
       ②大きな教育的効果があるから
       ③創造的な技術力の向上、物と人間とのよい関係が身につく、チームワークの大切さを学ぶ
       ④ロボコンが生徒たちを、「学校がつまらない。嫌いだ。行きたくない」ではなく、「楽しい。まだ帰りたくない」という気持ちに変えるという意味
    2) ①独創力　②達成感　③満足感　④資源活用　⑤経費節約　⑥精神的に成長
4. **考えよう・話そう** （省略）
5. **チャレンジしよう** （省略）

> **話す・聞く**

1. **やってみよう** （省略）
2. **聞いてみよう**
    1) ①入部歓迎会
       ②演劇部
       ③演劇が出来上がるには、役者だけでなく、まず、脚本、舞台装置、衣装作りなどがあり、華やかなだけの世界ではない
       ④3人。マヨランは高専時代にロボットコンテストで優勝した。松下は小学校から高校まで野球部で補欠だった。アンヌは高校で落語のサークルに入っていた。
    2) ①一言お願いします。
       ②ありきたりの自己紹介ではなく、何か自分をアピールするようなことを話してください。
       ③ちょっと自慢話になりますが
       ④ロボット作りの経験を舞台装置作りに生かせたらいいなと思います。
       ⑤いわゆるボール拾いです。
3. **もう一度聞こう**
       ①まず、部長の挨拶から。どうぞ
       ②一言お願いします

③ありきたりの自己紹介ではなく
④こちらから時計回りに
⑤ちょっと自慢話になりますが
⑥経験を
⑦生かせたらいいなと思います
⑧いわゆるボール拾いです

5. **練習しよう**

1) （1）○です。私は小学校のときから、そろばんが得意でした。ちょっと自慢になりますが、中学のときは全国優勝しました。電卓より速く正確な計算が経理部の仕事で生かせたらいいなと思います。

（2）○です。私は子どものときからいろいろなボランティア活動に参加してきました。ちょっと自慢になりますが、高校ではボランティア部を新しくつくりました。この経験が学園祭の実行委員会でも生かせたらいいなと思います。

2) （1）私はよく迷子になるので、地図とコンパスが手放せません。いわゆる方向音痴です。だからこそ、ナビゲーターの会社に就職できればかゆい所に手が届くようなナビが作れると思います。

（2）私はすぐ人を信じて、何回もだまされたことがあります。いわゆるお人よしです。ですから、被害者の心理がよく理解できます。ぜひ警察官になって詐欺などの被害を防ぎたいと思います。

6. **チャレンジしよう** （省略）

文法・練習

読む・書く

1. a

2. a

3. **練習1**

1) 彼が定年まで無事に働いてこられたのは、<u>家族の支えがあったから</u>にほかならない。

2) 彼が、大スターになってもふるさとの村に住み続けているのは、<u>生まれ故郷を愛しているから</u>にほかならない。

3) 親がうるさく注意するのは、<u>子どものことを心配するから</u>にほかならない。

練習2 （省略）

4. **練習1**

1) 学校のクラブ活動を通して、<u>チームワークの大切さを学んだ</u>。

2）ボランティア活動を通して、多くの人の話を聞くことができた。

　練習2　（省略）

5．**練習1**

1）スペイン風邪は1916年から1919年にかけて世界的に大流行した。

2）セツブンソウという花はヨーロッパからアジアにかけて広く分布している。

　練習2

1）私の国では、1639年から1854年にかけて海外との交流を禁止していた。

2）ゴビ砂漠は世界で4番目の広さを持つ砂漠で、モンゴル南部から中国北部にかけて広がっている。

　練習3　（省略）

6．**練習1**

1）b

2）a

　練習2

1）試合の結果はともかく、みんな最後までよくがんばった。

2）日本語能力試験を受けるかどうかはともかく、問題集を買ってみた。

7．**練習1**

1）勝つためにはチーム全員の協力が必要だ。

2）趣味を楽しむためには、気の合う友人を持ったほうがいい。

　練習2

1）オーストラリアで働くためには、もっと英語を勉強しなければならない。

2）国の赤字を減らすためには、政府の無駄遣いをなくすことが必要だ。

　練習3

1）日本で就職するためには、まず自分が何をしたいのかを考えたほうがいいです。そして、会社の規模や知名度だけを気にするのではなく、いろいろな企業について調べてみるといいと思います。

2）日本人の友達を作るためには、まず出会う機会が必要です。自分の趣味や関心のあることができるサークルなどに参加したらいいと思います。

話す・聞く

8．b

問題

Ⅰ 1．1）a
　　　2）①
　2．1）b
　　　2）②

Ⅱ 1．1）①子どもの数が少なくなったこと
　　　　　②生活スタイルが変わったこと
　　　2）b
　2．1）①を対象に　②はともかく　③のためには
　　　2）A．つまり　B．そうすれば
　　　3）①サッカーはチームスポーツだから
　　　　　②仲間を助けるプレーができる選手

第20課

読む・書く

1. **考えてみよう** （省略）

3. **確かめよう**

    1) ①a ②c ③b

    2) ①初演 ②尺八修業を始める ③授かる ④急速に増加する ⑤受賞

    3) ①修業 ②戸惑わせられ ③「内容」 ④「形」 ⑤従う ⑥疑問 ⑦日本文化 ⑧理解

4. **考えよう・話そう** （省略）

5. **チャレンジしよう** （省略）

話す・聞く

1. **やってみよう** （省略)

2. **聞いてみよう**

    1) ①うちが黒海関の実家の近くで、相撲に興味を持ち、2005年の大会で日本に来たのがきっかけだった

    ②母親の声を聞いて、緊張が解けたから

    ③先輩後輩の関係や食べ物

    ④相撲の世界の慣習を理解し守ること。常に感謝の気持ちを忘れないこと。

    ⑤常に今より高いところを目指したい。

    2) ①本日は、お忙しいところ、お時間をいただき、ありがとうございます。

    ②まず、伺いたいんですが、

    ③そうですか。　ああ、そうだったんですか。　そうでしょうね。
    　あ、そうですか。

    ④今日は貴重なお時間と楽しいお話をありがとうございました。

3. **もう一度聞こう**

    ①お忙しいところ、お時間をいただき、ありがとうございます

    ②ご紹介させていただきたいと思って参りました

    ③まず、伺いたいんですが

    ④ああ、そうだったんですか

    ⑤どんなに大変だったことかと思います

    ⑥ご活躍を期待しています

⑦今日は貴重なお時間と楽しいお話をありがとうございました

5．練習しよう

（1）○お忙しいところ、お時間をいただき、ありがとうございます。○と申します。●さんのお話を、雑誌『みんなの健康』に紹介させていただきたいと思います。

●よろしくお願いいたします。

○まず伺いたいんですが、どうして医師になろうと思われたのですか。

●昔、中学のとき、テレビのドキュメンタリーで島の診療所で働く医師の姿を見て感動したんです。

○そうだったんですか。失礼ですが、どうして70歳になった今も現役にこだわっていらっしゃるのでしょうか。

●データだけに頼らず、患者の顔を見て、患者に寄り添うことの大切さを、若い医者に伝えたいからなんです。

○ああ、そうだったんですか。それにしても、ご苦労はあったでしょうね。今日は、ありがとうございました。ますますのご活躍を期待しております。

（2）（省略）

6．チャレンジしよう　（省略）

文法・練習

読む・書く

1．b
2．b
3．a
4．a

5．**練習1**

1）スーパーもレストランも閉まっているなら、コンビニで買うしかない。

2）誰も行かないなら、私が行くしかない。

3）修理ができなかったので、新しいパソコンを買うしかなかった。

練習2

1）漢字が書けないなら、<u>ひらがなで書くしかない。</u>

2）<u>自分で行けなかったので、</u>友達に頼むしかなかった。

3）失業中なので、<u>妻の代わりに家事をするしかない。</u>

6. 練習1
　1）失敗を重ねた末、とうとう新しい薬の開発に成功した。
　2）いろいろ考えた末、やっと結論を出した。

　練習2
　1）延長戦の末、<u>3対2で勝った。</u>
　2）百年にわたる戦争の末、<u>ようやく平和条約が結ばれた。</u>

　練習3　（省略）

7. 練習1
　1）来日して以来、一度も帰国していない。
　2）父は退職して以来、地域の子どもの世話をしている。

　練習2
　1）<u>ゲーム機を買って以来、睡眠時間が半分になってしまった。</u>
　2）祖父母に会うのは、<u>兄の結婚式で会って</u>以来だ。

　練習3　（省略）

8. 練習1
　1）この商品は人気があって、3か月待たないと買えないくらいだ。
　　　この商品は、3か月待たないと買えないくらい人気がある。
　2）歩くほうが早いと思うくらい道路が渋滞している。
　　　道路が渋滞していて、歩くほうが早いと思うくらいだ。

　練習2
　1）わたしの家から駅まではとても遠くて、<u>自転車でも大変な</u>くらいだ。
　2）彼が今どこにいるかなんて、<u>私のほうが知りたい</u>くらいだ。

　練習3
　1）すみません。乗れないくらい電車が込んでいたんです。
　2）直せないくらい大きく破れちゃったんです。

話す・聞く

9.　a

10.　a

11. 練習1
　1）電車に乗ったとたん、娘がうちに帰りたいと泣き出した。
　2）終了のベルが鳴ったとたん、学生たちは教室を飛び出した。

練習2

1）小説を読み始めたとたん、前に読んだことがある作品だと気づいた。

2）それまで静かだったのに、先生が教室を出たとたん、学生たちは騒ぎ始めた。

3）彼女はやせていたのに、一人暮らしを始めたとたん、太り始めた。

12．練習

1）予防注射を受けたからといって、それで安心してはいけない。

2）運動神経がいいからといって、一流のスポーツ選手になれるわけではない。

問題

Ⅰ　1．①〇　　②〇　　③×　　④〇

　　2．1）始めるとき：今日はお忙しいところ、お時間をいただき、ありがとうございます。

　　　　　　終えるとき：今日は貴重なお時間をいただき、ありがとうございました。

　　　　2）まず、伺いたいんですが、…。

　　　　3）何かヒントはいただけませんか。

Ⅱ　1．1）①1994年　　②ベネズエラに渡る　　③2002年

　　　　　　④帰国後4回目のライブを行う　　⑤2011年

　　　　2）①〇　　②×　　③〇

　　2．1）①と同時に　　②て以来　　③たとたん　　④くらい

　　　　2）A最初は　　Bそのうち

第21課

読む・書く

1．**考えてみよう**　（省略）

3．**確かめよう**

 1）①いつの時代にもよい水にあこがれ、それを求めるのは当然であるということを述べるため

  ②日本の水は確実に質を落としてしまった

  ③山の奥まで入り込んだリゾート開発やゴルフ場建設、山林の伐採など自然環境の破壊

  ④文化のバランスそのものまで目に見えて崩れていく

 2）①江戸の通人の茶漬けの話

  ②豊富な雨水や雪どけ水が林の下の豊かな土地にしみ込んで安定して湧いてきたことと、山の土と岩石の状態がちょうどよかったこと

  ③水の周辺の言葉が多くあること

 3）①降水量　②地下水　③適していた　④良質だった　⑤開発

  ⑥山林の伐採　⑦汚れ

4．**考えよう・話そう**　（省略）

5．**チャレンジしよう**　（省略）

話す・聞く

1．**やってみよう**

 1）（省略）

 2）a．③　b．①　c．①　d．①　e．②　f．④　g．⑤　h．⑥

2．**聞いてみよう**

 1）①中食

  ②一人で食事をすること

 2）①この図1をご覧ください。

  ②このグラフを「外部化」に注目してご覧ください。

  ③その結果が図2です。

  ④以上で私の発表を終わります。何かご意見やご質問がございましたらお願いします。

3．もう一度聞こう
　　①データに基づいてお話ししたい
　　②どのように変化してきたかを示すものです
　　③グラフに見られるように、中食と外食を合わせた比率は
　　④以上から
　　⑤占めている
　　⑥お分かりいただけると思います
　　⑦傾向としては
　　⑧言えるのではないでしょうか
　　⑨原因としては
　　⑩考えられます
　　⑪改めて思いました
　　⑫以上で私の発表を終わります

5．練習しよう
　1）（1）これは「海外留学する日本人学生の数の推移」を示すグラフです。グラフに見られるように、海外留学する学生の数は1985年ごろより2000年にかけて増加。2000年から2005年にかけては多少の増減は見られますが、ほぼ横ばい。そしてその後わずかではありますが減少しました。
　2）（1）以上から、海外留学をする学生の数の増減には、景気の良し悪しが関係していることがお分かりいただけると思います。2007年の世界的経済不況が海外留学する学生を減らした大きな要因だと言えるのではないでしょうか。
　3）（省略）

6．チャレンジしよう　（省略）

文法・練習
読む・書く

1．b
2．a
3．a
4．a

5．**練習1**
　1）今年の花火大会は天候が悪くて中止だとか。残念だ。
　2）ネットの記事によると多くのファンが彼のコンサートに集まったとか。テレビでどうして報道しないのか不思議だ。

練習2　（省略）
6．**練習1**
　　1）父に言わせると、母のみそ汁は日本一おいしいらしい。
　　2）パンダに言わせると人間は列を作って並ぶのが好きな動物ということになるだろう。
　　3）祖父母に言わせると節電は早寝早起きすれば簡単にできるそうだ。
　　練習2
　　1）私に言わせれば、男子が化粧することは不思議でもなんでもない。動物の世界を見ると、オスが美しさでメスを引きつけることはよくある。
　　2）私に言わせれば、ダイエットをすることは本当の美しさに通じるかどうか疑問です。健康であれば、あまりダイエットをしないほうがいいと思います。

話す・聞く

7．**練習1**
　　1）予算に基づいて購入するものを検討した。
　　2）災害時には信頼できる情報に基づいて行動しましょう。
　　3）専門家の意見に基づいて建築の安全基準が決定された。
　　練習2
　　1）世論調査の結果に基づいて、<u>政策を決定することがあるのだろうか。</u>
　　2）事実に基づいて、<u>説明していきたいと思います。</u>
8．**練習1**
　　1）留学生はそれぞれの国の外交官だと言える。
　　2）一家そろってとる夕食は家族のきずなを深める場であると言える。
　　練習2
　　1）この10年で世界は<u>ますます狭くなった</u>と言えるのではないでしょうか。
　　2）美しい音楽を聴くことは、<u>心と体をリラックスさせる何よりの時間</u>と言える。
　　3）この結果を見ると、<u>現在のやり方は十分効果がある</u>と言える。
9．**練習1**
　　1）彼は医者として活躍する一方で、文学者としても有名だ。
　　2）あの会社は莫大な利益を得る一方で、数多くの社会貢献も行っている。
　　練習2
　　1）このブランドの製品は品質が優れている一方で、デザインは<u>おもしろみがない</u>という評判がある。

2）彼は上司からの評価は高いが、一方で部下からの人気はあまりない。

練習3 （省略）

10. **練習1**

1）いいえ、国内に限らず、海外でも使えます。

2）いいえ、日本人に限らず、誰でも参加できます。

練習2 （省略）

問題

I　1．1）中国　　2）インドネシア　　3）ベトナム

　　2．1）④　　2）③

II　1．1）c　　2）c

　　2．1）①ゆえ　　②なんと　　③いかに　　④といえども　　⑤もせずに

　　　2）Aそこで　　Bところが

　　　3）番頭が独立する際、もらえるお金よりみかん3房のほうが価値があると思ったから。

第22課

読む・書く

1. **考えてみよう**　（省略）
3. **確かめよう**
    1)〈依頼状〉
        ①『私の死亡記事』というネクロロジー集
        ②本人が、自分を物故者として解説を書くという点
        ③時代を隔てても価値をもつ貴重な資料になりうる
        ④自分の作品や人生について、死亡記事として執筆してほしい
        〈色は匂へど散りぬるを〉
        ⑤死んだあとは葬式はしない、墓はつくらない、遺骨も残さない
        ⑥「春、桜のころ、満月を仰いで」と「断食をして」
        ⑦「一握り散骨」を提唱していたので、遺族や知友が、遺灰を一握りずつ因縁のある場所に散布するから。
4. **考えよう・話そう**　（省略）
5. **チャレンジしよう**　（省略）

話す・聞く

1. **やってみよう**　（省略）
2. **聞いてみよう**
    1) ①保育施設
        ②教育費用
        ③男性の育児参加と育児休暇
        ④結婚のあり方
    2) ①〜と思うのですが
        ②その通りだと思います　そうですね　賛成
        ③〜じゃないでしょうか
        ④〜べきじゃないでしょうか
        ⑤では、そろそろ今日の意見をまとめてみます

3．もう一度聞こう

　　①その通りだと思います

　　②ですが先生

　　③それもそうですね

　　④じゃあ

　　⑤について考えてみませんか

　　⑥賛成

　　⑦そうですね

　　⑧今日の意見をまとめてみます

5．練習しよう　（省略）
6．チャレンジしよう　（省略）

文法・練習
読む・書く

1．a
2．a
3．練習1

　1）国際会議においては、通訳のよしあしが成功不成功を左右する。

　2）乳幼児の死亡率においては、日本は世界で最も低い国の一つだ。

　練習2

　1）b

　2）a

　練習3

　1）大学生活においては、<u>自分から積極的に学ぶことが大切である。</u>

　2）現代社会においては、<u>インターネットが人と人をつなぐ大事な道具となっている。</u>

4．練習1

　1）これは私たちが体験しうる最も貴重な経験だ。

　2）これは今入手しうる最も確実な情報だ。

　3）連絡を取りうるすべての人にイベントでの寄付を呼びかけた。

　練習2

　1）<u>あの二人に限って離婚することはありえない</u>ように思われる。

　2）どんなに科学が発展しても、<u>宇宙のすべては解明し</u>えない。

5. **練習1**

   1）彼は一生懸命練習したから優勝できたのだろう。

   2）たくさんの人が集まっている。おそらく事故があったのだろう。

   練習2

   1）佐藤さんは朝から機嫌が悪い。<u>何かあった</u>のだろう。

   2）彼は<u>理由もないのに、庭の木を何本も倒してしまった</u>。ストレスがたまっていたのだろう。

6. **練習1**

   1）そうした習慣は以前から存在したと思われます。

   2）彼の発言をそのまま信用するのは危険だと思われます。

   練習2 省略

話す・聞く

7. a

8. b

9. b

10. **練習1**

    1）災害に備えて、非常用袋に水や食料を入れておくべきだ。

    2）困ったときにはお年寄りのアドバイスを聞くべきだ。

    3）不確かな情報に基づいて他人を評価する／すべきではない。

    練習2

    1）医者は患者の命を預かっているのだから、<u>常に新しい治療法について情報を得る</u>べきではないだろうか。

    2）全国のどこの児童公園も同じようなブランコと滑り台がある。もっと<u>工夫をする／</u>すべきだ。

    3）子どもを甘やかす親が多い。もっと<u>厳しくする／</u>すべきだ。

    練習3 （省略）

11. **練習**

    1）お年寄りは病気にならないように、というより、元気に暮らせるように体調に気をつけるべきです。

    2）アンデルセン童話は、子どものためというより、大人のために書かれたものだと思う。

問題

Ⅰ　1．1）女の人：賛成　　　男の人：反対
　　　　2）①男　②女　③女　④男　⑤女
　　2．1）①×　②○　③○　④○

Ⅱ　1．1）①A　②×　③B　④A
　　　　2）打ち合わせの日程を相談するメールを送る
　　2．1）①楽しもうにも楽しめない
　　　　　②残しうる
　　　　　③取り組むべき
　　　　　④あるのだろう
　　　　2）「生きる」というテーマ

第23課

読む・書く

1. **考えてみよう** （省略）

3. **確かめよう**

    1）①B　②C　③A　④C　⑤B　⑥C

    2）身近な問題の例：水資源・山林・河川・湖

    　　地球規模の問題の例：大気・酸素・海洋

    3）①a　②c　③b　④a

4. **考えよう・話そう** （省略）

5. **チャレンジしよう** （省略）

話す・聞く

1. **やってみよう** （省略）

2. **聞いてみよう**

    1）①啄木鳥の仲間で、天然記念物であると同時に絶滅危ぐ種に指定されている鳥

    　②夏休みに白神山地でクマゲラと偶然出合ったのをきっかけに、絶滅する恐れのある鳥たちとその生息地の問題について考えるようになったから

    　③天然記念物であると同時に絶滅危ぐ種に指定されているクマゲラを守るためには、ブナの伐採を止めさせる必要があったから

    　④農地や居住地の拡大や、輸出のための伐採や、気候変動などによって、森が破壊されたこと

    　⑤国を超えて人々が理解し合い、経験と知識を共有し、ともに協力し合うこと

    2）①それがきっかけで、～について考えるようになりました。

    　②悲しいことに～。～と言われています。

    　③そこに棲む鳥たちの命が奪われていったのです。

    　④わたしは、一人の地球市民として、今、自分に何ができるか考えていきたいと思っています。

3. **もう一度聞こう**

    ①今日は

    ②の話をご紹介いたします

    ③それがきっかけで

    ④の問題について考えるようになりました

⑤さて

⑥ではどうでしょうか

⑦悲しいことに

⑧一つの例として

⑨から学ぶことは多いと思います

⑩今、自分に何ができるか考えていきたいと思っています

5．練習しよう

1）（1）子どものときお土産にシャツをもらいました。とてもかっこよくて、大好きでした。それは日本製のシャツでした。それがきっかけで日本のファッションに興味を持つようになりました。

（2）母は、今までは昼までのパートタイムで、私たちが学校から帰る時間には家にいました。先月から、正社員になり、一日中働くことになりました。それをきっかけに携帯電話を持つようになりました。

2）（1）さて、わたしの会社ではどうでしょうか。困ったことに、人件費の削減が優先されています。そのため経験豊かな技術者がいなくなっています。問題の原因がなかなかわからず、お客様に迷惑をかけることも起きています。

（2）さて、わたしの国ではどうでしょうか。うれしいことに、子育てを支援する制度が整ってきました。その効果で、近年、子どもの数が増えています。

6．チャレンジしよう　（省略）

文法・練習
読む・書く

1．b

2．a

3．練習1　1）b　2）a

　　練習2　省略

4．練習1

1）日本語を習得する上で、漢字の知識は欠かせない。

2）当時の日本人の生活を知る上で、この本は貴重なものだと思う。

練習2

1）日本で留学生活を送る上で、注意することにはどのようなことがあるか教えてください。

2）外国語を学ぶ上で、電子辞書は非常に便利なものだ。

5．練習1

1）時間が経つにつれて、悲しみが薄れてきた。

2）大会が近づくにつれて、選手の緊張が高まってきた。

練習2

1）ゼミでの発表が近づくにつれて、やる気が出てきた。

2）経済が発展するにつれて、暮らしが豊かになってきた。

話す・聞く

6．a

7．b

8．b

9．練習1

1）子どもが生まれたのをきっかけに、食物と環境に興味を持った。

2）小学校3年生のとき、社会科の試験で100点を取ったのをきっかけに社会科が好きになった。今は国立地理研究所で働いている。

練習2

1）主人の転勤で日本に住むようになったのをきっかけに、日本語の勉強を始めました。

2）東京マラソンをテレビで見たのをきっかけに、ジョギングするようになりました。

10．練習1

1）ミラーさんをはじめ、サントスさん、シュミットさんなど、『みんなの日本語』に登場する外国人はみんな日本語が上手だ。

2）納豆をはじめ、フナずし、ドリアンなど、臭くておいしいものは世界中あちこちに存在する。

練習2 （省略）

問題

I 1．1）①○　②×　③○　④○

2．①木が伐採され、熱帯雨林が急激に減少したから。

②熱帯雨林を守り、自然の循環のシステムを守ればいい。

③熱帯材からできている製品を大切に使ってほしい。

II 1．1）①×　②○　③○　④×

2）b

2．1）①をはじめ　②にも及んでいる　③につれて　④までもない

2）b

第24課

読む・書く

1. **考えてみよう** （省略）
3. **確かめよう**
    1) ①a　②c　③a
    2) （1）①不自由　　　　②自由
       （2）①（－）　　　　②寂しい
       （3）①型が破れない　②型が破れる
4. **考えよう・話そう** （省略）
5. **チャレンジしよう** （省略）

話す・聞く

1. **やってみよう** （省略）
2. **聞いてみよう**
    1) ①グローバルに事業を展開し、現地とwin-winな関係を作っているから。
       ②食生活を豊かにしてくれる。
       ③日本のアニメが大好きで強い憧れを抱いていたから。
       ④科学技術を学ぶこと
       ⑤食品に含まれるアミノ酸を卒論のテーマにしたことと、好奇心、企画力、忍耐力があること
    2) ①わたしは、そのことに深く感銘を受け、ぜひ、働きたいと思いました。
       ②お金がないときや時間がないとき、ちょっと贅沢をしたいときにもＭＫの商品は食生活を豊かにしてくれます。
       ③私は、器用な人間ではありませんが、好奇心と企画力と忍耐力は誰にも負けないつもりです。もし機会が与えられましたら、現場で経験を積んで、ぜひ御社に貢献できる人間になりたいと思います。
       ④ありがとうございました。よろしくお願いいたします。
3. **もう一度聞こう**
    ①どういった理由で当社への就職を希望されたのですか
    ②そのことに深く感銘を受け、ぜひ、働きたいと思いました
    ③弊社の商品を消費者としてどのように感じていますか
    ④日本に留学しようと思ったきっかけは

⑤日本に強い憧れを抱き、迷わず日本留学を志望しました
　　　⑥興味を持たなかったんですか
　　　⑦確かに私の日本への興味を育ててくれたのは
　　　⑧自分の希望や専門性が生かされると思いますか
　　　⑨私は、器用な人間ではありませんが
　　　⑩忍耐力は誰にも負けないつもりです
　　　⑪ぜひ御社に貢献できる人間になりたいと思います

5．**練習しよう**

　1）（1）御社は育児や介護をしている社員に対して配慮があることに感銘を受け、ぜひ御社で働きたいと思いました。

　　　（2）御社はユニークな旅行を企画し、業界の発展に貢献していることに感銘を受け、ぜひ御社で働きたいと思いました。

　2）（1）確かに私の専門は日本語教育であり、ＩＴ関連企業の御社での業務は一から学ばなくてはならないと思います。しかし、修士論文のテーマも「インターネットを使用した作文指導」というものでしたし、ＩＴの教育への応用には非常に興味があります。

　　　（2）確かに妻はまだ国におりますが、もし私の就職が決まれば、日本へ留学したいと希望しております。

6．**チャレンジしよう** （省略）

文法・練習

読む・書く

1．b

2．b

3．a

4．a

5．**練習1**

　1）前方をよく見て運転しさえすれば、事故は起きないはずだ。

　2）よく食べて、よく寝さえすれば、病気にならないと思う。

　練習2 （省略）

6．**練習**

　1）彼女に出会って以来、<u>一日として彼女のことを思わない日はない</u>。

　2）君のようなお金の価値がわからない人にお金を貸す人は<u>一人としていません</u>。

3）モーツァルトの作品にはつまらない曲は<u>一つとして</u>ありません。

7．練習1

1）役員を引き受けた以上、この1年間、長い旅行も病気もできない。

2）人気のない番組である以上中止になるのも仕方がない。

練習2

1）どんなに小さな約束でも約束した以上は<u>守りたい</u>。

2）<u>就職が決まった以上は</u>、3年は頑張らないと、その仕事が合っているかどうか結論は出せないはずだ。

8．練習1

1）広告で世の中に知らせないかぎり、どんなにいい商品でも売れない。

2）自分から行動を起こさないかぎり、幸運は向こうからやってこない。

練習2

1）上司の許可がないかぎり、<u>会社のパソコンに新しいソフトを入れることはできない</u>。

2）<u>これまでと全く違う価値観を持たない</u>かぎり、戦争はなくならない。

9．練習1

1）家族の反対を押し切ってでも、役者になるのをやめるわけにはいかない。

2）絶対に人に言わないと約束したから、しゃべるわけにはいかない。

練習2

1）妻が3時間もかけて作ってくれた料理だから、<u>食べないわけにはいかない</u>。

2）やりたい仕事ができないからといって、<u>すぐやめるわけにはいかない</u>。

10．練習1

1）コンテストで優勝したとき、興奮のあまり、大声を出してしまって恥ずかしかった。

2）昔々、ある国の王子様は失恋の悲しみのあまり、石になってしまった。

3）山田さんは手術で失敗をして、後悔するあまり、医者をやめてしまった。

練習2

1）彼女はボランティア活動に熱心なあまりに、<u>ときどき学校を休む</u>。

2）地球の未来を心配するあまりに、<u>夜もよく眠れなくなってしまった</u>。

3）彼は飛行機がゆれたとき、恐怖のあまりに、<u>顔がまっ青になった</u>。

練習3　（省略）

問題

Ⅰ　1．1）①×　②○　③×　④○

　　　2）①○　②×　③×　④○

3）①日常会話可　　②850点　　③アジア地域のビジネス行動比較
　　　　④営業

Ⅱ　1．1）①○　　②×　　③×　　④○
　　2）①至るまで　　②として　　③さえ　　④以上は
　　　　⑤わけ
　　3）その人の生き方

2. 話す・聞く　会話スクリプト（第13課〜第24課）

第13課　勘違いしてることってよくありますよね

【山田さん宅で】

山田友子：　お二人とも、お好み焼きは初めて？

サントス：　はい、大阪に住んでいながら、まだ食べたことがないんです。

友　子：　そうですか。こうしてわいわいおしゃべりしながら焼くと楽しいし、簡単だし、うちではよく作るんですよ。

マリア：　ええ、ホームパーティーにぴったりですね。

山田一郎：　でしょ。ところでさっきの話だけど、サントスさん、いずみさんの結婚式でスピーチをしたんだって？

サントス：　そうなんです。日本の結婚式で日本語でスピーチするなんて、初めてで緊張しましたけど、まあ、ブラジルのことわざなんかを紹介して、どうにか…。

友　子：　どんなことわざですか。

サントス：　"Quem canta, seus males espanta"（ケム　カンタ　セウス　マーレス　エスパンタ）、直訳すれば「歌う人は災いを遠ざける」。つまり、歌って暮らせばいいことがいっぱいあるってことです。

一　郎：　日本語だったら、「笑う門には福来る」ってとこかな。

友　子：　ことわざで思い出したんだけど、この前、太郎がおばあさんに道を聞かれて、その場所まで連れて行ってあげたって言うんですよ。

マリア：　ふぅん、太郎君らしいですね。

友　子：　でしょう。わたしも太郎を褒めて、「きっといいことあるよ。『情けは人のためならず』っていうから」って言ったら、太郎が「えっ、親切は人のためにならないってどういうこと？」ですって。ちょっとびっくりしちゃいました。

マリア：　本当はどういう意味なんですか。

友　子：　「人に親切にしたら、あとでいいことが自分に返ってくる。親切は人のためだけじゃない」っていう意味なんです。

一　郎：　でも、そのことわざを太郎みたいに「親切は人のためにならないから、しないほうがいい」って思っている人が結構多いんですよ。

サントス：　まあ、確かに勘違いしてることってよくありますよね。私は甘いものをあまり食べないので、「辛党なんです」ってよく言ってたんです。それが、先日、ある人に「サントスさんは辛党だから、お土産にお酒を買って来ました」って言われて、びっくりしましたよ。

マ リ ア：　そうそう。「辛党」は「甘党」の反対だと思ってたのよね。
サントス：　そう。勘違いもいいとこですよね。それからは、知ったかぶりはしないで、わからないことはきちんと聞くようにしてるんです。
一　　郎：　うん、「聞くは一時の恥、聞かぬは一生の恥」って言いますからね。
友　　子：　さあ、焼けましたよ。どうぞ。
マリア&サントス：　はい、いただきます。

第14課　謎の美女と宇宙の旅に出るっていう話

【コーヒーショップで】

小　川：　ジャンさんが日本に留学しようと思ったのは日本のアニメがきっかけだったんだって？
ジャン：　うん。何気なくテレビをつけたら、『銀河鉄道999』ってのをやっててね。映像がきれいで音楽も神秘的で。その瞬間、はまっちゃったんだ。
小　川：　そう。『銀河鉄道999』って、漫画もあるよね。どんな話だったっけ？
ジャン：　主人公は星野鉄郎っていう少年。彼が謎の美女メーテルと宇宙の旅に出るっていう話。
小　川：　なんだ。旅行の話？
ジャン：　ただの旅行じゃなくて、死なない体をもらうために、アンドロメダという星に行くんだ。その時乗るのが「銀河鉄道999」って宇宙列車。
小　川：　へえー。宇宙船じゃなくて宇宙列車。で、死なない体って、薬か何か飲むの？
ジャン：　ううん。体を機械化してもらうんだ。
小　川：　ふうん。どうして鉄郎は機械化されたいの？
ジャン：　あのね。この話は西暦2221年の話。星と星の間を宇宙列車が走り、人類は機械化され、永遠の命を持ってるんだ。
小　川：　永遠の命？
ジャン：　だけど、機械化から取り残された生身の人間もいたんだ。彼らは差別され、機械人間の狩猟の対象にされてしまうんだ。それで鉄郎のお母さんも犠牲になったってわけ。
小　川：　ええーっ、恐ろしい話だね。
ジャン：　うん。でね。お母さんの遺言で、鉄郎はアンドロメダを目指すことになるんだけど、

その途中いろんな出来事に出遭うんだ。
小　川：　例えば、どんな？
ジャン：　土星に向かう途中、食堂車でアルバイトをしているクレアって女の子に出会うんだけど、彼女、ガラスでできてんだ。鉄郎の温かい手に触れて、「血の通った体になりたい」って悲しげに言うんだ。食事のあと、鉄郎が幻覚に襲われて、もうだめかと思ったそのとき、クレアが身を投げ出して助けるんだ。彼女、粉々のガラス球(だま)になって宇宙に散って行っちゃうんだけどね。
小　川：　かわいそう、それで。
ジャン：　やがて、機械化された体で永遠に生きるってことが本当に幸せなのかどうか、考え始めるんだよ。
小　川：　そうだよな。死なないとわかったら、一生懸命生きる気がしないよな。で、どうなるの、結局。永遠の命はもらったの？
ジャン：　それがね、アンドロメダに着いてみると……。
小　川：　あ、ちょっと待って。最後まで言わないで。自分で読んでみるから。

第15課　イルワンさんの右に出る人はいないということです

【取引先とのパーティーで】
中村課長：　ミラーさん、ちょっと。
　　　　　　イルワンさん、うちの課のミラーです。
　　　　　　ミラーさん、こちら、「オスマン絨毯」東京出張所のイルワン所長です。
ミ ラ ー：　はじめまして。ミラーと申します。お名前は中村から伺っております。
イルワン：　はじめまして。「オスマン絨毯」のイルワンです。よろしくお願いいたします。
ミ ラ ー：　「オスマン絨毯」、歴史を感じさせる社名ですね。
中　　村：　そう。その名の通り、トルコでは老舗の織物会社なんですよ。
イルワン：　いえ、老舗といえるほどのものじゃありません。今は伝統的なものだけじゃなくモダンなデザインの織物製品も製造しておりますが。
中　　村：　イルワンさんは今回、日本の市場開拓のために来られたんですが、イスタンブール本社きっての営業マンでいらっしゃるんですよ。何しろ絨毯に関する知識ではイルワンさんの右に出る人はいないということですから。
イルワン：　いやいや、そんな大したものではありません。来日して3か月になりますが、

	なかなか思うような成果はあげられていません。
ミラー：	木を植えて、その木が実を結ぶまでには、ある程度時間がかかりますよね。
イルワン：	そうだったらいいんですが。
中　　村：	そうそう、イルワンさんは太鼓がご趣味でね、なんでも新潟の大学に留学されてたころ、太鼓に魅せられて、地元の太鼓教室で腕を磨かれたそうですよ。
ミラー：	太鼓ですか。太鼓といえば、佐渡の「鬼太鼓（おんでこ）」が有名ですよね。
イルワン：	ええ。佐渡には世界中から太鼓好きが集まってくるんですよ。
ミラー：	そうですか。
中　　村：	特に「佐渡おけさ」がお得意で、地元の人、顔負けなんですって。
イルワン：	いえ、それほどでも。ただ、自分で言うのもなんですが、子どものときからリズム感だけはあるって言われてきました。
ミラー：	そうですか。一度お聞きしてみたいですねえ。
イルワン：	よろしかったら、この日曜日、昔の仲間と発表会に出るんですが、いらっしゃいませんか。ご招待いたしますよ。
ミラー：	え？　よろしいんですか。 課長、お言葉に甘えて聞かせていただきましょうよ。
中　　村：	本当にお伺いしてもよろしいんでしょうか。
イルワン：	もちろんですよ。あ、話の途中ですが、ちょっと失礼いたします。あちらの方にご挨拶を。
中　　村：	どうぞ、どうぞ。また、のちほど。

第16課　不幸中の幸いだよ

【富士大学の教室で】
カリナ：　おはよう。
青　木：　おはよう……。
カリナ：　どうしたの？　元気ないじゃない。
青　木：　うん、ちょっと……。昨日、バイクでね……。
カリナ：　えっ、まさか…事故？
青　木：　まあ、事故っていうか……。ハンドル切り損ねて、ひっくり返っちゃったんだ。
カリナ：　ああ、びっくりした。あんまり落ち込んでるから人身事故でも起こしたのかと思った。

青　木：　危うく起こすところだったよ。交差点で左折しようとしたら、横から急に自転車が飛び出してきてね。あわててハンドル切ったら、スリップして、ひっくり返っちゃったんだ。

カリナ：　そうだったの。それでけがは？

青　木：　うん。ひざを打ったんだけど、それは大したことないんだ。
　　　　　問題はバイク。前のライトのカバーが割れちゃって、買ったばかりなのに……。泣きたい気分だよ。

カリナ：　何言ってるの。大けがをしなかっただけでも不幸中の幸いだよ。
　　　　　もし人をはねたりしてたら、大変だったじゃない。

青　木：　まあ、それはそうだけど……。
　　　　　バイク屋へ持って行ったら、修理に２万円ぐらいかかるって。今月はバイトもしてないし。お金のないときに限って、お金が必要になるんだよなあ。ほんと、頭痛いよ。

カリナ：　うーん、２万円ぐらいで済めば安いものじゃない。「何でもものは考えよう」だよ。

青　木：　でもなあ……。あーあ。バスで行っとけばよかったなあ。

カリナ：　くよくよしないで。
　　　　　今日、お昼ご飯、いっしょに食べようよ。私がおごるから。

青　木：　うん。ありがとう。

・・・・・・・・・・・・・・・・・・・・・・・・・・・・・・

第17課　もうお兄ちゃんだね

【池田家のリビングルーム】

サントス：　こんにちは。ご無沙汰しています。

ミランダ：　よくいらっしゃいました。お久しぶりですね。

サントス：　あの、これ、お口に合うかどうかわかりませんが、皆さんでどうぞ。

ミランダ：　ありがとうございます。じゃ、遠慮なくいただきます。
　　　　　　あ、どうぞおかけください。

サントス：　はい。失礼します。今日はお休みのところ、お邪魔してすみません。

ミランダ：　いいえ。何のおかまいもできませんが、どうぞごゆっくりなさってください。

サントス：　ありがとうございます。

池　　田：	あ、優太、こっちにおいで。
	お父さんのお友達のサントスさんだよ。ご挨拶しなさい。
優　　太：	こんにちは。
サントス：	こんにちは。優太君、いくつ？
優　　太：	6歳。
サントス：	そう。もうお兄ちゃんだね。6歳にしては大きいね。
池　　田：	大きいほうかな。この春から1年生なんだけど。早いもんだよ、子どもが成長するのは。
サントス：	優太君、そのお面、節分の鬼だね？
優　　太：	うん、幼稚園で作ったんだ。
サントス：	優太君が描いたの？　上手だねえ。
ミランダ：	サントスさんは節分、ご存じなんですか。わたしは優太が幼稚園に行くようになってはじめて……。
サントス：	確か、「鬼は外」って言いながら豆をまいて、病気や悪いことを追い払うんですよね。
池　　田：	サントスさん、今どきの日本の若者なんかより、よっぽど詳しいんじゃない？
サントス：	まあ、日本に住んでるからには、日本の四季折々の行事を知らないといけないと思って、勉強してるんです。娘も日本の小学校に通ってますし、ね。
優　　太：	あのね、あした豆まきするんだ。お父さんが鬼になるんだよ。
サントス：	へえ、お父さんが鬼なの。お父さんは怖いんだ。
優　　太：	ううん。お父さんは優しいよ。お母さんのほうが怖い。
ミランダ：	優太ったら。
	さあ、サッカーの練習に行くんでしょ。
サントス：	優太君、サッカーしてるの？
	おじさんも子どものとき、ユースに入ってたんだよ。こう見えても、「5人抜きのジョゼ」って呼ばれてたんだ。ペレほどじゃないけどね。
優　　太：	すごい！　おじさん、今度いっしょにサッカー、やろうよ！
サントス：	よし、やろうか。
優　　太：	うん！

第18課　あなたこそ、あの本の山はいったい何なの！

【ワット家のダイニングキッチンで】
いずみ：　あれっ、この前メキシコで買ってきたワイングラス、どこにしまったかな。
　　　　　確かこの辺に入れたはずだけど。
ワット：　また捜し物？　しょっちゅう何か捜してるね。
いずみ：　あ、あった、あった。
ワット：　ねえ、いずみ。ちょっと食器、多すぎるんじゃないの？　こんなにたくさん要らないだろう。あっ、このコーヒーカップなんか、欠けてるじゃないか。捨てたら？
いずみ：　ああ、それ？　それは結婚してはじめて買ったものなのよ。
　　　　　これを見るたびに、あのころのこと思い出すの。捨てられないわ……。
ワット：　しまい込んだまんま一度も使ってないものもいっぱいあるじゃない。
いずみ：　だって、このお皿もお茶碗も新婚時代の思い出がいっぱいなんだもの。
ワット：　その気持ち、わからないわけじゃないけど…。もうちょっと整理すれば？
　　　　　だいたい食器だけじゃなくて、ここにあるスーパーの袋の山、何だよ。
いずみ：　あら、袋だって必要なのよ。
ワット：　うーん。あれも大切、これも必要だからってとっといて、結局捨てちゃうってことになるんじゃないの？　だったら、思い切って捨てたほうがいいよ。
いずみ：　そんな、もったいない。置いとけば、何かのときに役に立つかもしれないし。
　　　　　あなたこそ、あの本の山はいったい何なの！　お互いさまなんじゃない？
ワット：　それとこれとは話が違うだろ！　そもそも、ふだん使わないものをしまっといたところで、場所をとるだけだよ。だいたい君は整理が下手なんだよ。
いずみ：　そんなに言わなくたっていいじゃない！！
　　　　　……
ワット：　ごめん、ちょっと言い過ぎたみたい。いずみが物を大事にするってことはよくわかってるよ。
いずみ：　ううん、私こそ、ごめん。あなたの言うとおり、上手に捨てるってことも確かに必要かもね。
ワット：　そうだね。…今度の日曜に、いっしょに整理してみよう。
いずみ：　うん、そうね。
　　　　　さあ、食事にしましょう。ワインの栓、抜いてくれる？

第19課　ちょっと自慢話になりますが

【大学演劇部　入部歓迎会】

山　　口： 司会の山口です。今日は皆さんのさくら大学演劇部への入部を歓迎してささやかな会を行いたいと思います。まず、部長の挨拶から。どうぞ。

南　　　： はい。部長の南です。皆さん、入学おめでとうございます。我が演劇部は代々全国大学演劇祭で優秀な成績を収めてきた歴史ある部です。その伝統と誇りをぜひ受け継いでもらいたいと思います。

山　　口： では、次に、古田先輩、一言お願いします。続いて、新入生にバトンを回しますので、心の準備をしておいてください。じゃ、古田さん。

古　　田： 古田です。僕は現在4年生ですが、実は大学7年目です。演劇というと、みんな役者を思い浮かべるでしょう。しかし、演劇が出来上がるには、まず、脚本、舞台装置、衣装作り、それから役者が登場するのです。決して華やかなだけの世界ではないということを覚えておいてほしいです。練習は厳しいですから覚悟してください。

山　　口： では、これから、新入生に登場願いますが、ありきたりの自己紹介ではなく、何か自分をアピールするようなことを話してください。先輩が聞いて、このキャラクターはこの役割にいいんじゃないかとイメージできるようにお願いします。こちらから時計回りに。マヨラン君。

マヨラン： はい。工学部のマヨランです。ちょっと自慢話になりますが、僕は高専時代にロボットコンテストで優勝しました。学校の行事だったので、はじめは嫌だなあと思っていました。でも、作っていくうちに、僕の足がタイヤに、腕がストッパーに、筋肉がモーターに、そして心がロボットの中に入っていったような気がしました。僕が、僕を作っている、その僕が僕を動かしている、そう思うと何だか楽しくなりました。ロボット作りの経験を舞台装置作りに生かせたらいいなと思います。

松　　下： 経済学部の松下です。僕は小学校から高校まで野球部にいました。でも万年補欠、一度もレギュラーになったことがありません。いわゆるボール拾いです。華やかな世界を支える下積みの人間の心の痛みを知っているつもりです。よろしくお願いします。

ア ン ヌ： 医学部のアンヌです。私は高校で落語のサークルに入っていました。
　　　　　得意の小噺をひとつ聞いてください。「先生、私、手術初めてなんです。大丈夫でしょうか」「大丈夫ですよ。私も初めてですから」。

できれば喜劇のほうをやりたいんですけど、大丈夫でしょうか。
山　　口：　ユニークなキャラクターが揃ったようで、我が演劇部の伝統も無事引き継がれていきそうです。では、あしたからの練習、気を引き締めてやっていきましょう。

第20課　なぜ、日本で相撲を取ろうと思われたのですか

【相撲部屋で】

イー・ジンジュ：　本日は、お忙しいところ、お時間をいただき、ありがとうございます。AKC研究センターのイー・ジンジュと申します。当センターの機関誌『国際人』に臥牙丸関をご紹介させていただきたいと思って参りました。どうぞよろしくお願いします。

臥牙丸：　光栄です。よろしくお願いします。

イ　ー：　まず、伺いたいんですが、グルジアの方が、なぜ、日本で相撲を取ろうと思われたのですか。

臥牙丸：　はい、6歳から柔道を始めました。ですが、僕のうちが今活躍している黒海関の実家の近くだったことから、相撲に興味を持ちました。それで相撲を始めて、2005年のジュニア世界選手権大会で日本へ来たのがきっかけです。

イ　ー：　そうですか。入門されて4か月で初土俵、それからわずか4年で関取に。順風満帆ですね。

臥牙丸：　いえ、そうでもなかったんですよ。入門した翌年に父が交通事故で亡くなりました。また、十両に上がるのに3年もかかりました。けれども、父の命日の前日に昇進の知らせを受けたので、すごくうれしかったです。

イ　ー：　ああ、そうだったんですか。そして二場所目で十両優勝、…。お母様もさぞお喜びだったでしょうね。

臥牙丸：　ええ。優勝が決まってすぐ母に電話したんです。でも、声を聞いたとたんに、涙が……。

イ　ー：　そうでしょうね。故郷を離れて日本での生活、中でも特殊な相撲部屋での生活は、お国の環境とは全く違っていて、どんなにたいへんだったことかと思います。

臥牙丸：　はい。黒海関にいろいろ教えてもらってはいたんですが、先輩後輩の関係とか、やはり戸惑うことも多かったです。覚悟はして来たつもりでしたが。それから、

	食べ物。はじめのうちは魚のちゃんこ鍋が苦手でした。でも、外国人だからといってわがままは言えないし……。今では寿司も納豆もいけますよ。
イ ー：	あ、そうですか。それにしても、「ががまる」という四股名は力強い響きですね。
臥牙丸：	ええ、子どものときからのニックネームの「ガガ」に師匠が期待をこめて、いい漢字を選んでくれました。
イ ー：	そうですか。ところで、お国の若者から力士になりたいと言われたら、どんなアドバイスをされますか。
臥牙丸：	そうですねえ。僕は18歳でグルジアを発ったとき、自分は生まれ変わるんだ、って思いました。どこでも、違ったルールはある。相撲の世界の慣習を理解し、守ること。常に感謝の気持ちを忘れない。努力すれば努力しただけ報いられる世界だと思っています。
イ ー：	いいお言葉をいただきました。最後に、応援してくれているご家族、お友達、そしてファンの皆さんに一言、お願いします。
臥牙丸：	はい。これからも毎日のけいこを一生懸命頑張って、常に今より高いところを目指したいです。応援よろしくお願いします。
イ ー：	さらなるご活躍を期待しています。今日は貴重なお時間と楽しいお話をありがとうございました。
臥牙丸：	こちらこそ、ありがとうございました。

第21課　発表：データに基づいてお話ししたいと思います

【市の講座で、グラフを見せながら】

　マリア・サントスと申します。私はブラジルにいるときから食生活に興味を持っていました。来日後も日本の食生活について興味深くみてきました。

　今回、市からのお知らせで「食事スタイルを考えよう！」という講座が開かれることを知りました。それで、日本人の食生活について知るよい機会だと思い参加しました。本日のまとめの発表会で今の日本の食事スタイルの特徴だと思われる点を2つ、データに基づいてお話ししたいと思います。

　まず、この図1をご覧ください。これは、食事のとり方が1980年代からどのように変化してきたかを示すものです。農水省2006年度『食育白書』の中にあるデータの一つです。食事のとり方には「内食」、「中食」、「外食」があります。「内食」とは家庭で素材から

調理する手作りの食事のこと。「中食」とは聞きなれない言葉ですが、調理済み食材や惣菜で手軽に済ます食事のことです。「外食」はレストランなどで食事をすること。そして「中食」と「外食」の両方を含むものを「外部化」と呼びます。

このグラフを「外部化」に注目してご覧ください。グラフに見られるように、中食と外食を合わせた比率は1981年には34％でした。それが、その後の10年で8ポイント伸び、91年には42％になっています。その後2年間は横ばいで、95年に一度減少、そののち再び増加に転じています。2003年には44％とさらに「外部化」が進んでいます。ここで一つ興味深いことは、「外食」がわずかながら減少しているにもかかわらず、「外部化」は進んでいることです。このことは特に「中食」の伸びが著しいことを示しています。以上から、近年、「内食」が依然全体の半分以上を占めているとはいえ、家庭における食事の形態が大きく様変わりしていることがお分かりいただけると思います。

もう1点、この講座を受講して気になったのは、最近、一人で食事をする「個食」人口が増え、家族そろって食卓を囲むということが少なくなってきたという点です。皆さんのご家庭では週何回ぐらい家族そろって夕食をとっていらっしゃるでしょうか。私は今回、この講座の参加者に協力してもらい、「1週間に家族と一緒に夕食をとる回数」を調べました。回答してくれた人は48人中39人でした。その結果が図2です。「毎日」と答えた人の割合が20.5％、「週4日以上、6日以下」と答えた人が10.2％、つまり、週4日以上家族で夕食をとっている人の割合は全体の30％ほどでしかないのです。しかし、農水省のデータによると、1994年には60％近い人が週4日以上とっていたということです。農水省の調査と今回の結果では調査対象人数が大きく異なりますが、傾向としては、15年ほどの間に食事のとり方も大きく変化してきたと言えるのではないでしょうか。

確かに日本の食卓は豊かです。ところが、その一方で、食の外部化率の上昇や「個食」の増加といったことが起きています。原因としては、生活環境の変化が考えられます。具体的には、一人住まいの人が多くなったことや、働く時間帯の多様化、女性の就労が増えたことなどが挙げられます。このような現象は日本に限らず、ブラジルでも他（ほか）の国でも起きているのではないでしょうか。私は今回の講座を通して、中食を上手に利用しながら、家族のために栄養を考えた料理を作り、家族そろって食事をする機会をつくっていきたいと改めて思いました。

以上で私の発表を終わります。何かご意見やご質問がございましたらお願いします。

第22課　賛成！

【さくら大学　ゼミでのディスカッション】

小　川：では、次の議題、少子化問題を解決するにはどうすればいいかに移ります。

山　口：はい。女性が安心して子どもが産める社会にすること。働く女性が子どもを欲しいと思っても、保育所がない。あったとしても、費用が高い。それに時間が短い。これでは子どもを産もうにも産めないと思うのですが。

張　　：その通りだと思います。とにかく希望する人は全員保育所に入(はい)れるようにするべきですよ。

山　口：それに、教育にお金がかかりすぎます。1人の子どもが生まれてから大学を出るまでに3,000万円はかかるそうです。そういうことを聞くと、子どもを持つのをためらう人がいます。せめて高校までは給食費や学費などすべてタダにしてもいいんじゃないでしょうか。

森　　：保育施設の充実や教育の無償化…そうなると子どものいない人とか、お年寄りだけの家庭などでは負担の割に受ける恩恵が少なくて不公平感があるんじゃないかな。

山　口：ですが先生、近い将来、4人のお年寄りが1人の若者に支えられるときが来るんです。今、若い人を支えておくことが、やがて自分を支えてもらうことになるんじゃないでしょうか。

小　川：それもそうですね。じゃあ、男性の育児参加について考えてみませんか。今は核家族化しているので、男性も育児休暇を取らないとやっていけないんですけど、非常に取りにくいのが現実ですよね。

ジャン：そうですね。日本の父親は子育てにもっと積極的に参加するべきじゃないでしょうか。子育ての放棄やイジメなんかが起きるのは、母親1人だけに任せているからじゃないかと思います。

張　　：その通りですね。だから育児休暇が取りやすいように、というより、みんなが取らなければならないように法律で縛ればいいんじゃないでしょうか。

小　川：賛成！　実行されるかどうかは疑問ですけど。それより少子化を解消した国の例を見ると、結婚していてもいなくても、生まれた子どもはすべて平等に法律で守られているらしいですね。

ジャン：そうそう、2004年だったかな、私の国では生まれた子どもの46.6％が結婚していないカップルから生まれたとか。今だったら50％を超えているかもしれません。

森　　：　結婚にこだわらない家庭のかたちを認めるかどうかは、その社会の歴史的背景、価値観によると思う。ただ、そのことが少子化の問題を解決するカギになるかどうかは分かりませんが。

山　口：　そうですね。とは言っても、結婚に対する考え方を変えてみることも必要かもしれませんね。現在の未婚化、晩婚化は結婚という制度のせいかもしれません。

小　川：　では、そろそろ今日の意見をまとめてみます。少子化問題を解決するためには、保育施設の充実、教育の無償化、また父親に育児休暇を取りやすくさせる、結婚に対する発想を転換する、などが必要である。これでよろしいでしょうか。

第23課　スピーチ：一人の地球市民として

【地域国際交流協会主催のスピーチコンテストで】

　皆さん、こんにちは。カリナと申します。今日はクマゲラの棲む森の話をご紹介いたします。クマゲラって何でしょうか。クマのような動物？　…いいえ。クマゲラとは啄木鳥という鳥の仲間です。頭からしっぽの先までの長さは40センチから50センチ、頭の後ろの羽毛が赤い色をしています。

　なぜ、インドネシア人の私がクマゲラの話をするのかと不思議に思われるかもしれませんが、実は、今年の夏休み、東北へスケッチ旅行に行ったとき、白神山地でクマゲラと偶然出合ったのです。それがきっかけで、クマゲラと森について、さらにはインドネシアの絶滅する恐れのある鳥たちとその生息地の問題について考えるようになりました。

　クマゲラの棲む白神山地は日本に残された最大のブナの原生林で、広さは1万7000ヘクタールあります。そこにはクマゲラをはじめ、多種多様な動植物が見られます。しかし、戦後、ブナは使い道のあまりない木材だからと伐採されました。また、それを運び出すために道が造られました。こうしてブナの原生林は次第に狭められてきました。一方で、ブナの原生林を守ろうという動きが出てきました。ちょうどそのころ、青森と秋田を結ぶ新たな道路が計画され、開発か保護かの議論が起こりました。その中でカギとなったのがクマゲラでした。クマゲラにとって、巣作り、餌集め、ねぐらのどれをとってもブナの木の存在は欠かせません。天然記念物であると同時に絶滅危ぐ種に指定されているクマゲラを守るためには、ブナの伐採を止めさせる必要があったというわけです。結局、道路計画は見直され、中止されました。そしてその後、白神山地は世界自然遺産として登録されたのです。

　さて、私の国、インドネシアではどうでしょうか。悲しいことに、絶滅の恐れのある鳥

類が141種もいます。それは世界で2番目の多さだと言われています。どうしてそのような事態になったのでしょうか。

　まず、農地や居住地の拡大です。人々は農地を広げるために木々を伐採しました。また、町をつくるために森を開拓しました。海外へ輸出するための木材もどんどん伐採されたのです。さらに気候変動も影響しました。こうしたさまざまな要因が絡みあって森が破壊され、そこに棲む鳥たちの命が奪われていったのです。

　持続可能な開発という言葉があります。私は、人間にはそれを可能にする知恵があると信じます。ブナ林のすばらしさは言うまでもありません。そして、人間の知恵が生かされた一つの例として、白神山地から学ぶことは多いと思います。

　水、大気、食糧…、世界中に多くの環境問題が存在しています。それらを解決していくためには、国を超えて人々が理解し合い、経験と知識を共有し、ともに協力し合うことが必要です。わたしは、一人の地球市民として、今、自分に何ができるか考えていきたいと思っています。ご清聴ありがとうございました。

第24課　好奇心と忍耐力は誰にも負けないつもりです

【就職の面接会場で】
面接担当者：　ジャンさんはどういった理由で当社への就職を希望されたのですか。
ジャン：　はい。御社は、グローバルに事業を展開されています。例えば、最近では私の国でも新しい工場を建設されました。原料である農産物の調達や雇用の確保を現地で行っていらっしゃるという点で、お互いの関係をwin-winなものにしてこられたと思います。私は、そのことに深く感銘を受け、ぜひ、働きたいと思いました。
担当者：　そうですか。で、ジャンさんは弊社の商品を消費者としてどのように感じていますか。
ジャン：　はい。まず、私にとってMKのカップ麺との出会いは、味も香りも衝撃的でした。日本に留学してからは、自炊生活をしておりますが、MKの商品は種類も豊富で、冷凍食品やレトルト食品まで、どこのスーパーでも手軽に手に入ります。お金がないときや時間がないとき、ちょっと贅沢をしたいときにもMKの商品は食生活を豊かにしてくれます。
担当者：　なるほど。ところで、日本に留学しようと思ったきっかけは？

ジャン：	はい。日本のアニメが大好きで、日本に強い憧れを抱き、迷わず日本留学を志望しました。来たばかりの頃は授業についていくのが大変でした。そのような時でもテレビのアニメはよく見ていました。その時に流れていた御社のCMはいつも元気いっぱいで、ずいぶん励まされました。
担当者：	そうですか。それで、そういうテレビのCMや、アニメの制作などには興味を持たなかったんですか。企画とか、宣伝とか、…。
ジャン：	はい。確かに私の日本への興味を育ててくれたのはテレビのアニメやCMでした。しかし、それは単なるきっかけです。私が日本に留学した目的は日本の科学技術を学ぶためです。卒業後は、生産関係の仕事に就き、技術を身につけ、将来的には開発の仕事に携われれば、と考えております。
担当者：	なるほど。会社組織の中では必ずしも希望する職種につけるわけではありませんが、ジャンさんは当社で自分の希望や専門性が生かされると思いますか。
ジャン：	はい。私は大学では化学を専攻しました。特に食品に含まれるアミノ酸を卒論のテーマにしました。御社は、アミノ酸生産技術を応用した食品製造に実績があるだけでなく、近年は医薬品、化粧品、健康食品の分野にまで進出していらっしゃいます。私は、器用な人間ではありませんが、好奇心と企画力と忍耐力は誰にも負けないつもりです。もし機会が与えられましたら、現場で経験を積んで、ぜひ御社に貢献できる人間になりたいと思います。
担当者：	分かりました。けっこうです。今日は、どうもありがとうございました。
ジャン：	ありがとうございました。よろしくお願いいたします。

3．課末聴解問題スクリプト（第13課～第24課）

第13課

Ⅰ．会話を聞いてください。「高みの見物」「気が置けない人」の表現に注意して聞いてください。

男の人： ああ、よく見える。気持ちいいな。「高みの見物」だね。
女の人： うん、確かにいい景色だけど。高みの見物ってちょっと違うんじゃない。
男の人： え、どういうこと？ 高い所から景色を見るってことなんだろう？
女の人： 違うよ。自分には関係ないような顔して、何もしないでただ見てるってことなんだよ。
男の人： ふーん、そうか。昨日の高橋みたいな場合を言うんだな。
女の人： 高橋君がどうしたの。
男の人： 昨日の晩、高橋と鈴木が遊びに来て、にぎやかにやってたら、大家さんが来てさ、
女の人： え？ また。この前も大家さんに注意されたって言ってたよね。
男の人： うん…それで、俺が言い訳したり、謝ったりして、鈴木もいっしょになって頭下げてるのに、高橋ったら、自分も騒いでおきながら、全然関係ないような顔して部屋の隅で雑誌、読んでるんだ。帰るときに、何て言ったと思う？「まあ、こういう場合は、手土産でも持って、もう一回謝りに行ったほうがいいよ」だって。あったま、きちゃったな。いい奴だって信じてたのに…。ほんと、あいつ、気が置けないよ。
女の人： へえ、大変だったね。でもね、「気が置けない」も使い方が間違ってるよ。
男の人： え？
女の人： 「気を置く」ってもともと「気にかける、気を使う」っていう意味なんだから、「気が置けない人」は「気を使わなくてもいい、親しく付き合える人」っていうことでしょ。
男の人： ああ、そうなんだ。俺って、勉強足りないな。

1．1）「高みの見物」の正しい意味と男の人が勘違いしていた意味を次の①②③から選んでください。
　　2）「気が置けない人」の正しい意味と男の人が勘違いしていた意味を次の①②③から選んでください。

2．もう一度聞いて、正しければ○、間違っていれば×を書いてください。
　　1）男の人は昨日の晩遅くまで友達と騒いでいました。
　　2）男の人が大家さんに注意されたのは昨日の晩が初めてでした。
　　3）男の人は一人で言い訳して、謝りました。
　　4）高橋さんは大家さんに謝りませんでした。
　　5）男の人は今も高橋さんをいい友達だと思っています。

第14課

Ⅰ．タワポンさんと佐藤けい子さんがマンガについて話しています。『奇跡の人』というドラマについて話しているところに注意して聞いてください。

佐藤さん：　ところで、タワポンさんが日本に興味を持ったきっかけってマンガだったんだって？
タワポン：　ええ、『ドラえもん』が最初でした。タイでは日本のマンガは人気がありますからね。
　　　　　　佐藤さんが初めて読んだマンガって何ですか。
佐藤さん：　ううん。はっきり覚えてないけど、『ガラスの仮面』かな。
タワポン：　『ガラスの仮面』。どんな話ですか？
佐藤さん：　北島マヤという貧しくて平凡な女の子が主人公で、その子が女優を目指して頑張るって話。
タワポン：　あー、よくある話ですね。
佐藤さん：　北島マヤは、演劇教室で女優の勉強を続けるんだけど、いじめられて泣いたり、辛くてやめようと思ったり。
タワポン：　ふうん。少女マンガらしいですね。
佐藤さん：　それでも、同じ教室の仲間の亜弓や周りの人に支えられて成長していくの。特に印象に残っているのは、『奇跡の人』ってドラマのヘレン・ケラーの役をやりたくて、亜弓といっしょに試験を受けるところ。
タワポン：　ヘレン・ケラーって、あのヘレン・ケラーですか？
佐藤さん：　そう。マヤは亜弓に負けたくないから、試験のためにすごい練習をするの。
タワポン：　すごい練習？　どんな練習ですか。

佐藤さん： 何も見えない、何も聞こえない生活を家の中で何日も続けるの。
それで顔や手にいっぱいけがをして、…。
タワポン： へえ、すごいですね。で、結果は？　選ばれるんですか。
佐藤さん： それがね。試験をしている最中に、非常ベルが鳴るの。
タワポン： え？　非常ベル？　あのジーンという？
佐藤さん： ええ。実は試験の一部だったんだ。
その時、他の人はみんな逃げちゃったんだけど、マヤと亜弓だけ逃げなかったの。
タワポン： え？　ああ、ヘレン・ケラーは聞こえないはずだから？
佐藤さん： うん。結局、その二人が選ばれて順番にヘレン・ケラーをすることになったの。
ドラマは大成功。私、その影響で、小学校では演劇部に入ったのよ。
タワポン： すごい影響力ですね。

1．『奇跡の人』について話している部分の順番は1）2）3）のどれですか。
2．もう一度聞いて、正しければ○、間違っていれば×を書いてください。
　　1）タワポンさんが初めて読んだマンガはドラえもんである。
　　2）佐藤さんが初めて読んだマンガは『奇跡の人』である。
　　3）『ガラスの仮面』の主人公はヘレン・ケラーである。
　　4）北島マヤは女優の勉強をしている間、楽しいことばかりだった。
　　5）佐藤さんが小学校の演劇部に入ったのは『奇跡の人』を見たからである。

第15課

Ⅰ．初めに田中さんと小川さんと石田さんの会話を聞いてください。3人はどのような関係かを考えて聞いてください。

　　　　　～～～～～～～～　ホテルのロビーで　～～～～～～～～
田中： 小川さん、こちらはOKシステムの石田さんです。
小川： はじめまして、ハッピーコンサルタントの小川と申します。石田さんのことはすばらしい方だって田中さんから伺っております。

石田： 石田と申します。私も田中さんと会うたびに小川さんのことは伺っておりました。今日、こうしてお会いできてとてもうれしいです。

小川： こちらこそ。どうぞよろしくお願いします。

〜〜〜〜〜〜〜〜〜　カフェで　〜〜〜〜〜〜〜〜〜

小川： 石田さんは今の会社を始められてどのくらいになりますか。

石田： 今月でちょうど10年になります。あっという間でしたよ。

田中： そうですか。今は海外にもいくつも支社を持っていらっしゃいますよね。

石田： ええ、おかげさまで。会社を作ってしみじみ思ったことがありまして、それは、一人じゃ何もできないということです。

田中： はあ、…でも、石田さんだからこそ…。

石田： いや、いくらがんばっても、一人じゃなにもできませんね。若い頃は夢があって、日本一の社長になるんだなんてでかいことを言っていましたが、社長一人では会社は動かないのです。本当にたくさんの人に助けていただきました。

小川： 確かに。私も人とのつながりは何よりも大事だと思っています。

石田： 人とのつながりといえば、私はたくさんの方に迷惑をかけてきたとも思っています。ですから、これからは何らかの形でみなさんにお返しができないかなと考えているんですよ。

田中： いや、さすがに石田さんですね。私なんかまだお金儲けのことしか考えられなくて…。

石田： あっ、すみません。緊急の連絡が入ったもので、ちょっと失礼します。

1．3人の関係について正しい図を選んでください。

2．もう一度聞いてください。石田さんについて正しければ○、間違っていれば×を書いてください。

　　1）石田さんは10年前に会社を始め、今海外にもたくさん支社がある。

　　2）石田さんは今会社があるのはたくさんの人に助けてもらったおかげだと思っている。

　　3）石田さんはもっと頑張って日本一の社長になりたいと思っている。

　　4）石田さんは田中さん、小川さんと話している途中で電話がかかってきたので、「では、これで失礼します」と言って喫茶店を出て行った。

3．もう一度聞いてください。質問のあとに答えを3つ言います。いちばん適当なものはどれですか。

1）石田さんはこれから何をしたいと思っていますか。
①海外にもっと会社を作りたいと思っています。
②お世話になった人、迷惑をかけた人にお返しをしたいと思っています。
③もっとお金を儲けたいと思っています。

2）小川さんが大事に思っていることは何ですか。
①人とのつながりが大事だと思っています。
②お金儲けが大事だと思っています。
③夢を持つことが大事だと思っています。

3）田中さんは石田さんと話してどう思いましたか。
①自分も石田さんみたいになりたいと思いました。
②自分もたくさんの人に迷惑をかけてきたと思いました。
③自分はまだお金儲けのことしか考えられないと思いました。

第16課

I

1．男の人と女の人が話しています。男の人がどうして元気がないのかに注意して聞いてください。

女の人：　お久しぶり。2年ぶりだよね。
男の人：　そうだね。大学を卒業した年の夏だったっけ、新宿の本屋で会ってからだよね。全然変わっていないね。
女の人：　そうかな。仕事はどう？　コンピューターの会社に勤めていたんだっけ？
男の人：　うん、実はリストラされちゃって、先月で会社を辞めたんだよ。
女の人：　あ、そうだったの。大変だったね。
男の人：　もともと5年間の契約社員だったから、安定した職場じゃなかったんだけどね。でも、就職してまさか3年でリストラされるとはね。
女の人：　まあ、人生いろいろ。いい時だけじゃないんだから、くよくよしないで。
男の人：　うん、一度のリストラくらいで落ち込んでてはいけないんだけどね。

女の人： そうだよ。ものは考えよう。失業中というのは、これからの生き方をゆっくり考えるいい機会なんじゃない。私なんか、給料は安いのに仕事は山ほどあって、経済的にも時間的にも余裕なんかまったくないんだから。

男の人： そうか。実は、この際、すぐに次の仕事を探すんじゃなくて、大学院で勉強し直すのも一つの生きる方法かなと考え始めたとこだったんだ。

女の人： そう、大学院か。私も行きたいな。あ、そうだ。今度の土曜日、カリナさんたちと東京スカイツリーに行くんだけど、よかったら一緒に行かない。気分転換になるよ。

男の人： ありがとう。じゃ、行こうかな。

1）男の人はどうして元気がないのですか。
2）もう一度聞いてください。女の人は男の人を元気づけるために、どんなことを言いましたか。
3）もう一度聞いてください。正しければ○、間違っていれば×を書いてください。
①男の人は、コンピューター関係の会社で5年間働くことになっていました。
②男の人は、会社と契約した期間よりも早く辞めさせられるとは思っていませんでした。
③男の人は、辞めさせられたにもかかわらずあまりくよくよしていません。
④男の人は、リストラされたことは今後の生き方をゆっくり考えるのにいいチャンスだと思っています。
⑤男の人は、気分転換のために東京スカイツリーに行こうと女の人を誘いました。

2．ニュースを聞いて、文を完成させてください。

　経済雑誌『マネー』を発行している東京ビジネス社のウェブサイトが不正アクセスを受け、登録ユーザーのクレジットカード情報を含むデータが流出していた疑いがあることが29日、分かりました。20数人のカードが不正に使われた形跡があったため、東京ビジネス社は警視庁へ被害を届けたということです。
　東京ビジネス社によると、不正にアクセスされたのは9月13日で、同社のサイトに登録している約13万人のうち、27,000人分の名前やメールアドレスと数百人分のクレジットカード情報が流出していました。カードの不正使用の被害額は一人当たり多くて数千円とみられます。

第17課

Ⅰ．場面を想像しながら会話を聞いてください。

男の子： （泣きながら呼ぶ）お母さーん、お母さーん……。
男の人： ぼく、どうしたの？
男の子： （しゃくりあげながら）お母さんがね、いなくなっちゃった。
男の人： そう、いなくなっちゃったの。困ったね。
男の子： お母さん……（ヒック　ヒック　泣いているが少しおさまった）
男の人： 大丈夫だよ。あっちに案内所があるからおじさんが連れて行ってあげるよ。
　　　　 あそこでお母さんを待っていようね。
男の子： うん。

　　……………

母　親： ちょっとすみません。子どもが迷子になってしまったんですけど。4歳の男の子です。
男の子： あ、お母さん！
母　親： あ、大樹（だいき）！　どこへ行ってたの。心配したじゃない。
　　　　 ジュース買って来るから待っててって言ったでしょう。
男の子： お母さん、帰って来ないんだもん……。おじちゃんがここに連れて来てくれたんだよ。
母　親： そう。どうもお世話をおかけしました。ありがとうございました。
男の人： いいえ。大樹君といろいろお話して楽しかったですよ。
　　　　 大樹君、お母さんは優しくてきれいだって。
母　親： まあ、大樹ったら。
男の人： うちの近所にも4歳の男の子がいますが、大樹君、4歳にしてはとてもしっかりしていますね。
母　親： いえいえ、甘えん坊で。それにしてもすごい人ですねえ。
男の人： 天神祭（まつり）は日本三大祭りの一つですからね。
母　親： 毎年、テレビでは見るんですけど、大阪に住んでいるからには、一度は実際に見なきゃと思ってこの子と来たんです。

男の人： そうですか。僕なんか赤ん坊の時からあの鉦(かね)の音聞いて大きくなりましたからね。
　　　　これを聞かないと、夏が来たって気がしないんですよ。
母　親： それにあの太鼓と鉦のリズム、元気が出ますよね。
　　　　あ、すっかりお喋りしてしまって。
　　　　大樹、帰ろうか。きょうはお父さんとお風呂に入るんでしょ。
男の子： うん。
母　親： ほんとにありがとうございました。じゃ、失礼します。
男の人： 失礼します。大樹君、バイバイ。
男の子： おじちゃん、バイバイ。

1．質問のあとで答えを3つ言います。いちばん適当なものはどれですか。
　　1）男の子が会ったのはどんな人ですか。
　　　　①男の子の知らない高校生ぐらいの男性
　　　　②男の子の知らない50代ぐらいの男性
　　　　③男の子の親戚のおじさん
　　2）母親は、息子が「お母さんは優しくてきれいだ」と話したと聞いてどんな気持ちでしたか。
　　　　①とてもびっくりした。
　　　　②ちょっと恥ずかしかった。
　　　　③嫌な気持ちになった。
　　3）男の人は男の子についてどう思いましたか。
　　　　①一般的な4歳の子どもほどしっかりしていないと思った。
　　　　②一般的な4歳の子どもよりしっかりしていると思った。
　　　　③一般的な4歳の子どもと同じくらいにしっかりしていると思った。

2．もう一度聞いて、質問に答えてください。
　　1）男の人は泣いている男の子を見つけてどうしましたか。
　　2）母親は今までに実際に天神祭を見たことがありますか。
　　3）男の人が夏が来たと感じるのはどんな時ですか。
　　4）男の子はこれからうちへ帰って、何をしますか。

第18課

Ⅰ．ワットさんといずみさんの会話です。いずみさんの「お互いさまでしょう」の意味に注意して聞いてください。

ワット： いずみ。また、台所の電気、つけっぱなしだよ。
いずみ： だってまだ台所に行くんだもん。
ワット： そんなこと言ってて、こないだも結局夜までつけっぱなしだったよ。
　　　　 電気だけじゃなくて、アイロンは出しっぱなし、服は脱ぎっぱなし…。
いずみ： もううるさいわね。
　　　　 あなただってゴミの日にゴミを出し忘れたじゃない？　お互いさまでしょう？
ワット： あれは忘れたわけじゃなくて、ゴミの日が変更になってたんだよ。
いずみ： あらそうだった？
ワット： 君は注意されたら素直に認めないで、すぐに人のことを非難しようとする、悪い癖だ。
いずみ： あなたこそ、朝の忙しい時にうるさいことを言う、悪い癖よ。
ワット： もう、いいよ。早くしないと遅れるぞ。
いずみ： わかった。朝からけんかはやめましょう。
ワット： そうだな。朝から文句言ったりして、悪かった。さ、しゅっぱーつ。
　　　　 あ、電気消した？
いずみ： あ？！　ちょっと待ってて。

1．正しい答えを選んでください。
　　いずみさんが「お互いさまでしょう」と言ったのは、何と何がお互いさまなのですか。
　　1）いずみさんが電気をつけっぱなしにしていること
　　2）いずみさんがすぐに謝らないこと
　　3）ワットさんがゴミを出し忘れたこと
　　4）ワットさんが朝の忙しい時にうるさいことを言うこと

2．もう一度聞いてください。正しければ○、間違っていれば×を書いてください。
  1) いずみさんはけさアイロンを出しっぱなしだった。
  2) ワットさんはゴミの日にゴミを出し忘れた。
  3) いずみさんはワットさんに注意されてもすぐ謝らない。
  4) いずみさんはけさ電気を消さないで出かけた。

第19課

Ⅰ．次の話を聞いて、あとの質問に答えてください。
1．小学校の担任の先生が保護者会で話しています。

　新学期が始まってから3か月、子どもたちは大きく成長しました。それはクラス全員で動物飼育をはじめたことによるものと思われます。
　みんなの意見がまとまったとき、クラスに一体感が生まれます。友達どうしで、弟や妹の面倒をみるように、動物の世話をする。こんな大変な、そして楽しいことはありません。意見が分かれるということは、動物の子どもをかわいがり、大きく元気に育てようという気持ちがみんなにあるからだと思います。休みの日に出てきて餌をやったり、小屋の掃除をしなければならなくても、子どもたちにとって、動物は本当に大切なものなんです。これにつきましては保護者の皆さんのご協力に感謝しています。
　…実は、わたしは動物を飼いたくありませんでした。死んでしまったとき、子どもたちはどうするだろう。そういう不安がありました。でも、心配無用。子どもたちは大人が考えているほど弱くはありませんでした。思った以上に、大きく成長していたんです。

  1) 先生は今、クラス全員で動物を飼うことに賛成ですか、反対ですか。
  2) もう一度聞いて、正しい答えを選んでください。
    ①動物を飼うことは、子どもたちにとって大変だが、楽しい。
    ②動物を飼うことは、子どもたちにとって大変なだけだ。
    ③動物を飼うことは、子どもたちにとって難しい。

２．学校放送でソフトボール部の部長が試合の報告をしています。

　まさか、僕たちのチームが１回戦で負けてしまうなんて、思ってもいませんでした。一番の原因は「油断」だったと思います。初回に３点、５回にも２点と得点を加え、もう負けることはないと。
　…これが負けた理由の一つだと思います。
　はっきり言って、油断で負けたことを後悔しています。でも、負けた試合でも、つまんなくはなかった！　試合中、みんなは興奮し、自分のできるかぎりのことをしました。
　よく、あんなすごい試合ができたな、いっしょにがんばったチームメイトは、本当に素晴らしいなあ。今は、すべていい思い出です。また、来年も全国大会に出場するのが夢です。

　１）部長は負けた試合について、後ろ向き、前向きのどちらの気持ちで話していますか。
　２）試合に負けたのはどうしてだと部長は思っていますか。
　　　もう一度聞いて、正しい答えを選んでください。
　　　①相手チームより弱かったからです。
　　　②初めのうち勝っていて油断したからです。
　　　③試合中にみんなが興奮しすぎたからです。

第20課

Ⅰ．学生のリンさんが、卒業生の森下さんにインタビューします。森下さんはアイスクリームの会社で、商品開発を担当しています。森下さんの答えに注意して聞いてください。

リン：　今日は、お忙しいところ、お時間をいただき、ありがとうございます。
　　　　森下さんのお仕事のことを、大学の新聞でご紹介させていただきたいと思います。
　　　　よろしくお願いいたします。
森下：　こちらこそ。よろしくお願いします。
リン：　まず、伺いたいんですが、アイスの商品開発をなさっていれば、やはりいろいろなアイスを召し上がるんでしょうね。
森下：　そうですね。１か月に100個は食べますね。
リン：　えっ、100個ですか。うらやましいですね。

森下：　一つの商品でも、少しずつ原材料の割合を変えて、相当の数の試作品を作りますから、毎日作っては食べ、食べては作り・・・なんですよ。

リン：　そうですか。

森下：　思うような味にならなかった失敗作も食べるんですよ。

リン：　それも大変ですね。

森下：　それに、休みの日も、食べたことのないアイスを見ると、買って食べてみたり。

リン：　そうなんですか。で、お仕事で、喜びを感じるのはどんなときですか。

森下：　そうですね、お客様から「おいしかった」という手紙やメールをいただいたときですね。あ、あと、お店で、ちょうど自分の開発したものを買っている人を見たときも、やった、と思いますね。

リン：　そうですか。ところで、今はどんな商品を開発していらっしゃるんですか。

森下：　それは企業秘密ですね。

リン：　何かヒントはいただけませんか。

森下：　おいしいことだけは保証しますよ。さ来月、発売の予定なので、楽しみにしていてくださいね。

リン：　さ来月ですか。待ち遠しいですね。
今日は貴重なお時間をいただき、ありがとうございました。来月、新聞ができたら、お送りします。

森下：　楽しみに待ってます。

1．1）次の文が正しければ○、間違っていれば×を書いてください。
①森下さんは、仕事のために、毎月100個以上アイスを食べます。
②森下さんは、材料の割合を変えながら、毎日、試作品を作っては食べ、食べては作っています。
③森下さんは、休みの日は、決してアイスを食べません。
④森下さんが喜びを感じるのは、お客様の反応がいいことがわかったときです。

2．インタビューする際に必要な表現に注意してもう一度聞いてください。
1）リンさんは、インタビューを始めるとき、終えるときにどんな挨拶をしましたか。
2）リンさんは質問を始めるとき、どんな表現を使いましたか。
3）森下さんが「企業秘密です」と言ったとき、リンさんは何と言ってインタビューをつなぎましたか。

第21課

I.

1．これはインスタントラーメンの消費量についてのグラフです。説明を聞いて、どの国のことか答えてください。

　　1）図1を見てください。インスタントラーメンの総消費量は、2002年と2007年を比べるとおよそ2倍に伸びています。しかしその後は少しではありますが減少に転じています。

　　2）図2を見てください。2010年度の一人当たりの消費量をみると年間60食以上で、この5か国の中では2番目の消費量を示しています。

　　3）図1と図2を見てください。総消費量は低いもののその推移をみると、2002年から2010年までの間に3倍弱伸びています。一人当たりの2010年度の消費量も50食を超えています。

2．グラフを見て男の人と女の人が話し合っています。会話を聞いて、あとの質問に答えてください。

男の人：　ねえ、インスタントラーメンを日本よりたくさん食べている国があるって、知ってた？

女の人：　ううん、このグラフを見て初めて、……。

男の人：　そうだよね。確かに僕の国では店でラーメンを注文すると、インスタントラーメンがいろんな美味しい料理になって出てくるんだよ。それに家でもよく食べるしさ。

女の人：　へえ、そうなんだ。それであなたの国では一人当たりの消費量がアジアで一番なのね。

男の人：　うん。でも、僕の国に限らずアジアの人はみんな好きだよね。とにかくうまい。

女の人：　そうねえ、料理に時間もかからないし、安いし。最近では油で揚げていない麺も出てるのよ。身体にやさしいからって。

　　1）男の人の国はどこですか。
　　　　①インドネシア　　②中国　　③日本　　④韓国　　⑤ベトナム

2）女の人はインスタントラーメンが人気のある理由は何だと言っていますか。
①店で注文するといろんな美味しい料理になって出てくるから。
②とにかく安くて、うまいから。
③安いし、最近のは身体にやさしいし、料理に時間がかからないから。

第22課

Ⅰ．ラジオ番組で女の人と男の人が意見を言っています。２人の考え方に注意して聞いてください。

１．２人は大学の入学試験のあり方について話しています。

男の人：　「大学の入学試験では、成績を重視せずに、学ぶ意欲が強いかどうかをもって学生を選ぶべきである」という考え方をどう思いますか。

女の人：　私（わたくし）はよいことだと思います。誰でも、自分がしたいことをするときにこそ大きい力を出すことができます。大学に入学してから、みんなよく勉強すると思います。

男の人：　そうでしょうか。私（わたくし）はその考え方にはちょっと…。
　　　　　まず、学ぶ意欲を測って比べるのはとても難しいのではないでしょうか。
　　　　　成績で選ぶほうが公平です。それに、試験の成績がよくない学生は、入学後、講義が理解できないこともありますから。

女の人：　そんなことはないと思います。今の入学試験には、専門に関係のない科目もあります。その成績と入学後の勉強は別だと思います。

1）「大学の入学試験では、成績を重視せずに、学ぶ意欲で選ぶべきである」と言う考え方に、女の人と男の人は、賛成していますか、反対していますか。

2）もう一度聞いてください。あとで言う①～⑤の文は、女の人の理由ですか、男の人の理由ですか。（　）に「女」か「男」か、書いてください。
①意欲は測って比べることが難しいから。
②誰でもしたいことをするときのほうが力を出せるから。
③大学に入ったあと、よく勉強するから。
④大学に入ったあと、講義が分からない心配があるから。

⑤入学試験の科目と大学での勉強はあまり関係がないから。

2．2人は人口問題について話しています。

女の人：　少子化だ、大変だ、何とかしなければならない、といった声が、先進国であがっています。少子化によってその国の人口バランスが崩れることは、確かに社会保障、労働力、消費など、多くの面に影響があるでしょう。しかし、それは今と同じような社会のあり方を続けていく場合の問題です。新しい人口構成に合った社会を、時間をかけてつくっていけばよいと、私（わたくし）は考えています。

男の人：　ですが、地球全体で人口問題を見てみると、実は、爆発と言われるほどの人口の急増のほうが問題なのではないでしょうか。このままでは、食料だけでなく、水やエネルギー、住宅、雇用などが不足します。それはまた貧困を生み、戦争さえも生み出します。こちらのほうがずっと深刻な問題ではないでしょうか。

1）内容が正しければ○、間違っていれば×を書いてください。
①女の人は、少子化は国のあり方にあまり影響がないと言っています。
②女の人は、少子化に対してはその国の人口構成に合った社会をつくっていけばよいと考えています。
③男の人は、人口が増え続けると、貧困や戦争にもつながるのではないかと心配しています。
④男の人は、少子化より世界人口の増加のほうが大きな問題だと考えています。

第23課

Ⅰ．

1．カリナさんが町の「放送ネットワーク」で話をしています。カリナさんの国の自然環境に今、何が起きているのか、なぜ起きるのか、どうすればよいのかに注意して聞いてください。

　皆さん、こんにちは。カリナと申します。
　最近、私（わたくし）の国では「雨の季節に入っても、雨が降らない」という話をよく聞きます。このままでは、土地が砂漠化し、米や野菜なども作れず、農家は自分たちの食べるものさ

え足りなくなってしまうのではないかと心配しています。それに対して「雨が降らないのは、空のせいだ。自然の災いから人は逃げることができない」と、言う人もいます。雨が降らないのは、本当に空や自然のせいだけでしょうか。私(わたくし)は、そうじゃないと思います。

　1990年代の終わりごろから、私(わたくし)の国ではたくさんの木が伐採され、輸出されるようになりました。それにつれて、熱帯雨林が急激に少なくなりました。森林は、一言でいえば、水の倉庫です。

　熱帯雨林が守られていれば、雨が降ったときも、その70%は森林に蓄えられます。お天気になれば、雨水は蒸発して、雲になります。そして、その雲はふたたび雨を降らせますから、農家は水の心配をしなくてもいいというわけです。この自然の循環こそが土地の砂漠化を防ぎ、また洪水を防ぐためにも、非常に重要なシステムなのです。

　日本は毎年かなりの熱帯材、熱帯地域の木材を輸入し、消費しているはずです。みなさんも、ちょっと周りを見回してみてください。ノート、新聞、机、たんす、…これらはみんな熱帯材からできているものです。このようなさまざまな製品を、一人一人が大切に使ってほしいと思います。紙を節約したり、家具なども再利用して、無駄な伐採を止め、この地球の熱帯雨林を守っていきましょう。

1）カリナさんの国の現状について、正しければ○、間違っていれば×を書いてください。
　①普通なら雨が降るはずの季節に、雨が降らない。
　②今、米や野菜ができなくて農家は食べるものさえない。
　③雨が降らないのは空と自然のせいだと諦めている人がいる。
　④カリナさんの国は熱帯雨林が少なくなってきている。

2）カリナさんがどんな意見、提案をしているかに注意して、もう一度聞いてください。
　①雨が降らなくなったのはどうしてだと言っていますか。
　②雨を降らせるためにはどうすればいいと言っていますか。
　③日本人にどうしてほしいと言っていますか。

第24課

I.
1．パクさんが就職試験で面接を受けています。聞いてください。

担当者： では、早速ですが、当社を志望された理由を、話してください。
パ　ク： はい。私は就職活動を始めるにあたり、各社のホームページや資料をいろいろ拝見しました。その中で、御社は今、東南アジアに次々と新しいスタイルの店舗を展開していらっしゃいます。私は卒論で「アジア地域のビジネス行動比較」をテーマに、調査・分析を行いました。大学で学んだことやこれまでの経験を生かし、営業の仕事に従事したいと御社を志望しました。
担当者： なるほど。でも、必ずしも希望する部署には配属されませんよ。
パ　ク： はい。どんな仕事でも、一生懸命取り組みます。
担当者： そうですか。では、次に留学生活について、話してください。
パ　ク： はい。私は高校三年のとき、初めて日本へ来ました。短期の交換留学でしたが、いい友人もできて、ぜひ日本の大学で学びたいと思うようになりました。それで、推薦を受けて、平成大学に留学しました。専攻は国際経営学ですが、ビジネスに必要な英語の力もつけたいと思って、TOEICの勉強にも、取り組んでいます。
担当者： TOEICの点数は850点。いいじゃないですか。
パ　ク： まだまだです。高校時代から英語を使ってアルバイトもしましたので、日常会話は問題ありません。
担当者： なるほど。それで、パクさんは自分の長所はどんなところだと思いますか。
パ　ク： はい。何事にも全力で取り組むところだと思います。なにか問題が起きたときは、みんなと相談して一つ一つ解決するようにしています。これは、アルバイト、サークルの運営、卒業論文のための調査にあたっても、役に立ちました。
担当者： わかりました。パクさんから何か質問はありますか。
パ　ク： いいえ、ございません。よろしくお願いいたします。
担当者： はい。では、これで面接を終わります。

1）内容が正しければ○、間違っていれば×を書いてください。
　①パクさんはどうしても営業の部署で働きたいと希望しています。
　②パクさんの留学の動機は交換留学で日本へ来たとき、よい友達ができたことです。
　③パクさんは、留学して勉強に忙しく、アルバイトもサークル活動もしませんでした。
　④パクさんは、なにか問題が起きたときは、みんなと相談をして解決するように努力します。
2）採用担当者がパクさんに聞いたことには○、聞かなかったことには×を書いてください。
　①担当者はパクさんに会社の志望理由を聞きました。
　②担当者はパクさんに配属希望の部署を聞きました。
　③担当者はパクさんに「TOEIC」の点数を聞きました。
　④担当者はパクさんの長所を聞きました。
3）もう一度聞いて、パクさんの履歴書を完成させてください。

4．CDの内容

課	内容		CD番号(ばんごう)	ページ
第13課	読む・書く	ゲッキョク株式会社	CD1-1	2
	話す・聞く	勘違いしてることってよくありますよね	CD1-2	5～7
	問題　Ⅰ．		CD1-3	13
第14課	読む・書く	海外で日本のテレビアニメが受けるわけ	CD1-4	16
	話す・聞く	謎の美女と宇宙の旅に出るっていう話	CD1-5	19～21
	問題　Ⅰ．		CD1-6	27
第15課	読む・書く	働かない「働きアリ」	CD1-7	30
	話す・聞く	イルワンさんの右に出る人はいないということです	CD1-8	33～35
	問題　Ⅰ．		CD1-9	41
第16課	読む・書く	個人情報流出	CD1-10	44
	話す・聞く	不幸中の幸いだよ	CD1-11	47～48
	問題　Ⅰ．1．		CD1-12	55
	問題　Ⅰ．2．		CD1-13	55
第17課	読む・書く	暦	CD1-14	58
	話す・聞く	もうお兄ちゃんだね	CD1-15	61～63
	問題　Ⅰ．		CD1-16	69
第18課	読む・書く	鉛筆削り（あるいは幸運としての渡辺昇①）	CD1-17	72
	話す・聞く	あなたこそ、あの本の山はいったい何なの！	CD1-18	75～76
	問題　Ⅰ．		CD1-19	83
第19課	読む・書く	ロボットコンテスト　—ものづくりは人づくり—	CD1-20	86
	話す・聞く	ちょっと自慢話になりますが	CD1-21	89～91
	問題　Ⅰ．1．		CD1-22	97
	問題　Ⅰ．2．		CD1-23	97
第20課	読む・書く	尺八で日本文化を理解	CD2-1	100～101
	話す・聞く	なぜ、日本で相撲を取ろうと思われたのですか	CD2-2	103～105
	問題　Ⅰ．		CD2-3	111

第21課	読む・書く	日本の誇り、水文化を守れ	CD2-4	114～115
	話す・聞く	発表：データに基づいてお話ししたいと思います	CD2-5	117～119
	問題　I．		CD2-6	125
第22課	読む・書く	私の死亡記事	CD2-7	128～129
	話す・聞く	賛成！	CD2-8	131～133
	問題　I．1．		CD2-9	139
	問題　I．2．		CD2-10	139
第23課	読む・書く	コモンズの悲劇	CD2-11	142～143
	話す・聞く	スピーチ：一人の地球市民として	CD2-12	145～147
	問題　I．		CD2-13	153
第24課	読む・書く	型にはまる	CD2-14	156～157
	話す・聞く	好奇心と忍耐力は誰にも負けないつもりです	CD2-15	159～161
	問題　I．		CD2-16	167